Vivian Conroy

REJTÉLY PROVENCE-BAN

VIVIAN CONROY

·MISS ASHFORD NYOMOZ·

Rejtély Provence-ban

GENERAL PRESS
KÖNYVKIADÓ

A mű eredeti címe
Mystery in Provence

Copyright © Vivian Conroy 2022
Originally published in the English language by
HarperCollins Publishers Ltd. under the title
Miss Ashford Investigates (1) – Mystery in Provence

Vivian Conroy asserts the moral right to be acknowledged
as the author of this work.

Hungarian translation © Frei-Kovács Judit

© General Press Könyvkiadó, 2024

Az egyedül jogosított magyar nyelvű kiadás.
A kiadó minden jogot fenntart,
az írott és az elektronikus sajtóban
részletekben közölt kiadás és közlés jogát is.

Fordította
FREI-KOVÁCS JUDIT

ISBN 978 963 452 889 0

Kiadja a GENERAL PRESS KÖNYVKIADÓ
1086 Budapest, Dankó u. 4–8.
Telefon: (06 1) 411 2416

www.generalpress.hu
generalpress@lira.hu

Felelős kiadó KOLOSI BEÁTA
Műszaki szerkesztő DANZIGER DÁNIEL
Felelős szerkesztő KOLBE-KONTOR ILDIKÓ

ELSŐ FEJEZET

1930. JÚNIUS

Amikor Miss Atalanta Ashfordhoz eljutott a hír, amely örökre megváltoztatta az életét, éppen egy sziklás ösvényen kapaszkodott felfelé egy régi, svájci várromhoz, és arról ábrándozott, hogy a szürke, ütött-kopott maradványok a Parthenon fehér márványoszlopai. Élénk képzelőereje kiszűrte a környező hegyoldalak füves lankáin legelésző birkanyájak csilingelő csengőinek zaját, és a turisták beszélgetésének duruzsolását csempészte a helyére, amelyek a világ legkülönfélébb nyelvein hangzottak el. Buzgó fiatalokat képzelt maga mellé, akiknek mindent elmesélt a görög mitológiáról, és néhány méterre tőle egy jóképű férfi sétálgatott, akinek kíváncsi, mélybarna szeme érdeklődő pillantásokat vetett felé, miközben ő a lernéi Hüdráról magyarázott.

Talán később az illető meg is hívta egy baklavára egy hatalmas fa alatt meglapuló asztal mellett, egy árnyas belső udvaron, ahol egy magányos zenész melankolikus dallamokat csalogatott elő a mandolinjából. „Ritkán hallom – szólt volna a csodálója –, hogy valaki ilyen szenvedéllyel beszéljen egy sokfejű víziszörnyről, Miss Ashford."

– Miss Ashford! – Egy visszhang ismételte meg a nevét, ám sem férfié nem volt, sem csodálatot nem tükrözött. Női hang volt, fiatal és határozottan türelmetlen.

Atalanta megtorpant a lejtőn, és lassan megfordult, hogy visszanézzen a válla fölött. Az egyik tanítványa ácsorgott a meredek ösvény lábánál, és valami fehér tárggyal integetett felé.

– Miss Ashford! Levele érkezett. És rettenetesen fontosnak tűnik.

Atalanta felsóhajtott, hátat fordított a Parthenon csillogó képének, és óvatosan elindult lefelé, a valódi élete felé. Számtalanszor előfordult már vele, és mindannyiszor fájdalmasan belehasított a sajnálat, hogy ezek az ábrándok, amelyek olyan boldoggá tették, nem többek puszta légvárnál.

De lépésről lépésre megerősítette az eltökéltségét, hogy egy nap valóban megnézi majd Athént, Krétát vagy Isztambult. Most, hogy sikerült kifizetnie az apja adósságait, végre elkezdhetett gyűjtögetni az utazásokra.

Az járt a fejében, milyen jó lenne, ha ez a levél nem egy újabb hitelezőtől érkezett volna, akinek sikerült eljutnia hozzá azokon keresztül, akiket már kifizetett. Évekig tartott, amíg elrendezte a dolgokat, és végül gazdálkodhatott a saját pénzével. Élvezni akarta ezt a szabadságot. Lehet, hogy az idei nyaralásán csak egy közeli völgyig jut, de ez az első összeg, amit saját magára költhet. Főleg, amióta ott állt az apja sírja mellett azzal a tudattal, hogy most már egyes-egyedül maradt ezen a világon, és mindössze két választási lehetősége van: elszökik a felelősség elől, vagy kifizeti az adósságokat, nem számít, meddig tart, hogy aztán tiszta lappal indulhasson. És ha arra gondolt, hogy a pénzét megint elviszi egy újabb tartozás, összeszorult a szíve.

– Úgy fest, mintha egy címer lenne a borítékon – kiáltotta a lány a kezében lévő papírt vizsgálgatva. – Talán egy gróftól vagy egy hercegtől érkezett.

Atalanta önkéntelenül is elmosolyodott. Szerette, amikor az emberek abban reménykedtek, hogy a változás szele átfúj a hétköznapok taposómalmán. Mégis elmondhatatlanul valószínűtlennek tűnt, hogy egy gróf vagy egy herceg írjon neki. Ugyan az apja arisztokrata családból származott, de a férfi megszakított velük minden kapcsolatot, és a saját útját járta. Atalanta szerette volna vinni valamire, nevet szerezni magának, aminek semmi köze a születésével járó előjogokhoz. Mindig is vágyott rá, hogy bebizonyítsa az apjának, több egy cím puszta örökösénél, egy olyan férfinál, aki csak tétlenül várakozik, amíg rá kerül a sor az utódok hosszú sorában, akik a terebélyes családfán díszelegtek.

Atalantát elfogta a szomorúság. Az apja úgy halt meg, hogy azt érezte, kudarcot vallott. És nemcsak saját magával, de vele, az egyetlen gyermekével kapcsolatban is.

Bárcsak tudná, hogy végül milyen jól alakultak a dolgaim!

Gyorsan nyelt egyet, és rávette magát, hogy a tanítványára figyeljen.

– Mit keresel még itt, Dotty? Nem kellett volna már felvennie apád sofőrjének?

Dorothy Claybourne-Smythe egy angol diplomata lánya volt, aki szép házat birtokolt Bázelben. Úgy volt, hogy a lány ott tölti a nyári szünidőt, de a család végül úgy döntött, hogy inkább elutazik a toszkán villájukba. Ha Atalantának lesz egy kis szerencséje, Dorothy küld majd neki egy képeslapot, ami tovább táplálhatja a külföldi utazásokkal kapcsolatos ábrándjait. Egész albumjai voltak tele képeslapokkal és újságokból kivágott képekkel, kimondatlan ígéretekkel kecsegtető, láthatatlan képaláírásokkal: *egy nap én is megnézem mindezeket.* Az albumok jelentették számára a kapaszkodót, amikor rosszabbra fordultak a dolgok.

Dorothynak megkeményedtek az arcvonásai.

– Nem akarok hazamenni.

A hangja nem hangzott dacosnak, sokkal inkább végtelenül szomorúnak.

Szegény kislány! Atalanta átugrotta az utolsó métert egy nagy sziklatömb fölött, és egyenesen a tanítványa mellé érkezett, majd egy pillanatra átkarolta a lány keskeny vállát.

– Nem lesz olyan rossz.

– De igen. Apának soha nincs rám ideje, a nevelőanyámat pedig gyűlölöm. Megjegyzéseket tesz mindenre, a ruhatáramtól kezdve a szeplőimig. Az anyukámat akarom.

Atalantának összeszorult a gyomra. Hogyan is mondhatna valami lélekemelőt ennek a lánynak, akinek a helyzete igencsak hasonlított az övére? Dorothyhoz hasonlóan Atalanta sem ismerte az édesanyját. Az asszony korai halálát követően ő is kettesben maradt az apjával, és tehetetlenül hánykolódott a férfi felelőtlen költekezésének hullámain. Megélt olyan időket, amikor a pénz nem jelentett gondot, és megengedhettek maguknak könyveket, ruhákat meg édességeket, de olyan hónapokat is, amikor semmijük sem maradt, és Atalantát küldték az ajtóhoz, amikor a hitelezők eljöttek a pénzükért – hátha megsajnálják a szakadt ruhában ácsorgó kislányt.

Atalanta gyorsan megtanulta, hogyan olvasson a testtartásukból, a tekintetükből, így képes volt eldönteni, alkudozhat-e velük, hogy adjanak az apjának még egy kis haladékot, vagy azonnal ajánlja fel, hogy fizetségképpen vigyenek magukkal valamit a házból.

Rezzenéstelen arccal nézte végig, ahogy eltették az anyja ékszereit. Csak akkor kezdett el zokogni, mint egy csecsemő, mikor becsukódott az ajtó. Az édesanyja után nem maradt más, csak az emlékek meg a fénykép az ágya mellett.

– Neked legalább van családod, és egy hely, amit otthonnak nevezhetsz – magyarázta gyengéden a lánynak. Egy stabil menedék a folyamatosan változó lakcímek és az állandó kötéltánc helyett, amelynek egyik végében fénylett a remény, hogy ezúttal valóban jobbra fordul a soruk, a másikban pedig a félelem sötétlett, hogy soha nem alakul úgy, ahogyan az apja ígérte. A férfi nagy lelkesedésében ugyanis hajlamos volt szemet hunyni a kockázatok fölött.

– Otthonnak? – Dorothy elhúzta a száját. – Néha úgy érzem, hogy a puszta jelenlétem is teher a számukra. Minden a fiúk körül forog.

Ezek a bizonyos *fiúk* egy féktelen ikerpárt jelentettek, akiket Dorothy mostohaanyja szült. Különösen az idősebbiket, vagyis a birtok örökösét lehetett érteni alatta, akit – Dorothy elmondása szerint – soha nem bíráltak felül vagy büntettek meg.

Atalanta nem tagadhatta, hogy a fiú leszármazottak – vagyis az örökösök – valóban kiváltságos helyzetben voltak bármelyik jómódú családban. Mégis nehezére esett ilyen lehangoltnak látni a tanítványát. Ha az ember folyamatosan képes alkalmazkodni az új körülményekhez, az igazán nagy adottság az életben; mint ahogyan az is, ha megértjük, hogy nem alakulhat mindig úgy, ahogy mi szeretnénk. És hogy a kellemetlen helyzeteket jobbá varázsolhatjuk, ha más szemszögből tekintünk rájuk.

– Akkor elő kell állnod egy tervvel – közölte Atalanta, és megszorította Dorothy vállát. – Például valahányszor a mostohaanyád nem kedves veled, képzeld magad valahová máshová!

– De hová? – kérdezte a lány kissé meghökkenve.

– Bárhová, ahová szeretnéd. Egy olyan helyre, amelyről olvastál, vagy ahol már jártál. Vagy amit te találtál ki, ezért ott minden neked kedvez – magyarázta Atalanta lelkesen. – Ez lehet a titkos kastélyod, ahová elbújhatsz, amikor magányosnak érzed magad a világban. Ott mindened megvan, amire szükséged lehet. Még barátok is. Ez a képzeletünk nagy előnye. Nincsenek határok.

Dorothy kételkedve nézett rá.

– És ez tényleg működik? Hiszen a barátaim itt vannak, és ők nem jöhetnek velem. Nem engedik meg, hogy akár csak az egyikük is meglátogasson. A mostohaanyám azt mondja, túl hangosak lennénk, és megfájdulna tőlük a feje. De amikor a fiúk egész nap üvöltöznek, az nem bántja a fülét. Ez olyan igazságtalan! – Dorothy felsóhajtott, és Atalanta homlokához nyomta a sajátját. – Bárcsak itt maradhatnék önnel!

Az egyszerű gesztustól és szavaktól Atalantának gombóc keletkezett a torkában. Úgy érezte, mintha lenne egy kishúga, akihez elszakíthatatlan kötelék fűzi... De a bentlakásos iskola igazgatója nagyon szigorú volt. A diákoknak tilos volt túl szoros kapcsolatot kialakítaniuk a tanáraikkal. Mindenfajta érzelmet elleneztek, az együttérzést rosszallás kísérte. Atalantának muszáj volt tartania a három lépés távolságot, még akkor is, ha nem akarta.

– De én sem maradok itt. – Atalanta gyengéden lemosolygott a lányra, hogy enyhítsen a helyzeten. – Találtam egy kis falut egy magányos völgyben, ahol kedvemre hegyet mászhatok, és felfedezhetem a környéket.

– Ezek szerint levelet küldeni sem fogok tudni önnek – közölte Dorothy, és megkeményedtek az arcvonásai. – Úgy szerettem volna írni, amikor elszomorodom, vagy a fiúk gonosz tréfákat űznek velem.

– Akkor írj le mindent, és tégy úgy, mintha elküldenéd nekem! – Kislánykorában Atalanta számtalan levelet fogalmazott az édesanyjának: elmesélte, mit tanult meg eljátszani a zongorán, vagy milyen csodásan fest a park, amikor kirügyeznek a fák. Az apja üzleti ügyeiről soha nem írt, ahogyan arról sem számolt be, hogy elvitték az ékszereket. Hiszen ezek csak elszomorították volna az anyukáját.

Úgy tűnt, mintha Dorothy meg sem hallotta volna, amit mondott.

– Bár egyébként sem számolhatnék be semmi fontos dologról – jegyezte meg, és összeszorította a száját. – Miss Collins úgyis elolvasná. Tudja, gőzzel bontja fel a borítékot, és utána visszaragasztja.

– Nem udvarias dolog ilyesmit állítani másokról – korholta a tanítványát Atalanta, majd magában hozzátette: *Még akkor sem, ha igaz*. Miss Collins volt a házvezetőnőjük, a postamesterük és ezeknél még sokkal több is. Kedves volt a lányokhoz, és jó szövetséges, amikor Atalanta szokatlanabb oktatási módszereket kívánt alkalmazni, de a kíváncsisága kielégíthetetlennek bizonyult.

Atalanta elvette a borítékot a lánytól, és alaposan megvizsgálta, hogy lássa, felnyitották-e, de a feladó elejét vette az efféle próbálkozásoknak azzal, hogy régimódi, vörös viasszal lepecsételte. Még a gyűrűjét is belenyomta. Bár nem címer volt, ahogyan Dorothy feltételezte. Inkább egy monogram: egy „I" és egy „S" kanyargózott rajta, akár a borostyán egy öreg fa törzsén.

Atalanta megfordította a borítékot, és megnézte a gondos címzést, amely személyesen neki szólt a Jó Hírű Ifjú Hölgyek Nemzetközi Bentlakásos Iskolájába.

Ám feladónak nyoma sem volt. Rejtélyes.

– Dorothy Claybourne-Smithe! – A névnek felháborodott hangon kellett volna elhangoznia, de tekintettel arra, hogy a beszélő csak kapkodta a levegőt, inkább olyan volt, mint egy motor, amelyik kifogyott a gőzből. Miss Collins állt mellettük, csípőre téve a húsos kezét. – Megérkezett az édesapja sofőrje, és magára vár. Mégis miért nem csomagolt még össze? És hol a kalapja? Nem járja, hogy csupasz fővel szaladgáljon itt. – Aztán félig rosszalló, félig pajkos pillantást vetett Atalantára. – Ez magára is vonatkozik, Miss Ashford.

Atalanta felemelte a szabad kezét, megtapogatta a haját, és hirtelen rájött, hogy valóban nem visel kalapot.

– Igen, Miss Collins! – motyogta engedelmesen, és megjegyezte magában, hogy ha valamilyen csoda folytán egyszer valóban eljut a Parthenonhoz, mindenképpen szüksége lesz egy csinos szalmakalapra.

– Viszlát, Miss Ashford! – búcsúzott Dorothy. – Köszönöm a jótanácsokat – tette hozzá, majd leszaladt a széles, kavicsos ösvényen, amely az iskolához vezetett.

Atalanta érezte az ürességet ott, ahová a lány a fejét hajtotta. A tanítványai megbíztak benne, és megosztották vele a gondolataikat, de ezek a csodálatos pillanatok csak éles emlékeztetőül szolgáltak arra, hogy neki viszont nincs kihez fordulnia. Hogy saját magát kell megoltalmaznia.

Miss Collins egy tapodtat sem mozdult, kíváncsian méregette a levelet Atalanta kezében.

– Nem is tudtam, hogy már megérkezett a postás.

Úgy tűnt, miközben Dorothy a közelben kószált, hogy a lehető legtovább elkerülje az apja sofőrjét, még azelőtt sikerült lecsapnia a levélre, mielőtt a postamester egyáltalán észrevette volna, hogy megérkezett.

– Gond nélkül eljutott hozzám, *merci.* – Atalanta elmosolyodott. – És most folytatom, amit elkezdtem. *Au revoir!* – Azzal újra elindult felfelé, a várrom irányába. Tisztában volt vele, hogy Miss Collins szerint egy hölgynek nem illik „felfelé caplatni ösvényeken", ahogyan azt mondani szokta, de oda biztosan nem követi majd, így Atalanta nyugodtan elolvashatja a rejtélyes levelet. És ha rossz hírt kapott, marad ideje összeszedni magát, mielőtt visszamegy az iskolába.

Néhány perc gyaloglás után máris ott állt a domb tetején, a repedezett kövek és mohás maradványok között, amelyek egykor az alatta elterülő falura néző várat alkották.

Rózsaszín és fehér vadvirágok nyíltak a kövek között, méhek zümmögtek, és a feje fölött egy piros papírsárkány kísértetiesen surrogott, miközben a kék égen körözött: a szárnyait szélesre tárta, hogy sikerüljön meglovagolnia annyi felemelkedő meleg levegőt, amennyi a lebegéshez kellett.

Atalanta kihúzott a hajából egy csatot, felbontotta vele a borítékot, majd hanyagul behajította a kabátja zsebébe, hogy mielőbb belenézhessen a levélbe.

Előhúzta a finom, kiváló minőségű lapot, kihajtogatta, és elolvasta a bevezető sorokat, amelyeket erőteljes – talán férfi – kezek vetettek papírra drága, kék tintával.

Kedves Miss Ashford!

Bízom benne, hogy a levelem jó egészségben találja. Fájdalommal értesítem nagyapja, Clarence Ashford úr haláláról, egyben kérem, fogadja őszinte részvétem!

Atalanta felszisszent, és erősen megvetette a sarkát a lába alatti köveken, hogy megőrizze az egyensúlyát. Mindössze egyszer látta a nagyapját. Úgy tízéves lehetett, amikor a férfi eljött hozzájuk, és felajánlotta a segítségét a fiának, hogy az kifizethesse az adósságait. Atalanta úgy hitte, hogy az elegáns autó és a jól öltözött úriember érkezése válasz az imáikra, de az apja csak veszekedett a látogatójukkal, rémes vádakat és sértéseket vágott a fejéhez, aztán elküldte, és közölte vele, hogy soha többé ne keresse fel őket.

Később, amikor a helyzetük egyre kilátástalanabbá vált, és Atalanta apjának megromlott az egészsége, a lány kísértésbe esett, hogy tollat ragadjon, és írjon a nagyapjának. Könyörögni akart, hogy segítsen. De végül nem tette meg. Túlságosan fájdalmas lett volna valami hűvös választ kapni, amelyben a nagyapja közli, hogy túl mélyen érintette a legutóbbi fogadtatás ahhoz, hogy kedvezően viszonyuljon a kéréséhez, vagy valami hasonló. Elvégre az apja valóban rémesen bánt vele, és egy efféle válasz teljesen természetes lett volna.

Ráadásul fogalma sem volt, milyen hatással lenne az apjára, ha rájönne, hogy a lány felvette a kapcsolatot a családjával. Mi lett volna, ha mérgében szívrohamot vagy agyvérzést kap? Ezt nem kockáztathatta meg. Egyszerűen túl csekély volt az esély arra, hogy ez a próbálkozás sikerrel végződjön.

És most már túl késő volt.

A nagyapja meghalt.

Hirtelen hidegnek érezte a tarkóját simogató szellőt, és hevesen pislogni kezdett, hogy visszatartsa a könnyeit. Aztán megacélozta magát, hogy folytathassa az olvasást.

A nagyapja igen különleges utasításokat hagyott a végrendeletével kapcsolatban, amelyeket kizárólag személyesen közvetíthetek önnek. A Medve Hotelben szálltam meg, az állomással szemben. Ott várom a lehető legkorábbi alkalmas időpontban, hogy megtudja, miféle előnyökben részesedik.

Üdvözlettel:

I. Stone, ügyvéd

Atalanta újra és újra elolvasta a rövid üzenetet. A szíve fájdalmasan kalapált a mellkasában. Nem elég a döbbenet, hogy a nagyapja meghalt anélkül, hogy megismerhette volna, most kiderült, hogy valamit még kezdenie is kell a végrendeletével.

És a levélben az állt, hogy megtudhat valamit, amiből előnye származik. De ez hogyan lehetséges? Hiszen az apja szörnyű viselkedése után a nagyapja biztosan nem lehetett nyitott arra, hogy támogassa őt.

Vajon mit jelenthet mindez?

Atalanta a forró arcára szorította a tenyerét, és rávette magát, hogy gondolkodjon, hogy félretolja a lelkében dúló vihart a haláleset miatt, és az emlékeket arról az egyetlen alkalomról, amikor találkozott a méltóságteljes, ősz hajú, sétapálcás férfival, akinek bariton hangja önmagában is tekintélyt parancsoló volt. És amikor kedvesen rámosolygott.

Mielőtt apa azokat a bántó dolgokat mondta.

Az ajkába harapott. Fogalma sem volt, mi történhetett a két férfi között, mielőtt ő megszületett, és sejtelme sem volt róla, miféle múltbeli keserű sérelmek vezethettek ahhoz, hogy az apja így reagáljon. Újra ránézett a levélre. *A lehető legkorábbi alkalmas időpontban.* Másnap reggel indult abba a távoli völgybe. Szóval aznap kínálkozott az egyetlen lehetőség.

Rápillantott az órájára. A délután három óra tökéletesen alkalmas időpontnak tűnt. Nem kellett mást tennie, mint átöltöznie a látogatáshoz.

Egy ismeretlen ügyvéddel találkozni egy végrendelet miatt nagyon különleges alkalomnak ígérkezett. Annak ellenére, hogy elszomorodott a nagyapja halála miatt, és értetlenül állt azelőtt, hogy neki mi köze lehet ehhez az egészhez, talán meg kellene próbálnia élvezni ezt az egyedülálló élményt. Hiszen meglehet, hogy soha többé nem fordul elő vele.

MÁSODIK FEJEZET

Tizenöt perccel később a féltőn óvott, legjobb szaténruhájában, a kedvenc világoskék táskájával és a hozzáillő kesztyűben Atalanta már lefelé igyekezett az utcán, amely a domb tetején álló bentlakásos iskolától az alatta fekvő vasútállomáshoz vezetett.

Piros muskátlik díszelegtek az eredeti faházak erkélyein, egy idős férfi egy szamarat vezetett kantárszáron, a hátán a főzéshez szükséges venyigét cipelte. Néhány gally leesett, amikor Atalanta elhaladt mellette, és a lány lehajolt, hogy visszaadja neki.

– *Danke!* – köszönte meg a férfi, aki szemmel láthatóan meglepődött, hogy egy finoman öltözött hölgy veszi a fáradságot, hogy segítsen neki. Atalanta csak intett a hálálkodása hallatán, és már sietett is tovább.

A folyó úgy kanyargott a jobbján, akár egy ezüstszalag, és egy éles sípszó tört fel a tajtékzó víz túloldalán húzódó vágány felől, ahol elhaladt egy gőzmozdony húzta vonat. Turistákat vitt Lauterbrunnenbe, ahol a híres vízesések omlottak alá több száz méter magasból a meredek, sziklás felszín előtt.

Atalanta szinte érezte az arcán a hűvös vízpermetet, amikor eszébe jutott az első látogatása, miután elkezdett az iskolában dolgozni. Mivel egyszerű körülmények között élt egy olyan nagyvárosban, mint London, még életében nem látott ilyen gyönyörű és lenyűgöző helyet. Ilyen pompás környezetben dolgozni igazi ajándéknak számított, még akkor is, ha nem adták ingyen. Hosszú órákat töltött francia- és zenetanítással, elcsendesítette a tanári kar tagjai között kialakuló vitákat, és felszárította a diákok könnyeit, akik meg voltak róla győződve, hogy soha nem lesznek képesek elsajátítani a francia nyelvtant. A többi tanárral barátságos, de távolságtartó volt a kapcsolata; inkább csak munkatársak voltak, mint barátok. A szigorú iskolai szabályok meggátolták, hogy esténként felkereshessék egymást a szobáikban, és bár időnként elmentek kirándulni, ezeket a kiruccanásokat az iskola szervezte, és általában éppen olyan hivatalosnak hatottak, mint az iskolai kirándulások, amelyek oktatási célokat szolgálnak. „Nem az élvezet a cél" – mondta egyszer az igazgató Atalantának, és az „élvezet" szót úgy ejtette ki, mintha valami illetlen szitokszó lett volna.

A Medve Hotel valóban az állomással szemben állt, és a kanton vörös-sárga zászlaja lobogott a bejárata fölött. Egy fiú söprögette a lépcsőket, és egy pillanatra visszarántotta a cirokseprűjét, nehogy végighúzza Atalanta gondosan kifényesített cipőjén. A nő a vakító napfényről belépett a hall homályába, és egy pillanatra megállt, hogy a szeme megszokja a változást.

A recepcióspult mögött a középkorú tulajdonosok lánya ült, és éppen írt valamit egy vastag, bőrkötéses könyvbe. Atalanta odalépett hozzá, és németül szólította meg – a nyelv gyorsan ráragadt, amióta itt élt.

– *Guten Tag!* Herr Stone itt van?

A nő felnézett, és elmosolyodott.

– *Guten Tag!* Igen, itt. Azonnal szólok neki.

Intett a fiúnak, hogy jöjjön be, és gyors utasításokat adott neki. Atalanta körülnézett, a falakon sorakozó szarvasagancsoktól a kakukkos órán át a helyi viseletben pompázó, zord képű férfi portréjáig. Talán valamelyik korábbi szállodaigazgató?

A fiú ismét megjelent az ajtóban egy sötét öltönyt viselő, magas férfi társaságában, aki egy aktatáskát tartott a kezében. A férfi kezet nyújtott Atalantának.

– Miss Ashford? Igazán gyors volt.

Lehet, hogy a férfi most azt hiszi, micsoda mohó nőszemély, aki azonnal iderohant, hogy megtudja, mit örökölt?

Atalanta belepirult a gondolatba. Soha nem számított rá, hogy bárki is támogathatná, miközben keményen dolgozott, hogy helyrehozza az apja hibáit. Igazán nagy csapásnak érezte volna, ha most nézik valami éhes hiénának, aki lecsap, amint tud.

De nem lehetett biztos benne, hogy az ügyvéd valóban így gondolja-e. Egyszerűen csak nagyra is értékelhette a gyorsaságát, hiszen ezzel segített neki, hogy mielőbb elvégezhesse a megbízását. Atalantának a legjobbat kellett feltételeznie – az ügyvéddel és az egész furcsa helyzettel kapcsolatban.

Megszorította a férfi kezét.

– Szeretem mielőbb elintézni a dolgokat. Ráadásul holnap elutazom Kientalba nyaralni.

– Lehetséges, hogy hamarosan megváltoztatja a terveit – jegyezte meg az ügyvéd szárazon.

– Miért tenném? – kérdezte Atalanta meghökkenve. – Talán szüksége van a közreműködésemre valamiféle papírmunkához?

Mr. Stone rápillantott a nőre és a fiúra, akik mindketten őt bámulták, majd intett Atalantának, hogy kövesse.

– Majd négyszemközt megbeszéljük. Hamarosan megtudja, mire gondolok.

Atalanta zakatoló szívvel követte. Az ügyvéd kurta és határozott léptekkel igyekezett, olyanokkal, amelyek megerősítették róla az első benyomást.

Átvezette Atalantát az étkezőn, ahol az asztalokat már lepakolták a reggeli után, majd a nyitott ajtón át kiléptek a hátsó kertbe, ahonnan csodálatos kilátás nyílt a környék világhírű hegyvonulatára, az Eiger, a Mönch és a Jungfrau csúcsokkal. Még a nyár kellős közepén is hó borította a tetejüket.

Az ügyvéd megállt egy kis tó mellett. Valami beleugrott a vízbe – talán egy béka lehetett.

A férfi Atalantához fordult, és lassan beszélni kezdett.

– Ismét fogadja őszinte részvétemet a nagyapja elvesztése miatt! Bár az volt a benyomásom, hogy nem... ismerték egymást személyesen.

– Valóban nem. Apám eltávolodott a családtól – jegyezte meg Atalanta csendesen, rezzenéstelen arccal. Ha ez az ügyvéd intézte a családi ügyleteket, úgyis tudott a sajnálatos eseményekről, amelyek oly régóta árnyékolták be Atalanta életét. Talán a nagyapja megbeszélte a dolgot a férfival egy korábbi alkalommal, és megosztotta vele, milyen csalódást okozott neki az egyetlen fia; és az ügyvédnek most meg kell védelmeznie a családi vagyont, valaki olyantól, akinél kétség sem fér hozzá, hogy gondolkodás nélkül elherdálná.

Ám ha Mr. Stone semmiről sem tudott, Atalantának esze ágában sem volt felvilágosítani.

Az ügyvéd bólintott.

– Az ügyfelem, vagyis a nagyapja régóta aggódott amiatt, hogy a családi birtok, amit olyan előrelátó gonddal építettek az elődei, végül...

Atalanta a fogát csikorgatva várta, milyen szót választ az ügyvéd. Úgy tűnt, a férfi úgy látja legjobbnak, ha a lehető legkörültekintőbben fogalmaz, ezért így folytatta:

– Végül elvész a későbbi nemzedékek számára. Őszintén hitt a hagyományokban, és abban, hogy maradandó örökséget hagyjon az utódaira. Ennélfogva, elégedetten szerzett tudomást arról, hogy az unokája olyan ifjú hölggyé cseperedett, aki tisztességes és józan gondolkodású.

A bók meglepte Atalantát. Eszébe sem jutott, hogy a nagyapja rálátott az életére, arról nem is beszélve, hogy helyeselte a viselkedését.

Mr. Stone nyilván bátorításnak vette Atalanta hallgatását, mert folytatta a mondandóját.

– A nagyapja részletesen informálódott arról, hogy ön miként boldogult az életében, amíg az apja még élt, majd az idő előtt bekövetkező halála után, és úgy hitte, hogy önre bízhat valami különleges dolgot.

Atalantával forogni kezdett a világ, amikor belegondolt, hogy az a nagyapa, akiből mindössze egy finom úrra emlékszik az egyszeri találkozásukból, ennyi mindent tudott róla. De mégis miért figyelte őt az árnyékból, ha lehet így fogalmazni? Miért nem vette fel vele a kapcsolatot, amíg még élt? Atalanta sok mindent odaadott volna, ha megismerheti.

– De én... nem érdemlem meg, hogy bármit is kapjak – tiltakozott. – Hiszen nem is ismertem. Nem voltam az az unoka, akit talán szeretett volna.

– Éppen ellenkezőleg. Ön éppen az az unoka, akit szeretett volna.

Atalanta zavartan pislogott.

– Nem értem.

– Ez a levél mindent megmagyaráz. – Az ügyvéd elővett a zsebéből egy borítékot, és odanyújtotta Atalantának. – A nagyapja rám bízta a végrendeletével együtt. Azt kérte, személyesen adjam át önnek, és olvassa el, mielőtt tájékoztatnám a végrendelet részleteiről.

– Értem. – Atalanta meredten bámulta a kezében lévő borítékot. A nagyapja írt neki. Néha elképzelte, milyen lett volna, ha az öregúr megteszi, ha felveszi vele a kapcsolatot ahelyett, hogy arra vár, hogy ő keresse meg. *Most ez a pillanat is elérkezett.*

Óvatosan kinyitotta a borítékot. Ezzel is időt nyert, hogy megacélozza magát, ha esetleg bántó szavakat olvasna a levélben. Vajon a nagyapja utal arra a rémes vitára, amikor Atalanta apja kizavarta a házukból? Elmagyarázza, hogy ő csak segítő kezet akart nyújtani, de az apja hűvösen visszautasította? Hogy inkább azt választotta, hogy még nagyobb bajba keveri magát – és Atalantát –, mint hogy elfogadta volna a támogatását?

Kedves Atalanta!

A „kedves" jelző láttán Atalantát megérintette a megkönnyebbülés szellője, és a szeme máris a következő sorokat kutatta.

Amikor ez a levél eljut hozzád, én már nem élek. De nem így terveztem. Amikor a fiam, vagyis az apád meghalt...

Itt a kézírás kissé elhalványult, mintha a nagyapja elbizonytalanodott volna.

...arra gondoltam, hogy írok neked. De nem voltam benne biztos, hogy üdvözölnéd a közeledésemet azok után, hogy mindkettőtöket magatokra hagytalak, és egyedül kellett boldogulnotok. Nem lett volna szabad olyan makacsnak lennem, hogy feladjam egyetlen próbálkozás után. De az édesapáddal mindig szörnyen bonyolult volt a kapcsolatunk, sokféle érzelemmel terhelve. Képtelenek voltunk közös helyiségben tartózkodni anélkül, hogy ne éreztük volna úgy, mintha bármelyik pillanatban ránk omolhatna az egész ház, hogy maga alá temessen bennünket.

Atalantának összeszorult a szíve. Jól emlékezett azokra a feszült pillanatokra, amikor a két férfi szembenézett egymással. Még tízéves kislányként is érezte a kavargó indulatokat és a levegőben lógó, ki nem mondott szavakat. Igazán nem hibáztatta a nagyapját, amiért az megbántva érezte magát azok után, ahogy távozott a házukból.

Ezek szerint gondolt rá, hogy ír neki, hogy felveszi vele a kapcsolatot – ahogyan Atalanta is ugyanezen őrlődött. Talán hozzá hasonlóan a nagyapja is az íróasztalánál ült tollal a kezében, hogy megírja azt a levelet, de aztán meggondolta magát, és egy ingerült sóhajjal félredobta a tollat.

Atalanta nyelt egyet, és tovább olvasott.

Nem lett volna szabad elrohannom aznap, de elvakított a düh. Hiszen te is ott voltál. Az unokám, a kislány, akit azelőtt még soha nem láttam. Azt hittem, apád nyitott lesz majd az ajánlatomra, a te érdekedben. Hiszen nyilvánvaló volt, hogy önerejéből képtelen tisztességesen felnevelni. De édesapád büszke ember volt, ezért másként kellett volna tálalnom az ajánlatomat. Ahelyett, hogy rámutattam, milyen tarthatatlan a helyzete egy gyermek számára, inkább emlékeztetnem kellett volna arra, hogy egyre öregebb leszek, és szükségem van rá a birtokon. Bár néha úgy gondolom, azonnal átlátott volna rajtam, hiszen jól ismert.

A jelentéktelennek tűnő szavak a lelke mélyéig megérintették Atalantát. Ez a két férfi, bármennyire is eltávolodott egymástól, úgy ismerte a másikat, ahogyan senki más ezen a világon.

Feltételezem, te magad is megtapasztaltad édesapád heves vérmérsékletét, ám emellett a kedvességét és a nagylelkűségét is. Ő kizárólag az érzéseire hallgatott, akár jó hatással voltak rá és a szeretteire, akár nem. Mindig hű maradt önmagához. Ahogyan én is hű maradtam ahhoz, amiben hittem.

Amikor tudomást szereztem a haláláról, írni szerettem volna neked, felajánlani a segítségemet, de nem akartalak arra kényszeríteni, hogy fájdalmas döntést kelljen hoznod. Hiszen lehetséges, hogy úgy érezted volna, ha elfogadod a kinyújtott kezemet, azzal elárulod az apádat és mindazt, amiért kiállt. Szóval úgy éreztem, nem sokkal a távozása után a közeledésem illetlen és kellemetlen lett volna. Valamikor...

Az írás ismét elhalványult, mintha az írójának nehezére esett volna folytatni.

...azt hittem, édesanyád talán a szövetségesem lehet abban, hogy édesapád és én megbékéljünk egymással. Nem sokkal az esküvőjük előtt beszéltem is vele. Igazán nagy hatást tett rám, és úgy hittem, van esélyünk a sikerre, de apád szörnyen dühös lett, ami-

kor megtudta, és őt hibáztatta. Kis híján kenyértörésre került sor. Édesanyád le volt sújtva. Még soha nem láttam senkit ilyen elkeseredettnek. És ez meggyőzött arról, hogy talán jobb, ha egyelőre hagyom a dolgot, és így volt ez akkor is, amikor megszülettél. Nem akartam tönkretenni a boldogságukat. Még emlékeztem édesanyád fájdalmára, és egyszerűen képtelen voltam írni neked apád távozása után, hogy megkérjelek a lehető legnehezebb döntésre: hogy visszaírj a levelemre, vagy hajítsd ki. Aggódtam, hogy talán kötelességednek érzed, hogy válaszolj, miközben a lelked mélyén úgy érzed, hogy ez szembemegy azzal, amit apád akart volna. És képtelen voltam kitenni téged ilyen nehézségnek.

Atalanta nyelt egyet. A nagyapja helyesen gondolkodott. Nem haragból vagy büszkeségből cselekedett, hanem őszintén aggódott az unokája helyzete miatt. És mindezek mögött ott munkálkodott a szeretet is egy fiú iránt, akit soha nem akart maga mellett tudni, mégis képtelen volt örökre elengedni.

Mégis megkértem az ügyvédeimet, hogy tartsák rajtad a szemüket, és értesítsenek, amint bajba kerülsz. Szégyenkeztem, amikor hírül adták, hogy találtál egy állást egy jó hírű svájci iskolában, ahol megbecsült tanárként dolgozol. Tudhattam volna, hogy csodásan alakítod az életedet – nélkülem is.

Ezek a szavak egy pillanatra elhomályosultak Atalanta szeme előtt, és pislognia kellett, hogy kitisztuljon a kép.

Azt hittem, új életet kezdtél, távol Angliától és minden nehézségtől. Csak később tudtam meg, hogy minden pénzedet Angliába küldted, és kifizetted apád hitelezőit. Bizonyára nagyon szerethetted, ha ezt megtetted érte, hiszen kiegyenlítetted minden adósságát, és ezzel gondoskodtál róla, hogy ne essen folt a nevén. Ami-

kor Stone beszámolt nekem erről, ez megerősítette a tervet, amely már korábban körvonalazódott bennem.

Tudod, Atalanta, sok mindent hagyok magam után, és mindez csak olyasvalakire maradhat, akiben megbízom.

Atalanta visszafojtotta a lélegzetét, amikor a pillanat jelentősége nyilvánvalóvá vált számára. Egy olyan ember levelét tartotta a kezében, akit alig ismert, és aki mégis rá akarta bízni az örökségét.

– Én ezt nem érdemlem meg – mondta Mr. Stone-nak.

A férfi elgondolkodva méregette.

– Az édesapja hitelezői igen jó véleménnyel voltak önről. Biztosították róla, hogy a cselekedetei olyan döntésre vezethetők vissza, amelyet önszántából hozott meg, nem holmi külső ráhatás következtében. Hiszen moshatta volna a kezeit. Azt mondták, nem volt oka védeni az apját. Rosszul bánt önnel, ahogyan mindenki mással is az életében.

Akkor is szerettem.

Atalanta kihúzta magát, és visszaterelte a beszélgetést a levélhez.

– Még ha értesítette is a nagyapámat arról, hogy mit tettem, nem értem, ez miért vezette volna arra, hogy úgy érezze, bármit is rám bízhatna. Én csak egy egyszerű tanár vagyok. Nem szoktam hozzá a vagyonhoz. – Atalanta beleszédült a gondolatba. – Biztosan nem tudnék irányítani egy birtokot, ha ilyesmi járt a fejében. Vagy nem ezért mondta, hogy változtassak az utazási terveimen? Mert haza kell mennem önnel Londonba, hogy elrendezzem a nagyapám ügyeit?

– Angliába, Franciaországba és Korfura. – Az ügyvéd száján ezúttal halvány mosoly játszadozott. – Semmiképpen nem kell Kientalban bujdosnia, amikor van pénze rá, hogy beutazza az egész világot.

Az egész világot... Az milyen lenne?

Egy órával azelőtt még egyedül volt, és játszotta a szokásos kis játékát, amikor is olyan távoli helyekre képzelte magát, amelyekről álmodozott. És most tényleg eljuthat mindenhová?

A szálloda kertje egy szempillantás alatt a Colosseum hatalmas romjává változott. Vajon tényleg elutazhat az Örök Városba? Aztán onnan Firenzébe, Velencébe, Bécsbe?

Vagy Koppenhágába?

Esetleg Moszkvába?

Beleszédült a gondolatba, hogy ez valóban lehetségessé vált, hogy közelebb jutott az álmaihoz, mint azt valaha is gondolta volna.

– Mindössze egyetlen feltétel van. – Az ügyvéd száraz hangja félbeszakította Atalanta révedezését. – Nem tudom, ez szerepel-e a levélben. Az is lehet, hogy nekem kell elmagyaráznom.

Egy feltétel? Mégis mi lehet az?

Atalanta gyanakodva méregette a férfit.

– Talán feleségül kell mennem valakihez? – Vajon képes lenne összeházasodni valakivel, akit nem szeret, és aki egyáltalán nem is érdekli, csak azért, hogy megkaphassa a pénzt és azt az életszínvonalat, ami után olyan régóta sóvárgott? A kilátás nagyon kiábrándítónak tűnt, és úgy érezte, mintha ezzel hazugságban kellene élnie. – A nagyapám talán úgy érezte, hasznomra lehet egy férfi védelme...

– Ó, nem, a nagyapja egyáltalán nem volt ilyen. Igazán nagyra értékelte a független nőket.

– Valóban? Bárcsak jobban ismertem volna!

– Talán szerencsétlenül fogalmaztam, amikor „feltételnek" neveztem – jegyezte meg Mr. Stone a homlokát ráncolva. – Ez sokkal inkább egyfajta... hivatás. Olyasvalami, amit a nagyapja szeretett volna, ha továbbviszi, ha ő már nem lesz ezen a világon, hogy eleget áldozhasson a szenvedélyének. Hogy folytassa azt a jótékony munkát, amit ő mindig is végzett. De kérem, olvassa el a levelet, hogy lássa, mit írt erről ő maga! Azután majd tisztázzuk, ha felmerülne bármilyen kérdése.

A „hivatás" meglehetősen érdekesen hangzott. Mint valami jelentőségteljes küldetés. Egy életcél.

Atalanta megkereste, hol hagyta abba az olvasást.

Remélem, megbocsátod, hogy nyomoztam utánad a hátad mögött, de kénytelen voltam. Mindig bántott, hogy édesapád a legkevésbé sem volt gyakorlatias. Egyenesen fejest ugrott bizonyos helyzetekbe anélkül, hogy előbb átgondolta volna. Nem voltam benne biztos, hogy nem vagy-e ugyanilyen, hiszen csak egyszer találkoztam veled, amikor még gyerek voltál. Ám amint tudomást szereztem az apád halála utáni viselkedésedről, arra következtettem, hogy egészen más vagy, mint ő. Megfontolt természet, aki egyáltalán nem fél a nehéz feladatoktól. Úgy tűnik, a megoldásokon hamarabb gondolkodsz, mint a problémákon.

Atalanta elmosolyodott, és azt súgta maga elé:
– Kénytelen voltam megtanulni, ha túl akartam élni, ami történt.

Olyasvalakire van szükségem, aki tudja, mit jelent az elköteleződés, hogy bölcsen kezelje az örökségemet. Igen, van pénz is, és jelentős vagyon, de nem szabad, hogy ezek a dolgok elvakítsanak. Ezek pusztán csak kellemesebbé teszik az életet. Az egyetlen, ami számít: a célunk. Én hiszek benne, hogy mindannyiunknak van valami életcélja, egy szerep, amit el kell játszania. Az én szerepemet olyan emberek osztották rám, akik, hogy úgy mondjam, megbíztak bennem.

Atalanta arra gondolt, hányszor kopogtatott az ajtaján éjnek évadján valamelyik diákja, hogy bevalljon neki valami jelentéktelen kihágást, vagy tanácsot kérjen egy baráti nézeteltéréssel kapcsolatban. A minap még az egyik fiatalabb tanár is félrehívta a kertben, mert tudni szerette volna, hogyan kezelje egy réges-régi barátja hirtelen támadt romantikus érdeklődését.

A beszélgetés után Atalanta megkérdezte tőle, miért éppen hozzá fordult. Hiszen korábban nem osztottak meg egymással semmilyen személyes dolgot, csak felszínes társalgást folytattak. A tanárnő egy pillanatra gondolkodott, majd azt mondta: „Azt hiszem, azért, mert úgy tűnik, te élvezed a problémákat. Úgy értem, mások inkább elkerülik a nehéz helyzeteket, és igyekeznek tudomást sem venni róluk, de te egyenesen szembenézel velük. Az igazat megvallva, még szereted is különféle nézőpontokból megvizsgálni a helyzetet, majd megtalálni a legjobb megoldást."

Mintha ezt a nagyapja is tudta volna. Talán, mert ő maga is ilyen volt? Vajon olyan vonásnak számított, amelyben osztoztak, egy közös kapocsnak, amely nemzedékeket köt össze?

A diszkréció garantált. Ezeket a szavakat használtam időnként, amikor a munkámra utaltam. Kényes ügyeket oldottam meg a legmagasabb körökben mozgó embereknek. Megbíztak bennem, és én nyomoztam.

Atalanta felszisszent.

– A nagyapám magánnyomozó volt? – kérdezte Stone-tól. – Milyen hihetetlenül izgalmas! Amikor tizenkét éves lettem, apámtól megkaptam a *Sherlock Holmes*-sorozat egyik kötetét, és mindössze néhány nap alatt elolvastam.

Muszáj volt felkeresnie a történetben szereplő londoni utcákat, ahol aztán csak állt, és azt kívánta, bárcsak a nagyszerű detektív befordulna a sarkon, ő pedig árnyékként követhetné, hogy megnézze, hová megy, és mit csinál... Habár talán lehetetlen is lett volna követni valakit, aki olyan szemfüles, anélkül hogy észrevenné. Ezután is számtalanszor újraolvasta a történeteket, és a megviselt kötet az egyik legbecsesebb tulajdonának számított. Atalantának nem volt sok mindene, de az a könyv meg egy másik, amit az édesanyja hagyott rá a görög mitológiáról, olyan tárgyaknak számítottak, amelyektől soha nem lett volna hajlandó megválni.

– Magánnyomozó? – Mr. Stone elgondolkodott a kifejezésen. – Bizonyos értelemben talán igen, de soha nem hirdette a szolgálatait, még a hozzá közel állók sem tudtak róla. Nekem úgy mesélte, az ügyfelei mindig tudták, hogy jussanak el hozzá.

Az ügyvéd ráncolta a homlokát, mintha nem egészen értette volna, hogy ez az egész hogyan működött, de elfogadta az ügyfele magyarázatát.

– Azt mondta, ha elterjed a hír, hogy meghalt, és az örököse megjelenik a színen, az emberek talán önhöz fordulnak majd.

– Hozzám? Ez bizonyára csak valami félreértés lehet.

Atalanta visszanézett a kezében tartott levélre.

Rád hagyom ezt az egészet, azzal a feltétellel, hogy amikor valaki felkeres, hogy segítséget kérjen, muszáj megpróbálnod támogatni a lehető legjobb tudásod szerint. Itt és most nem tudom megmondani, miféle segítségre lesz szükség. Néha csak információt kell szerezned. Máskor meg kell jelenned egy társaságban, hogy megfigyeld, az emberek hogyan viselkednek. Figyelmesnek, hűségesnek és eltökéltnek kell lenned. Meg kell védened az ügyfeleid érdekeit, ám követned kell a saját utadat, amerre a nyomozás vezet. És ami a legfontosabb: soha nem szabad félned attól, hogy megtegyél kemény dolgokat, még akkor sem, ha teljesen magadra maradsz. Tudom, hogy ez utóbbira képes vagy, hiszen már bizonyítottad. Bízom benne, hogy rendelkezel a többi képességgel is, amelyek ehhez a munkához szükségesek.

Hiszen én csak egy tanár vagyok!

Atalanta megint úgy érezte magát, mint négyéves korában, amikor egy lovas szekéren ült, és a lovak egyre gyorsabban futottak egy ismeretlen úti cél felé. Amikor kinézett az ablakon, csak homályos képet látott; Atalanta szédült és félt, ki akart szállni az egészből.

– De miért akarna bárki felfogadni engem? – bökte ki végül. – Hiszen engem nem ismernek úgy, mint a nagyapámat, miért fordulnának hozzám egyáltalán?

– Ő sem volt biztos benne, hogy így lesz – felelte Mr. Stone. – Csak szerette volna, ha ön tudja, hogy talán előfordulhat. Hogy ha valóban felkeresnék, meg tudja hallgatni a problémájukat, és végiggondolni, hogyan szolgálhatna valamiféle megoldással. Igazán nagy megtiszteltetés, hogy a nagyapja így hitt önben.

Nagy megtiszteltetés és hatalmas felelősség. A nagyapja szóvá tette, hogy az apja annak idején fejest ugrott a dolgokba anélkül, hogy végiggondolta volna a következményeket. Ám Atalanta nem ilyen volt. Egyáltalán nem volt benne biztos, hogy szeretné vállalni ezt a kockázatot.

A tekintete visszatért a levélhez és a záró sorokhoz.

Rájöttem, hogy nem kis feladattal bízlak meg. De ha jobban belegondolok, egy nő talán ügyesebben boldogul ebben a mesterségben; talán előbb elnyeri más nők bizalmát, és ez sokkal inkább sikerülhet neki, mint egy férfinak. Hiszen a nők gyakran ismerik a háztartások titkait. És az ösztöneik senki máséhoz nem foghatók. Hiszem, hogy te jobb leszel ebben, mint én valaha is voltam. És én pedig vezetlek majd.

Atalanta újra elolvasta az egyszerű szavakat.

– Itt azt írja, ő majd vezet engem – jegyezte meg, és végigsimított a soron. – Hogyan?

– Nekem sem mondta el a részleteket. De a nagyapja házaiban fog lakni, az ő autóival utazik, eljár majd a partikra, ahol azelőtt ő is megfordult, így nyilván kapcsolatba lép majd azokkal az emberekkel, akiket ismert, és felfedezi, hogy ez mit jelent.

– Házak? Autók? Partik? – Atalantát elfogta a hitetlenkedés, ahogy az ügyvéd csaknem mellékesen megemlítette ezeket a dolgokat, amelyek még aznap reggel is olyan távol álltak tőle, egy másik világban, most pedig hirtelen karnyújtásnyira kerültek.

De ami ennél is fontosabb, azzal, hogy a nagyapja életét éli, megtudhatja, hogy valójában milyen is volt. Kapcsolatot teremthet egy olyan férfival, akit soha nem ismert, de akit szeretett volna megismerni. Megkérdezheti róla a személyzetet. Találhat leveleket, fényképalbumokat, nyomokat, amelyek megmagyarázhatják a problémákkal terhelt kapcsolatot az apja és a családja között.

Azzal, hogy elfogadja a megbízást, és utánajár mások gondjainak, egyedülálló lehetőséget kap, hogy többet megtudjon a saját múltjáról és a családról, amelynek valójában soha nem lehetett a része.

Hogyan is szalaszthatott volna el egy ilyen lehetőséget?

– Tényleg szeretném megpróbálni... – mondta Mr. Stone-nak, a hangja remegett az idegességtől.

– Akkor ezt meg is beszéltük. Szükségem lesz néhány aláírásra, és máris átadom önnek a párizsi otthona kulcsait. Először oda kell mennie.

A párizsi otthonom.

Atalanta gondolatban ízlelgette a szavakat, és elképzelte, ahogy mellékesen megemlíti valakinek, akit ismer. Például Miss Collinsnak. Milyen képet vágna!

– A nagyapja inasa ott várja. Tőle megkapja a többi ház és az autók kulcsát, és ő mindent tud a többi rendelkezésről. Majd elmondja a továbbiakat. – Az ügyvéd végignézett Atalantán. – Gratulálok! Ön most már egy vagyonos hölgy. De azt tanácsolom, ezt ne verje nagy dobra, mert az ilyesmi vonzza a nemkívánatos embereket.

– Egy léleknek sem mondom el – biztosította Atalanta. – Reggel elmegyek, mintha csak Kientalba indulnék, ám helyette Párizsba utazom.

Eltöltötte az izgalom, legszívesebben a levegőbe lendítette volna a karját, és kiáltozni kezdett volna örömében. Hamarosan lesz egy saját háza, ahol lakhat ahelyett, hogy egy bentlakásos iskola szobájában kuporogna, ahol még a bútorok sem az övéi. Lesz egy saját ágya, saját könyvespolca, ahol tarthatja az imádott *Sherlock Holmes*- és a görög mitológiai köteteket.

Nem kellett tovább egy órarendnek megfelelően dolgoznia, beoszthatta a napját. Ott áll majd az Eiffel-torony lábánál, friss *croissant*-t eszik, és felkeresi a versailles-i kastélyt. Lelki szemei előtt látta a képeket mindarról, amit majd megnéz, tesz és kipróbál.

Mindenekelőtt kipróbál. Hiszen az élet meglehetősen unalmas, ha az ember soha nem próbálhat ki valami újdonságot.

És nagyapa minden lépésemnél velem lesz, hiszen ő tette mindezt lehetővé. Vezetni fog engem. Az ő nyomdokaiban járok majd, és végre úgy érezhetem, hogy összeköt valami a családommal és a múltammal. Nem sodródom többé egyedül az életben, hanem kapcsolódhatok valamihez.

Köszönöm, nagyapa!

Megváltoztattad az életemet.

HARMADIK FEJEZET

– Rue de Canclère.

Atalanta csak állt, és hitetlenkedve meredt az utcanévtáblára. Ez volt az. Ezen a divatos párizsi utcán állt az *ő* háza.

Az imént sétált el a butikok, kalapboltok, éttermek és kávézók sora mellett, és látta a Diadalív körvonalait. Legszívesebben minden lépés után megállt volna, hogy megcsípje magát, és megbizonyosodjon róla, hogy valóban itt van, és nem csak álmodozik, miközben Kientalban sétálgat, ahol ebben a pillanatban lennie kellene. Úgy érezte, mintha ez az egész csak egy álom volna. Félt, hogy túlságosan hamar véget ér, és rájön, hogy minden, különösen a nagyapjával való kapcsolat, csak a képzeletének a játéka: olyasvalami, amiről csak ábrándozhat, mert a valóságban soha nem lehet az övé.

Valaki nekiütközött, és vöröses-kékes villanásra lett figyelmes, ahogy egy táviratvivő fiú elsietett mellette. Csendesen szitkozódott magában, talán azt gondolta, hogy Atalanta úgysem érti.

– *Pardonnez-moi!** – kiáltotta utána Atalanta, de a forgalom zaja elnyelte a szabadkozását. Végre olyanokkal beszélhette ezt a nyelvet, akik egész életükben ismerték.

Vetett egy utolsó, szeretetteljes pillantást a táblára, aztán visszafordult, és lassan elindult az utcán. Alaposan kiélvezett minden egyes

* Elnézést! *(francia)*

lépést, amit megtett a csipkefüggönyös és polírozott bronzcsengős házak lépcsői előtt. Az egyiknél megjelent egy hölgy, elegáns kabátot viselt a selyemruha fölött, amely alig takarta el a térdét. A cipője sarka olyan magas volt, hogy Atalanta el sem tudta képzelni, hogyan tud menni benne. A nő könnyed kecsességgel lesétált az otthona lépcsőjén, hátravetette a vállán a vékony sálja egyik végét, majd beszállt egy csillogó, várakozó autóba. Egy autóba, amely akár Atalantáé is lehetett volna. Egy Mercedes Benz vagy egy Rolls-Royce. Személy szerint cseppet sem vágyott elegáns kocsikra, de a gondolat, hogy hirtelen a tulajdonába kerültek, nagyon is kedvére volt, és úgy döntött, hogy minden percét kiélvezi.

Nyolcas szám, tízes szám... Az övé a tizennégyes volt. Nyújtogatta a nyakát, hátha megpillantja, majd elgyönyörködött a finom, bézs homlokzatban, amely ragyogott a reggeli fényben, a magas ablakok elegáns formájában, az aranylón csillogó kőliliomokban, amelyek közvetlenül a magas tető alatt kaptak helyet. Minden tökéletesen festett.

És az ablakok mögött nyíltak a helyiségek, amelyek sokat elárulhattak arról az emberről, aki itt élt, aki a szárnyai alá vette, egy férfiról, akiről elkeseredetten szeretett volna többet tudni.

Volt kulcsa, de tudta, hogy a háztulajdonosok ritkán használnak ilyesmit, mert általában csak csengetnek, hogy a személyzet beengedje őket. Az ő esetében ez különösen illetlen megoldásnak tűnt, hiszen még új volt itt, és nem is találkozott az alkalmazottaival. Udvariatlanságnak hatott volna egyszerűen beállítani és meglepni őket.

Rátette a kesztyűbe bújtatott kezét a saját háza bejáratának korlátjára, majd fellépett a három lépcsőfokon, és becsengetett. Nem hallotta, hogy bármi megszólalna. Elképzelte, hogy a csengő egy táblához csatlakozik valahol a ház mélyén, ahol szolgálók sürgölődnek a kulisszák mögött, hogy minden zökkenőmentesen és megfelelően menjen. Egyetlen sárfoltot sem látott a lépcsőn vagy az ajtón, bár egész éjjel esett, és a heves záporok mindig felverik a homokot és a koszt. Valaki minden tőle telhetőt elkövetett, hogy makulátlanná varázsolja a házat az új tulajdonos számára.

Az ajtó óvatosan kinyílt, és egy férfi állt előtte, aki egyenruhát viselt. Vékony szálú, őszes haját hátrafésülte, keskeny arcán mélyen ülő, kék szempár csillogott. Szenvtelenül végigmérte Atalantát.

– Miss Atalanta Ashford vagyok. Én... – Atalanta hirtelen kínosnak érezte a magáénak mondani azt, ami eddig a nagyapja idejében a férfi fennhatósága alá tartozott. Vajon ez az ember mennyit tudhatott a bonyolult családi kapcsolatokról és az apja szégyenletes viselkedéséről? Vajon megvolt a maga véleménye Atalanta újdonsült szerepéről, mint a vagyon örököse?

Összeszedte minden erejét, és végül sikerült megszólalnia:

– A néhai gazdájának az unokája vagyok. Rettenetesen sajnálom, hogy meghalt.

– Ahogyan én is, kisasszony. Nagyon jó gazdánk volt. Fáradjon be! Örülök, hogy ilyen hamar megérkezett. Ugyanis helyzet van.

– Helyzet? – kérdezett vissza Atalanta, miközben belépett a házba. A különös szóválasztás elterelte a gondolatait az aggodalmakról, hogy a komornyik vajon mit gondol róla.

A házban viasz és polírozószer illata terjengett. Atalanta előtt egy szőnyeggel borított lépcső vezetett felfelé, vastag aranykeretben díszelgő portrékmutatták az utat. A jobb oldalon ajtók sorakoztak, és egy folyosó vezetett feltehetően a konyhák és a személyzeti lakrészek felé.

A balján újabb ajtókat látott, amelyek bizonyára egy pompásan fényes társalgóba vezethettek. Atalanta gyorsan felismerte, hogy a ház északi fekvésű, vagyis kitűnőek a fények, ha valaki festeni vagy rajzolni akar. Ezek szerint a ház hátsó része délre nézett, ezért meleg és kellemes helynek bizonyult. Atalanta fogadni mert volna, hogy a nagyapjának volt ott egy télikertje a ritka növényei számára.

Ha mégsem, majd ő építtet egyet. És az első, amit vásárolni fog, egy hófehér orchidea lesz. Az anyja imádta az orchideát, de miután meghalt, a növények is elpusztultak, hiányzott nekik a szerető gondoskodás, amely körülvette őket. De itt ő maga is tarthat majd ilyeneket. *Rózsaszíneket és sárgákat is veszek, anya. Berendezem a saját otthonomat. Ez hihetetlen!*

– Helyzet az egyik ügyfelünkkel, kisasszony – magyarázta a komornyik, majd alig láthatóan közelebb hajolt Atalantához. – Ma reggel becsengetett, és a gazdámat kereste. Tájékoztattam a halálesetről, de megnyugtattam, hogy az örökös már úton van. Ragaszkodott hozzá, hogy megvárja önt.

– Mármint engem? – kérdezte Atalanta meglepődve. – De fogalma sem volt róla, hogy ma érkezem, nem igaz?

Úgy tűnt, mintha a férfi elfojtana egy mosolyt.

– Feltételeztem, hogy szeretné látni az új házát. Tisztában voltam vele, hogy véget ért a tanév a bentlakásos iskolában, ahol dolgozik, és úgy képzeltem, meglehetősen sivár és unalmas hely lehet, miután a diákok elmentek.

– Valóban az. Jól gondolta. – Természetesen a nagyapja olyan alkalmazottat vett fel, aki éppen olyan figyelmes és logikus gondolkodású, mint ő maga lehetett. – Ez esetben haladéktalanul megvizsgálhatjuk ezt a bizonyos „helyzetet".

Atalanta lehúzta a kesztyűjét, és átnyújtotta a komornyiknak a táskájával együtt. A hallban lógó, magas tükör előtt levette az apró kalapját, és szigorúan szemügyre vette magát. Az arca kellemesen kipirult a lendületes sétától, és a haja rendezett maradt. A ruhája nem volt éppen elegánsnak mondható, de ez akár jó szolgálatot is tehetett, ha nem akarta túlragyogni a látogatóját. Arra gondolt, jobb, ha inkább szakavatottnak tűnik. Fogalma sem volt róla, mit vár tőle ez a bizonyos ügyfél, de eltökélte, hogy megbirkózik az előtte álló „helyzettel".

– Még el sem árulta a nevét – mondta a szolgálónak.

– Elnézést, kisasszony. Kérem, szólítson Renard-nak!

– Renard? Vagyis „róka"? – kérdezte Atalanta. – Ön francia?

– Félig francia, félig angol. – A férfinak a szeme se rebbent Atalanta kérdései hallatán, és bár a nőnek minden joga megvolt feltenni őket, kissé kínosnak érezte, hogy egy olyan férfit faggasson, aki legalább kétszer annyi idős, mint ő maga, ha nem idősebb. Már korábban is megfigyelte, hogy a komornyikokban és a férfi alkalmazottakban van valami személytelen és kortalan. De nekik is voltak érzéseik, és Atalanta nem akart érzéketlennek tűnni. És, az igazat megvallva, talán valami hasznosat is megtudhatott azzal, hogy kérdezősködött. Elvégre a személyzet egy ház szemének és fülének számított.

– Tud nekem mondani valamit az ügyfélről? Ismeri őt?

– Párizsban mindenki ismeri őt, kisasszony. – Tényszerű kijelentésnek tűnt, Atalanta mégis némi rosszallást hallott ki belőle. Talán vennie kellett volna néhány újságot, hogy megtudja a legfrissebb híreket? Hogy milyen ügyek érdeklik mostanság a párizsi nyilvánosságot? Miféle pletykák töltik be a színházak és az operák folyosóit?

– Ezek szerint ilyen híres? – kérdezte óvatosan, igyekezett többet megtudni.

– Igen vagyonos családból származik. Az apja gazdag gyártulajdonos, az anyja pedig híres zongorista volt, mielőtt férjhez ment. Még most is rendszeresen fellép egy-egy estélyen. Az ügyfél a három lányuk közül a legfiatalabb, de az első, aki férjhez megy. Néhány hónappal ezelőtt a szülei hirtelen bejelentették az eljegyzését Surmonne grófjával. Ők ketten azóta minden társasági lapban szerepeltek, részt vettek minden jelentősebb partin és kiállításmegnyitón. Az ember ki sem nyithatott egy lapot anélkül, hogy ne találkozott volna Eugénie Frontenac csinos, mosolygós arcával.

– Értem. – Atalanta minden tőle telhetőt elkövetett, hogy megjegyezze a részleteket. – És Eugénie Frontenac most itt van... egy problémával?

– Mi úgy hívtuk, „helyzet". A gazdám… Ő nagyon diszkrét ember volt. – Renard elmosolyodott. – Mindig azt mondta, a gazdagoknak nincsenek problémáik. Ahhoz túl fontosak és önelégültek. Ám néha belekerülnek bizonyos helyzetekbe, amelyek csak gondos megfontolás után oldódnak meg.

Ez úgy hangzott, mintha Atalanta nagyapja nemcsak diszkrét lett volna, hanem igen jó emberismerő is. Atalanta tanítványainak vagyonos családjai valóban úgy gondolták, hogy felül állnak a világ más embereinek ügyes-bajos gondjain. Nem akarták hallani az iskolából, hogy a lányaik nem értek haza, vagy megbuktak a vizsgákon. Úgy vélték, ez az iskolára tartozik.

Atalantának meg kellett tanulnia, hogyan tálalja a dolgokat körültekintően, bár attól tartott, hogy ez néha éppen ellentétes a szándékaival. Ám tanárként nem volt olyan helyzetben, hogy ellenkezhessen ezekkel a szülőkkel, ezért rá kellett jönnie, hogyan közvetítse az igazságot anélkül, hogy bárkit is megsértene. És ez talán ebben az esetben is hasznosnak bizonyulhatott.

– Akkor legjobb lesz, ha beszélünk ezzel az ifjú hölggyel – mondta Renard-nak. – És kiderítjük, hogy segíthetnénk neki.

– Honnan tudja, hogy ifjú?

– Említette, hogy ő a legfiatalabb a három lány közül, és az első, aki férjhez megy. A jómódú családokból származó lányok gyakran házasodnak fiatalon. Szóval a nővérei sem lehetnek negyvenévesek. – Kissé túl későn jött rá, hogy ez valamiféle nem túl ügyesen leplezett próbatétel volt, és fürkészni kezdte a férfi arcát. Renard semmi jelét nem adta annak, hogy elégedett vagy éppen kissé csalódott lenne. Vajon a nagyapja felkérte ezt az embert, hogy tegye őt próbára? A levelében szereplő rejtélyes szavak, hogy majd vezeti őt, még mindig nem mentek ki a fejéből. *Vajon hogyan?*

Renard elindult előre, és kitárta a bal oldalon nyíló második ajtót. A szemközti falnál egy pompás zongora állt, jobbra pedig elegáns kanapék sorakoztak. Atalanta szinte látta maga előtt, ahogy divatosan öltözött hallgatóság gyülekezik a helyiségben, hogy meghallgassa egy úrihölgy előadását. De a nagyapja egyedül élt itt. Vagy talán meghívta a barátait? Lehetséges, hogy bizonyos családokkal közelebbi kapcsolatban állt? Vajon Atalanta reménykedhetett, hogy megismerhet olyan embereket, akik mesélnek majd a nagyapjáról, hogy jobban megérthesse őt?

Az egyik kanapéról egy ifjú hölgy emelkedett fel. Aranyló, szőke haját a feje tetejére tűzte, és egy vörös tolldísszel rögzítette. Sárga ruháját vörös, hímzett gallér és mandzsetta díszítette. A keze csak úgy ragyogott a gyűrűktől és karkötőktől. Nem volt magas, de könnyed kecsesség sugárzott belőle, amikor odalépett Atalantához.

– *Bonjour!* Ön az örökös, akit említettek nekem?

Ám mielőtt Atalanta válaszolhatott volna, az ügyfél kétségbeesetten hadarni kezdett:

– Segítenie kell, hogy megszabaduljak ettől a folttól, amely bemocskolja a boldogságomat. Nem lehet igaz! Egyszerűen nem lehet. De amíg nem tudom biztosan, egy perc nyugalmam sincs. – A hölgy aggodalmasan tördelte a fehér kezét.

Atalanta vetett egy pillantást a táskájára, amely egy pár gyűrött kesztyű társaságában a kanapén hevert. Úgy tűnt, Mademoiselle Frontenac különösen nyugtalanul várhatta, hogy találkozhasson valakivel, mert olyan hevesen gyűrögette a kesztyűjét, hogy kis híján elszakította. És mivel ezalatt egyedül volt, Atalanta azt feltételezte, hogy az aggodalma őszinte.

– És hogyan segíthetnék? – kérdezte.

– Hozok egy kis teát – jegyezte meg Renard, és elindult az ajtó felé.

– Csokoládéval, *s'il vous plaît!* – Az ifjú hölgy rámosolygott. – Szükségem van egy kis cukorra, hogy összeszedjem magam.

Aztán intett Atalantának, hogy menjenek a kanapékhoz.

– Leülhetnénk?

Atalanta kissé meglepődött, hogy hellyel kínálják a saját házában, mindazonáltal csodálattal nézte, hogy az ügyfele viselkedése milyen gyorsan átcsapott tanácstalanból irányítóvá. De persze ő volt a legkisebb gyerek, és talán rémesen elkényeztették, így hozzászokhatott, hogy csak csettintenie kell, és megkap mindent, amit akar. Atalantának elég tapasztalata volt az efféle lányokkal az iskolából. Az a legszerencsésebb, ha először mindenben a kedvére tesz, amíg kiderül, milyen információval szolgálhat, ami hasznos lehet az ügy szempontjából.

Az ügy! Atalantának lett egy ügye. Két nappal ezelőtt még élte a hétköznapi kis életét, most pedig itt volt Párizsban, hogy a detektív nagyapja nyomdokaiba lépjen. *Nem fogom cserben hagyni!*

– Bizonyára ismer engem és a helyzetemet – közölte Mademoiselle Frontenac.

Atalanta csendesen hálát adott Renard-nak, amiért sietősen elmondott neki mindent, amit tudnia kellett. Ezzel legalább egy lépéssel előbbre jutott.

– Hamarosan férjhez megy Surmonne grófjához.

– Igen, és valaki megpróbál elválasztani bennünket. – Az ifjú hölgy színpadiasan széttárta a kezét. – Tudom, hogy az emberek irigyek rám, amióta Gilbert megkérte a kezemet, de ez természetes. Hiszen őt tartják a legjobb partinak a városban. – Elégedetten elmosolyodott, amiért ő szerezhette meg a trófeát. – És soha rá sem nézett másra, amióta az első felesége meghalt.

– Ó, ezek szerint özvegy? – kérdezte Atalanta.

– Igen, Mathilde egy balesetben hunyt el, nem sokkal azután, hogy összeházasodtak. Gilbert birtokán történt. Szörnyen tragikus. Eltartott egy ideig, amíg a vőlegényem magához tért. Utazgatott, és intézte az üzletet. Műkereskedelemmel foglalkozik. Olyan, mint egy kincskereső: reneszánsz festményeket talál ott, ahol senki sem számít rájuk, és elhozza a párizsi galériákba. Igazi zseni ezen a téren. – A nő egy pillanatra elhallgatott, mintha azon töprengene, mi mást is mondhatna még a vőlegényéről.

Atalanta szerette volna tudni, hogy a házasságot elrendezték-e, vagy Mademoiselle Frontenac őszintén szerelmes a vőlegényébe, de tisztában volt vele, hogy egy efféle kérdést soha nem lehet feltenni. Másként kellett kiderítenie.

– És hogyan ismerkedtek meg egymással?

– Egy barátunk születésnapi partiján februárban. Fülig belém szeretett. – Újra megjelent a nő arcán az az elégedett kis mosoly. – Néhányszor találkoztunk titokban, aztán az anyám rájött. És választás elé állította: szakít velem, vagy elvesz feleségül. Gilbert először úgy gondolta, hogy még túl korai lenne.

Elhallgatott, mintha elidőzött volna egy másik részletnél, amit vonakodna megosztani az újdonsült nyomozónővel.

Atalanta azon tűnődött, vajon a gróf Mademoiselle Frontenac tudtára adta-e valaha, hogy ő nem érzi a kapcsolatukat elég komolynak ahhoz, hogy szóba kerüljön a házasság. Elvégre mit jelenthet néhány titkos találka egy férfival, aki a hölgy szavaival élve „a legjobb partinak számít a városban"?

Atalanta lehetséges ügyfele újra felélénkült, és folytatta:

– De miután néhány napot vidéken töltött, egyszer csak beállított hozzánk, és megkérte a kezemet apámtól. Azt mondta, azonnal kezdjük el szervezni az esküvőt, mert tökéletes lenne, ha nyáron tartanánk, amikor a levendulamezők teljes pompájukban virágoznak. Anya hosszú eljegyzésre számított, hogy körbemutogathassa Gilbert-t minden partin, és megszerezhesse nekem a tökéletes ruhát, de természetesen nem mondhatott nemet egy gróf kívánságára. Szóval mindenki meg volt elégedve.

– Ön is? – kérdezte Atalanta. Egyenes kérdés volt, de természetesnek hatott a beszélgetés menetében. Így nem kellett külön puhatolóznia Mademoiselle Frontenac érzései után. Remélte, hogy a nagyapja nem ellenezné.

Mademoiselle Frontenac meglepődött.

– Miért ne lettem volna elégedett? A három lány közül nekem kérték meg a kezemet elsőnek. A nővéreim szörnyen féltékenyek voltak. Az igazat megvallva, még most is azok. – Azzal újra elmosolyodott.

Miközben Atalanta kitöltötte az illatozó teát a kifinomult ízléssel választott porceláncsészékbe, Mademoiselle Frontenac még egyszer visszakérdezett:

– Mégis miből gondolta, hogy nem voltam elégedett? – Ezúttal sokkal sebezhetőbbnek hangzott, szinte bizonytalannak.

Atalanta megvonta a vállát.

– Ön olyan fiatal. Tényleg egy életre hozzá akarja kötni magát valakihez? – Ez a nő nem sokkal volt idősebb a bentlakásos iskola legidősebb tanulóinál, és Atalantát elöntötte az anyai gondoskodás érzése. Mademoiselle Frontenac megborzongott.

– Ha így fogalmazza meg, úgy hangzik, mint valami ítélet – jegyezte meg, és amikor a teáscsészéért nyúlt, remegett a keze.

– Nem állt szándékomban felzaklatni – jegyezte meg Atalanta sietve. Ezzel együtt az ügyfele arcára kiülő érzések túl érdekesek voltak ahhoz, hogy egyszerűen figyelmen kívül hagyja.

Az ifjú hölgy csak legyintett a szabadkozására, aztán közelebb hajolt, mintha be akarna vallani valamit.

– Pontosan értem, mire gondolt. Anyám krokodilkönnyeket hullat, hogy ilyen hamar kirepülök a fészekből, de én szabad akarok lenni. Távol akarok kerülni Párizstól meg a folyamatos pletykáktól arról, hogy mit tehetek, és mit nem.

– És a férje elviszi majd? Nem köti ide az üzlet?

– Telente gyakran van itt. De nyáron a birtokán pihen a levendulamezők között. Én még nem jártam ott, de Gilbert csodálatos képet festett róla. *Bellevue*-nek hívják, mert olyan pompás kilátás nyílik a környező tájra.

– Értem. – *És ez ugyanaz a birtok, ahol az előző feleség, Mathilde meghalt?*, szerette volna feltenni a kérdést Atalanta, de inkább megtartotta magának. Illetlenség lett volna rámutatni az összefüggésre, gyanús utalásokat vont volna maga után, és végleg megzavarhatta volna az ügyfele lelki békéjét. *Akkor nekem vajon miért jutott az eszembe?*

– Egyáltalán nem tett boldogtalanná a lánykérés – jelentette ki Mademoiselle Frontenac, aztán belekortyolt a teájába, és maga elé meredt.

Atalanta érezte a ki nem mondott folytatást.

– Amíg? – tette fel a kérdést bátorításképpen.

– Amíg ez a levél meg nem érkezett. – A *mademoiselle* olyan hevesen tette le az asztalra a teáscsészéjét, hogy a barna folyadék kilötytyent a peremén. Aztán megragadta a félrevetett táskáját, kinyitotta, és elővett belőle valamit. Egy gyűrött boríték volt az. Kisimította a térdén. – Olyan aljas, és... Nem tudom elhinni, hogy valakinek volt szíve elküldeni.

Atalanta ránézett az egyszerű borítékra, amelyen mindössze a név szerepelt. *Mademoiselle E. Frontenac.* Semmi cím.

Az ügyfele összeszorította a fogát.

– Még most sem tudom elhinni. Ez biztosan valami... trükk, hogy szétválasszanak bennünket. Hogy tönkretegyék az esélyemet a boldogságra.

– Mi áll a levélben? – érdeklődött Atalanta.

– Olvassa el! – Mademoiselle Frontenac átnyújtotta a gyűrött borítékot, majd nézte, ahogy Atalanta kinyitja, és előhúzza belőle a papírt.

Egyszerű papírlap volt, félbehajtva. Amikor kihajtogatta, Atalantának elkerekedett a szeme a tinta élénk színétől, amivel a levelet írták. Élénkvörös volt, mint a vér.

– „Az első felesége nem balesetben halt meg. Légy óvatos! Jobban teszed, ha félsz!" – olvasta fel hangosan.

Mintegy mellékesen megállapította magában, hogy a betűket gondosan formálták, hogy elkerüljenek mindenféle egyéni jellegzetességet, ami elárulhatná, hogy ki vetette őket papírra. Az illető szándékosan leplezte a saját kézírását, amivel a diákjai is próbálkoztak, amikor a szüleik nevében hamisítottak üzeneteket arról, hogy Elisa tényleg nem ehet babot, vagy Patriciát minden áldott nap el kell engedni teniszezni. Atalanta azon tűnődött, vajon a megváltoztatott kézírás puszta elővigyázatosságnak számít-e, vagy arra utalhat, hogy Mademoiselle Frontenac ismeri azt, aki ezt a levelet megírta. *Érdekes...*

És tessék! Atalanta máris információkat gyűjtött ennek a látszólag névtelen levélnek a legapróbb részleteiből, akár egy igazi nyomozó. De az izgatottságát elnyomta a levélben szereplő szavak súlya.

Maga az üzenet teljesen egyértelmű volt, semmit nem bízott a képzeletre.

A férfi, akihez Eugénie Frontenac feleségül akar menni, egy gyilkos.

Állj!, intette magát Atalanta. *Ezt nem tudhatod. Hiszen csak annyit mond, hogy az első felesége nem balesetben halt meg. Ha megölték, bárki lehetett a tettes.*

Másrészt viszont, miért figyelmeztetné az illető az új menyasszonyt, ha a fenyegetést nem az a férfi jelentené, akihez hozzá kíván menni?

– Tudja, hogy halt meg a vőlegénye első felesége? – kérdezte.

– Igen. Mathilde-ot levetette a hátáról a lova, és kitörte a nyakát. Egyértelműen baleset történt. Senki sem tudta volna megakadályozni. – Mademoiselle Frontenac belenézett Atalanta szemébe. – Ez a levél aljas gyanúsítgatás, amelynek az a célja, hogy felbontsam az eljegyzésemet, de erre nem vagyok hajlandó.

– Ezek szerint ön teljesen eltökélt?

– Igen.

– Akkor miért van itt?

– Tudni akarom, ki küldte ezt a levelet. Tudni akarom, ki akarja megakadályozni a házasságomat. Vagy rossz fényben feltüntetni a férjemet. Tudni akarom, ki írta ezeket a vádló szavakat, és... – Majdnem félrenyelt, ezért felemelte a csészéjét, és ivott egy korty teát.

– A névtelen leveleknek szinte lehetetlen kideríteni a feladóját – jegyezte meg Atalanta. – Ez egy egyszerű papír, nincs rajta... – A fény felé tartotta, hátha észrevesz rajta valami megkülönböztető jelet. *Semmi.* – Semmi, ami bármit is elárulna az eredetéről. A kézírásból sem lehet következtetéseket levonni. A tinta... – Atalanta alaposan szemügyre vette. – Kétlem, hogy kideríthetnénk, miféle. Látom, hogy a borítékon mindössze az ön neve szerepel. Hogyan kézbesítették?

– Ez a legkülönösebb az egészben. A szakácsunk elment friss zöldségeket vásárolni. Egy hatalmas kosarat cipelt a karján. Amikor hazaért, és kivette belőle a répákat meg a hagymákat, a levél ott volt közöttük. Odaadta a szobalánynak, hogy hozza fel nekem. Természetesen, miután elolvastam, azonnal lementem a konyhába, és megkérdeztem, hogy jutott hozzá, de azonkívül, hogy valaki bizonyára becsúsztatta a kosarába, amíg a piacon volt, nem tudtam meg tőle semmit – magyarázta kissé rosszallóan.

– Értem – nyugtázta Atalanta. – És nem tudja egyszerűen a rosszindulatnak tulajdonítani és annyiban hagyni? Biztosan azt szeretné, ha nyomozás indulna?

Persze, teljesen természetesnek számított, hogy egy olyan elkényeztetett ifjú hölgy, mint Mademoiselle Frontenac, éktelenül dühös lesz, amiért folt esett a boldogságán. Ám magánnyomozót felfogadni azért, hogy kiderítse, ki írta a levelet, túlmutatott azon, hogy kielégítse egy úrihölgy sértettségét. A remegő keze elárulta, hogy őszintén fél.

– Ennél többről van szó, nem igaz? – szólalt meg Atalanta lágy hangon. – Nekem elmondhatja.

Mademoiselle Frontenac felsóhajtott.

– Ez a levél megmérgezte a gondolataimat. Tudom, hogy nem lenne szabad így éreznem, de ez az igazság. Elkezdtem azon gyötrődni... A vőlegényem első felesége vagyonos családból származott. Amikor feleségül ment hozzá, tekintélyes hozományt vitt a házasságba. A halála után ez mind Gilbert-é lett, aki elkölthette az üzletre, hogy újabb festményeket kutathasson fel. Az édesapám nagyon szeret engem, és megígérte, nem hagyja, hogy üres kézzel menjek férjhez – magyarázta, majd elhallgatott.

Atalanta lassan bólintott.

– Attól fél, hogy ön is meghal nem sokkal az esküvőjük után, és a gróf megszerzi a hozományát.

– Felmerült bennem. Tudom, hogy gonoszság, de mi mást gondolhatnék? Miért írna bárki is egy efféle levelet? – Mademoiselle Frontenac sziszegve kifújta a levegőt. – Megpróbálok nem gondolni rá, de kísért éjszakánként az ágyban. Látom magam előtt a lovat, ahogy leveti magáról a nőt, és azon morfondírozok, vajon nem rejtett-e valaki tüskét a nyereg alá. Hanyatt fekve bámulom a mennyezetet, majd végre álomba merülök, de aztán úgy érzem, mintha fuldokolnék, mert valaki vizes párnát szorít az arcomra. Látom, hogy egy sötét alak magasodik fölém, és... Csak arra tudok gondolni, hogy én is meg fogok halni a pénz miatt. – A nő levegőért kapkodott. – Nem hagyhatja, hogy ez megtörténjen! Mielőtt férjhez megyek, ki kell derítenie, hogy ez a levél csak egy gonosz trükk valakitől, hogy szétválasszon bennünket, vagy őszinte figyelmeztetés, különben képtelen leszek megnyugodni.

Atalanta csendesen ült, és mérlegelte a helyzetet. Nem volt biztos abban, hogy valaha is képes lesz rájönni, ki írta azt a levelet. Vagy hogy Surmonne grófjának első felesége valóban balesetben halt-e meg. Hogyan is lehetne ennek nekilátni?

Hirtelen minden, amit az eddigi életében tett, csak gyerekjátéknak tűnt az előtte álló feladathoz képest. Lehet, hogy a nagyapja úgy gondolta, képes lehet ilyesmire, de...

– Jöjjön velem! – Mademoiselle Frontenac esdeklő pillantást vetett Atalantára. – Jöjjön velem Bellevue-be, és ismerkedjen meg azokkal, akik részt vesznek az esküvőmön. Derítse ki, hogy van-e közöttük olyan, aki rosszat vagy jót akarhatott nekem ezzel a figyelmeztetéssel! Legyen mellettem, ha egy újabb levél érkezne!

– Miből gondolja, hogy erre sor kerülne? – kérdezte Atalanta meglepve. – A feladó elérte, amit akart.

– De ő ezt nem tudhatja. Talán azt hiszi, belehajítottam a tűzbe az irományát, és a legkevésbé sem érdekel, mit állít.

Ez valóban igaz lehetett.

És ami még aggasztóbbnak tűnt, hogy Mademoiselle Frontenac nyilvánvalóan úgy gondolta, az illető, aki ezt a levelet írta, szemmel fogja tartani őt, még azután is, hogy elhagyja Párizst, és a jövendőbeli férje vidéki birtokára utazik.

Vajon a hölgynek már van is elképzelése arról, hogy ki lehet az? Vajon azért van szüksége egy magánnyomozóra, hogy Atalanta végleg megnyugtassa, *nem* az általa gondolt személy az?

Mademoiselle Frontenac megragadta Atalanta karját.

– Kérem, jöjjön velem!

Atalanta arra gondolt, hogy Bellevue az a hely, ahol az első feleséget elérte a sajnálatos vég. Talán most is vannak ott olyan szolgálók, szomszédok, esetleg barátok, akik látták, mi történt. Így diszkréten kiderítheti, hogy valóban tragikus baleset volt-e. És ha a tanúvallomások igazolják a történteket, a levél tartalmát mérgező hazugságnak nyilváníthatják, és ez a kétségbeesett, ifjú hölgy visszanyerheti a lelki nyugalmát. Ez kivitelezhetőnek tűnt.

A jövendőbeli menyasszony összekulcsolta a kezét.

– Kérem! Szükségem van a segítségére.

A kandallópárkányon álló, aranyozott ingaóra tizenegyet ütött. A hangok visszaverődtek a hatalmas zongora belsejéből. Ez már mind az övé volt; a nagyapjától kapta, cserébe azért, hogy segítsen azoknak, akiknek szükségük van rá. És egy ilyen ember ült most mellette. Könyörög neki, hogy legalább menjen el vele, és nézze meg, tud-e kezdeni valamit a helyzettel. A nagyapja azt írta, hogy nőként talán több mindent el tud majd érni, és ez máris igaznak bizonyult, mert erősen kételkedett benne, hogy Mademoiselle Frontenac úgy megnyílt volna a nagyapja előtt, ahogyan most őelőtte.

Szóval a férfi terve valóban működött.

Atalanta rámosolygott Eugénie Frontenacra.

– Önnel tartok. Mikor indulunk?

NEGYEDIK FEJEZET

Amíg Renard kikísérte Mademoiselle Frontenacot, Atalantának összevissza cikáztak a fejében a gondolatok arról, hogy miket kell előkészítenie az utazáshoz. Úgy döntöttek, hogy megbízója társaságában érkezik majd Bellevue-be, és egy távoli unokatestvérnek adja ki magát. A kisasszony biztosította róla, hogy az édesapjának igen kiterjedt a rokonsága, és annyi unokatestvére van, hogy senkinek sem fog feltűnni.

Mindazonáltal, hogy minden részlet a helyére kerüljön, Atalanta megkérte a hölgyet, hogy lássa el a lehető legtöbb információval a családról, amelyhez állítólag tartozni fog. Elvégre az esküvő családi eseménynek számít, ezért számíthatott rá, hogy a menyasszony közeli rokonai jelen lesznek, és érdeklődő kérdéseket tesznek majd fel.

Nincs rosszabb, mint amikor folyamatosan kerülni kell az embereket, és rettegni a kérdésektől, amelyek azonnal leleplezhetik, hogy csaló vagyok.

A szíve heves kalapálásba kezdett, ha arra gondolt, hogy tényleg megteszi, de ezzel együtt olyan erővel ruházta fel, amit még soha nem tapasztalt.

Renard olyan csendesen lépett be a szobába, hogy Atalanta nem is hallotta. Gondterhelten ráncolta a homlokát.

– Végiggondolta már, hogy kit visz magával, *mademoiselle?*

– Tessék?

– Magával kell vinnie egy szobalányt vagy társalkodónőt. A vagyonos családokhoz tartozó hölgyek soha nem utaznak személyzet nélkül.

– Talán a múlt században még valóban így volt, de most már modern időket élünk – tiltakozott erőtlenül Atalanta. A vagyonos családokra tett utalás fájdalmasan emlékeztette arra, hogy az apja kiesett a magas pozíciójából, így ő nem kaphatott olyan neveltetést, amiben része lehetett volna, ha a férfi körültekintőbben költekezik.

Renard folytatta:

– És szüksége lesz valakire, aki segít majd a nyomozásban. Igen hasznos lehet, ha van egy embere a személyzet soraiban.

– Kétségtelen, de elméletileg én csak a gazdag Frontenac család egyik távoli unokatestvére leszek. Mademoiselle Frontenac megkérdezte, miben vagyok tehetséges a nyomozómunkán kívül... – Ezen a ponton Atalanta enyhén elpirult, mert nem volt róla meggyőződve, hogy valóban rendelkezik-e a szóban forgó tehetséggel. – Elmondtam neki, hogy franciát és zenét tanítok. Azonnal felragyogott, és azt mondta, zongorázhatnék az esküvő estéjén, hiszen a vőlegény elintézte, hogy egy jó nevű énekesnő is részt vegyen a mulatságon. Egy bizonyos Angélique Broneur.

Renard megengedett magának egy diszkrét köhintést.

Atalanta nagyon is jól ismerte ezt a köhintést – valahányszor az apjával megérkeztek valahová, az emberek felhívták rájuk egymás figyelmét, feléjük böktek az állukkal, aztán sugdolóztak a felemelt tenyerük mögött.

– Talán volna valami, amit el kíván mondani Angélique Broneurról? – kérdezte.

– A világért sem szeretnék pletykálni, *mademoiselle,* vagy befolyásolni a véleményét, mielőtt találkozna vele, de...

– Igen? – bátorította Atalanta a folytatásra.

– Angélique Broneur-t az elmúlt évtizedek egyik legnagyobb zenei tehetségének tartják. A kritikusok azt írják, édesebb a hangja, mint a fülemüléé. Ám a párizsi gazdag hölgyek szerint inkább olyan, mint egy szirén. – Renard egy pillanatig habozott. – Feltételezem, ismeri a mítoszt.

– A szirénekről? Természetesen. A mitológia az egyik kedvenc időtöltésem. Elolvastam mindent, ami kicsit is érdekes, legyen az jól ismert történet az *Íliász*ból vagy az *Átváltozások*ból, esetleg egy jóval homályosabb mese. – Atalanta elhallgatott, mielőtt belevetette volna magát egy hosszú listába mindarról, amit nemrégiben megtudott egy könyvből, amire az iskola melletti faluban működő, kis antikváriumban tett szert. – Azért hívják szirénnek, mert ezzel arra céloznak, hogy a hangjával elcsábítja a férfiakat.

– Nos, a hangján kívül egyéb adottságait is latba veti – jegyezte meg Renard szárazon. – De az a tény, hogy a gróf úr esküvőjén Angélique Broneur énekel majd... finoman szólva is figyelemre méltó.

– Talán azt beszélik, hogy a gróf... érdeklődik iránta? – Atalanta igyekezett a lehető legfinomabban fogalmazni.

Renard rezzenéstelen arccal farkasszemet nézett vele.

– *Oui*, de ez nem minden. Ugyanis ő énekelt az első esküvőjén is.

Ó! Atalanta hagyta, hogy ez a felismerés leülepedjen benne.

– Ő énekelt, amikor a gróf elvette az első feleségét, aki nem sokkal azután meghalt balesetben?

– A baleset idején Mademoiselle Broneur még a birtokon tartózkodott.

– Valóban? Nos, ez kétségkívül érdekes. – Atalanta elkezdett fel és alá járkálni a szobában. Egy jelentőségteljes nyomra akadt, és az elméje igyekezett benne logikát találni. – Tehát feltételezhetjük, hogy viszonyuk volt, mielőtt a gróf megházasodott, és azután a nő megölte a feleségét... De miért? Több értelme lenne, ha a kapcsolatuk akkor kezdődött volna, amikor a férfi már nős volt, és a kisasszony azért gyilkolta volna meg a gróf feleségét, hogy szabaddá tegye, és így elvehesse őt. De ha már az esküvő előtt szövetségesek voltak, és az énekesnő megölte a gróf feleségét, ám a férfi aztán mégsem vette el, hanem egyedülálló maradt... Egészen addig, amíg meg nem ismerkedett Mademoiselle Frontenackal, és úgy nem döntött, hogy elveszi feleségül... Akkor a gyilkosságból nem származott semmi haszna.

– Talán akkoriban azt hitte, hogy a férfi csak a pénzéért veszi el a nőt, és ha a neje meghal, és ő megkapja a pénzt, őt is feleségül fogja venni. Ez a hit hajtotta, és nem a valóság.

– Hmmm. – Atalanta megállt a zongora mellett, és végighúzta az ujjait a billentyűkön. – Ez meglehetősen gyakran előfordul. – Különösen, ha érzelmekről van szó, sokszor nem számít, mi az igazság, csak az, hogy valaki mit gondol igaznak. – De ha az énekesnő valóban megölte a férfi feleségét, és aztán mégsem váltak valóra a reményei, hogy ő lesz Surmonne új grófnéja, vajon miért maradt volna kapcsolatban az úriemberrel? Miért énekelne az esküvőjén? Elvégre nem tervezgetheti azt, hogy a második feleségét is megöli. Az olyan... nyilvánvaló lenne.

Létezik egyáltalán olyan, akinek volna képe ilyesmit tenni? Atalanta még soha nem gondolkodott el mélyebben a gyilkosok természetéről, de úgy tűnt, most kénytelen lesz.

Elvégre hamarosan találkozom eggyel Bellevue-ben!

– Ön azt mondja, nyilvánvaló, de miért lenne az? – kérdezte Renard. – Az első gyilkosságot, már, ha valóban az volt, soha nem vizsgálták ki. Mindenki pontosan annak látta a lovas balesetet, ami: balesetnek. Talán úgy gondolja, hogy kiagyalhat egy másik véget ennek az új arának? Talán ön soha nem hallott olyan családokról, akiket üldöz a balszerencse?

– De miért tenné? Csak azért, hogy megszerezze magának a grófot? Hiszen tudja, hogy a férfi nem fogja feleségül venni. Ha akarta volna, már megtette volna. – Atalanta kérdőn széttárta a kezét. – Számomra ennek semmi értelme.

De mi más lehet az indíték, ha nem a szerelem? Atalantának sebesen cikáztak a gondolatai a bűnügyi történetek között, amelyeket azelőtt olvasott, hátha talál valami használhatót.

– Ennek az énekesnőnek van pénze?

Renard összeszorította a száját.

– Kétségtelen, hogy van valamennyi megtakarítása, hiszen hosszú turnékon vett részt, és jól megfizetik az előadásait, de mindenki tudja, hogy szereti a szép ruhákat és ékszereket.

– Vagyis a nagy részét elkölti annak, amit keres? – kérdezte a következtetést levonva Atalanta.

– Én azt mondanám, igen. Amikor Párizsban tartózkodik, egy külvárosi házban száll meg. Ki tudom deríteni, hogy a sajátja, vagy csak bérli valakitől, de még ha az övé is, soha nem lesz olyan vagyona, mint Martin Frontenac lányának. A kettejük versenyében Mademoiselle Broneur soha nem nyerhet.

– Értem. És ez bizonyára fájdalmas lehet, ha a hölgy valóban szereti a grófot. – Atalanta az élénk színű szőnyegre szegezte a tekintetét, és a gondolataiba mélyedt. – A szerelem rendkívül ellenállhatatlan hajtóerő az életben.

– Én inkább bosszúnak nevezném – helyesbített Renard. – Egy pillanatig sem hiszem, hogy Angélique Broneur őszintén szeretné Surmonne grófját. Vagy viszont. Mindketten túlságosan énközpontúak ahhoz, hogy komolyan törődjenek másokkal.

– Hogy lehet olyan biztos ebben? Hiszen mi csak kívülről látjuk őket. Nem tudhatjuk, mi lakozik a szívükben.

Úgy tűnt, Atalantának nem sikerült Renard-t meggyőznie, ám a férfi továbblépett:

– Szóval ön lesz Mademoiselle Broneur zongoristája a lakodalmon. Ez kielégítő magyarázatot ad a jelenlétére. És megismerkedhet Mademoiselle Broneur-val, amely hasznos lehet a nyomozásban.

– Még be sem tettem a lábam arra a birtokra, és ön máris leleplezte a gyilkost? – élcelődött Atalanta.

Renard sértődötten ránézett.

– Nem kell aggódnia – jegyezte meg szárazon –, hogy nem lesz elegendő gyanúsítottja. Biztos vagyok benne, hogy hamarosan rájön, vannak jóval esélyesebb jelöltek is.

– Talán olyan sokan nem kedvelték a gróf első feleségét? – kérdezte Atalanta a homlokát ráncolva. – De akkor miért nem kérdőjelezték meg soha a balesetet? Egyszer sem merült fel annak a gyanúja, hogy megölhették?

– Nem feltételezném, hogy sok ellensége volt, mivel – az alapján, amit hallottam róla – vidám és bájos ifjú hölgy volt. De az emberek irigyek arra, aki szerencsés. És a gróf már akkortájt is igen népszerű volt.

– Miért? Most még inkább az? – Atalanta lecsapott az érdekes megfogalmazásra.

– Én úgy hiszem, igen. Még nagyobb hírnevet szerzett magának mint a reneszánsz művészet szakértője, és sok gazdag ember hajlandó egy vagyont fizetni egy olyan festményért, amit a gróf talál neki Olaszországban.

– De ha a szolgálatai ilyen kelendőek, akkor biztosan nincs szüksége arra, hogy meggyilkolja a feleségét, és rátegye a kezét a hozományára. Függetlenül attól, hogy mi történt a múltban, most nincs szüksége…

Atalanta elhallgatott, mert Renard felemelte a kezét, és azt mondta:

– Nem tudjuk, hogy a grófot a pénzhiány vezette-e az első felesége meggyilkolására, már ha valóban emberölés történt. Lehetett más oka is annak, hogy végzett vele. És ha meg akarja ítélni a pénzügyi helyzetét, nem elég, ha csak a jövedelmét nézi, figyelemmel kell követnie a kiadásait is.

Atalanta elgondolkodva bólintott.

– Úgy érti, a grófnak továbbra is szüksége lehet pénzre, mert a költségei meghaladják a nyereségét.

– Úgy hallottam, márpedig a forrásom általában megbízható, hogy képes ezer frankot is feltenni egy pókerjátékban.

Atalantának elkerekedett a szeme.

– Az drága mulatság lehet, ha a gróf nem tudja, hogyan nyerjen.

– Ó, nagyon is tudja, de egyesek azt suttogják, hogy csal. Nem egy apa dühös rá, amiért kizsebelte a drága kisfiát.

– Szóval a grófnak vannak ellenségei. – Atalanta újra elkezdett járkálni. – És lehetséges, hogy az egyikük írta azt a vörös tintás figyelmeztetést, hogy súrlódást okozzon a gróf személyes kapcsolataiban.

Talán, hogy megakadályozza az esküvőjét. Hogy aláássa az érdekeit és a jó hírnevét. Felteszem, ha felbontják az eljegyzést, arról sokan beszélnek majd.

– És Martin Frontenac éktelenül dühös lesz. Nem az a férfi, akinek keresztbe lehet tenni.

– Értem. És ez még inkább okot ad a gróf ellenségei számára, hogy oda üssenek, ahol a legsebezhetőbb. – Atalanta hirtelen megtorpant. – Renard! Maga annyi mindent tud. Ha bárki segíthet nekem, akkor az ön. – Atalanta gondosan fürkészte a komornyik arcát, hátha felfedezi rajta az elégedettség leghalványabb jelét. Vajon a férfi egyedül azért hozta fel ezt a témát, hogy elkísérhesse?

Renard rémülten kihúzta magát.

– Az nem fog menni, *mademoiselle*. Én a néhai nagyapja komornyikja vagyok. Gondját viselem az ingatlanoknak, amíg ön, az örökös engedi, de nem utazhatok el önnel, hogy megoldjam a helyzeteket. Az emberek ismernek.

Atalanta tiltakozni akart, hogy az emberek ritkán fordítanak figyelmet a személyzetre, és hogy az ő szemében éppen úgy fest, mint bármelyik komornyik vagy inas, de nem akarta megbántani a férfit. Ráadásul, ha valóban volt bármi esélye annak, hogy valaki felismeri, és gyanakodni kezd, az ügy elbukik.

Legszívesebben bokán rúgta volna saját magát, amiért egyáltalán felvetette a lehetőséget. Nem lett volna szabad már az elején ilyen ostoba hibát elkövetnie. De ki fogja támogatni, amikor odaér? Vagy tényleg egyedül kell boldogulnia?

– Természetesen igaza van – ismerte el, és belenézett Renard szemébe. – Csak azt szeretném, bárcsak én is ilyen jól ismerném a viszonyokat azok között, akikkel találkozni fogok.

Ez túl nagy feladat nekem. Hogyan is jutnék előre?

– De ez akár meg is akadályozhatja azt, hogy pártatlan véleményt tudjon formálni. A nagyapja kiválóan ismerte az emberi természetet, és ez segített neki megoldani az ügyeket. Úgy vélem, azt gondolta, önt is hasonló fából faragták, hogy úgy mondjam. – Renard elfojtott egy mosolyt. – Tudom, hogy nem tévedett, hiszen ön éppen olyan független, mint ő volt. Jó dolog, ha valaki képes belépni bizonyos helyzetekbe, és alkalmazkodni hozzájuk. Sok mindent lehet megtudni akkor, ha valaki jó hallgatóságnak bizonyul.

Renard a homlokát ráncolva folytatta:

– Mint ahogyan azt elmondta, ön egy távoli rokonnak adja majd ki magát, aki zenetanárként keresi a pénzét, ezért kevéssé hihető, hogy egy szobalány utazgat önnel. Mégis, belegondolt, hogy egyedül lesz ott, olyan emberek között, akikben nem bízhat meg? Mindegyiküknek lehet valami hátsó szándéka, amiért kedvesen viselkedik önnel. Ezért folyamatosan résen kell lennie.

Hűvös borzongás futott végig Atalantán. Annyira izgatott volt Párizs miatt, hogy van egy saját otthona, ahol nevelgetheti az édesanyja kedvenc orchideáit, és az első ügye meg a csodálatos levendulamezők miatt, hogy ebből a nézőpontból végig sem gondolta a dolgot. Azt, hogy milyen fogós helyzetbe kerül. Hiszen olyan emberek közé csöppen, akik titkokat rejtegethetnek. És már ha csak az egyikük is tud valamit arról, hogyan halt meg Surmonne grófjának első felesége, buzgón igyekeznek majd elkövetni mindent, hogy senki se kutakodjon a múltban. Amint elkezd kérdezősködni, bármilyen ártatlannak is tűnjön, előfordulhat, hogy valaki felkapja rá a fejét.

Olyasvalaki, aki pontosan tudja, milyen veszélyes, ha azt a régi ügyet felhánytorgatják.

Olyasvalaki, aki akár… úgy is dönthet, hogy Atalantának nem kellene közelebbről megvizsgálnia a történteket.

Rémülten fonta keresztbe a karját. Mademoiselle Frontenac attól félt, hogy veszélyben van, és hozzá fordult segítségért. Ám azzal, hogy elfogadta a megbízást, Atalanta egyenesen a frontvonalba került. Ha nem cselekszik kellően óvatosan, könnyen előfordulhat, hogy az első ügye lesz az utolsó.

Renard az arcát fürkészte.

– Tisztában van vele, hogy mit vállalt magára? Nem félelmet akarok látni az arcán, hanem azt, hogy megérti a helyzetét. Nagyon óvatosnak kell lennie mindenben, amit tesz. Éjszakánként zárja be az ajtót! Mindig alaposan vizsgálja meg a körülményeket! Vegye észre a dolgokat mások előtt! És soha ne legyen túl büszke segítséget kérni! – A férfi belenézett Atalanta szemébe. – És ki tudja, lehet, hogy az első feleséget nem is ölték meg, és azt a levelet egyszerűen rosszindulatból írták. Lehet, hogy nem jelent semmit.

Renard odasétált az ajtóhoz.

– Ha van bármi különleges kérése a vacsorához, továbbítom a szakácsnak.

Atalanta pislogva nyugtázta, hogy az inas egyszerűen visszatért a hétköznapi teendőkhöz, mintha az első ügy témája ezzel le is lenne zárva. Mintha nem az imént tanácsolta volna, hogy zárja be az ajtaját és tartsa nyitva a szemét.

Ám Renard keze már a kilincs gombján nyugodott, amikor azt mondta:

– Még ha puszta gyűlöletből írták is azt a levelet, akkor is arra utal, hogy valami készül. Valaki rosszat akar a grófnak és az újdonsült arának. És ez ugyanolyan veszélyes lehet. Nagyon óvatosnak kell lennie. A nagyapja nem akarná, hogy bántódása essen.

– Nem volt mindig könnyű az életem, de sikerült elboldogulnom.

Renard lehajtotta a fejét.

– Bocsásson meg – mondta gyengéd hangon –, de megküzdeni nehéz körülményekkel és szembenézni rosszindulatú emberekkel egyáltalán nem ugyanaz. Az alapján, amit hallottam, ön kedves szívű, hűséges ember. De ne higgye, hogy mások is ilyenek! Ne bízzon senkiben! – Azzal kinyitotta az ajtót, és kilépett a folyosóra. – Még a saját ügyfelében se.

– Mit mondott? – kérdezett vissza Atalanta, akit megdöbbentettek az utolsó szavak. De a komornyik már becsukta az ajtót.

Atalanta magára maradt a napfényes szobában, a divatos, új bútorai között. És ekkor teljes erővel letaglózta, hogy a küldetése egy sor kihívással jár: óvatosnak kell lennie mindenkivel, akivel megismerkedik, és semmit sem szabad készpénznek vennie.

Még azt sem, amit az ügyfele állít. A tanítványai valamivel idősebb változatát látta Eugénie Frontenacban: egy akaratos, elkényeztetett lányt, aki túlcsordul az érzelmektől. De mindent kétszer meg kellett gondolnia. Az első benyomás mögé nézni, és tisztában lenni más lehetőségekkel. Eugénie Frontenac a *saját* változatát adta elő az eseményekről. Lehetséges, hogy kihagyott bizonyos részleteket, szándékosan, vagy csak azért, mert nem gondolta, hogy fontosak. Kiszínezhette az igazságot, vagy akár hazudhatott is azért, hogy megfeleljen a valós indíttatásainak. És még az sem biztos, hogy ebben rossz szándék vezérelte. Eugénie talán csak kínosnak érzett valamit, és jobbnak látta, ha nem tesz róla említést. Ám előfordulhatott, hogy egy efféle döntéssel fontos információktól fosztotta meg Atalantát.

A lány kopogott az ujjaival a zongorán, miközben gondolkodott néhány percig, majd végül elhatározta magát. Ahhoz, hogy megbizonyosodjon róla, az információi tényszerűek és tárgyilagosak, utána kellett járnia néhány dolognak. *Mielőtt elhagynám Párizst Bellevue-ért, még van egy kis dolgom.*

ÖTÖDIK FEJEZET

Egy órával később Atalanta ott állt egy gyönyörű ház előtt, Párizs egyik legelőkelőbb utcájában. Szolid sötétkék ruhát viselt, és egy virágokkal teli kosarat tartott a karján, amit egy utcai árustól vásárolt a Montmartre-on. Néhány percig szemügyre vette a homlokzatot, majd besétált a ház melletti kis közbe, egyenesen az épület hátsó részén nyíló személyzeti bejáró felé. Bekopogtatott, majd egy egyenruhás fiú hamarosan kinyitotta az ajtót. Kíváncsian méregette Atalantát.

– Azért jöttem, hogy virágot kínáljak a vacsoraasztalra – mondta a lány. – A szakácsnő tud róla.

A fiú kétkedve meredt rá, de intett, hogy menjen be. Atalanta követte egy kamrán át, ahol egy cselédlány mosogatott, míg egy hatalmas konyhába jutottak. Egy terebélyes asszonyság állt egy tűzhely fölött, és ádázul kevergetett valamit. Az édes illat arról árulkodott, hogy valamiféle sodót készíthet.

– Madame Fournier! – szólította meg a fiú. – Ez a virágáruslány azt állítja, hogy ismeri magát.

A szakácsnő hátrapillantott a válla fölött.

– Ismerlek, lányom? – kérdezte, és az éles, kék szemével végigmérte Atalanta rendezett külsejét és a karján függő kosarat. – Azok tényleg szép virágoknak tűnnek, de nekünk nincs szükségünk ilyesmire.

– Kérem, hallgasson meg! – Atalanta letette a kosarat a konyhaasztalra. Ügyet sem vetve a fiúra, aki félig tátott szájjal ásítani kezdett, folytatta a mondanivalóját: – Úgy hallottam, hogy itt hamarosan esküvő lesz. Hatalmas társasági esemény. Én vállalnám a virágokat. Többre is képes vagyok, mint kiszállítani, csodálatos csokrokat és asztaldíszeket készítek. Csak egy kis pénzt akarok keresni a családomnak. Kérem!

A szakácsnőnek ellágyultak a vonásai. Kavart még egyet a desszerten, aztán rátette a lábasra a fedelet, és odafordult Atalantához.

– Jól hallottad, valóban esküvő lesz, lányom, de nem itt rendezik meg Párizsban.

– Bellevue-ben lesz, vidéken – vetette közbe a fiú.

– Téged senki se kérdezett! – csattant fel a szakácsnő, aztán visszafordult Atalantához: – Mademoiselle Frontenac hozzámegy egy grófhoz. Az úrnak van egy gyönyörű vidéki háza, és ott fognak egybekelni. Felteszem, hatalmas kert is tartozik a házhoz, ezért a saját virágaival fogja feldíszíteni a helyet.

Atalanta lehorgasztotta a fejét, mintha ez a hír teljesen lesújtotta volna.

– De azok a virágok tényleg csodásan festenek – folytatta a szakácsnő. – Jean! – szólt, és ránézett a fiúra. – Menj, keresd meg Monsieur Vivard-t, és kérdezd meg, hasznát veszi-e néhány szál virágnak a vacsoraasztalnál! Menj, menj!

Atalantának hevesen kalapálni kezdett a szíve. Most, hogy hívtak egy magasabb beosztásban lévő szolgálót, veszélyesen lerövidült az idő, amit arra fordíthatott, hogy kiderítse, amiért jött.

– *Merci!* – mondta hálásan mosolyogva. – Ön nagyon kedves. Be kell vallanom, hogy hátsó szándék vezérelt ebbe a házba. Valójában nem virágárus lány vagyok, hanem Mademoiselle Frontenac barátja.

A szakácsnő zavartnak tűnt.

– Egy barátja? – kérdezte, és végigmérte Atalanta egyszerű ruháját.

– Nagyon aggódom Eugénie miatt. Mostanában teljesen elvesztette a régi, vidám önmagát. Elárulta, hogy kapott egy aggasztó levelet. Azt mondta, ön adta neki.

Mint ahogyan az várható volt, a nő azonnal mentegetőzni kezdett.

– Nem én voltam. Az a levél a kosárban volt, amikor hazaértem a piacról. Valaki odarejtette a saláták és a hagymák közé. Akkor találtam meg, amikor kipakoltam. És azonnal felküldtem a levelet a kisasszony szobájába. Fogalmam sem volt róla, hogy annyira felzaklatja majd, hogy feldúltan lerohan ide, és megkérdezi, honnan származik. Nem tudom, miért lehetett rá ilyen hatással.

– Szerintem pedig tudja – közölte Atalanta, hogy fokozza a nyomást. Sajnálta szerencsétlen nőt, de gyorsan ki kellett szednie belőle az információt. Elvégre Jean hamarosan visszatér Monsieur Vivard-ral, és akkor elillan minden esély.

– Nem tudom, hogy került oda az a levél – folytatta a szakácsnő. – A piacon nagy a nyüzsgés, és az emberek folyton nekem jönnek. Valaki könnyedén belecsúsztathatta a kosaramba.

– És amikor megérkezett vissza, a házba, egyenesen idejött, hogy kipakolja a zöldségeket?

– Egyenesen ide, és letettem a kosarat az asztalra – magyarázta a szakácsnő, és megmutatta a helyet. – De akkor a társalgóból csengettek, és nem volt itt senki, aki odamehetett volna. Ezért kisiettem a folyosóra, hogy megnézzem, hol vannak a szobalányok. A komornyikunk a délutáni kimenőjét töltötte, és ilyenkor én felügyelem a személyzet többi tagját – tette hozzá némi büszkeséggel. – Kiderült, hogy a szobalányok a könyvtárban trécselnek. Leszidtam őket, aztán visszajöttem ide.

Atalanta megállapította, hogy a levelet azalatt is beletehették a kosárba, amíg a szakácsnő nem tartózkodott a konyhában. *Lehetett a háztartás egyik tagja is.* Eugénie említette, hogy a nővérei nagyon féltékenyek rá. Lehetséges, hogy az egyikük ilyen módszerhez folyamodott volna, hogy tönkretegye a húga boldogságát?

– Nem ismerte a levélen szereplő kézírást? – kérdezte Atalanta a szakácsnőt, bár nem számított jelentősebb eredményre.

A nő elgondolkodva ráncolta a homlokát.

– Nem. Nagyon gondos és olvasható volt, nem igazán hasonlított arra, ahogyan az igazi emberek írnak. Amikor Mademoiselle Louise összeállítja a menüt egy estélyhez, alig tudom kivenni, mit kapar oda.

Atalanta bólintott. Léptek zaja hangzott fel a folyosón, és kinyílt az ajtó. Egy sötét hajú, magas férfi állt előtte, és tetőtől talpig végigmérte a hosszú orra alól.

– Nem veszünk virágokat házalóktól – közölte mogorván. – Kérem, azonnal távozzon, különben hívom a rendőrséget!

– Már megyek is – biztosította Atalanta, és felemelte a virágos kosarát. A tenyere nyirkos volt, de a lelke mélyén fülig ért a szája. *Sikerült álcázással információt szereznem.*

Még a közben járt, amikor valami zajt hallott, és megfordult. A szakácsnő állt mögötte.

– Én tudom, hogy igazat mondott – jegyezte meg sietve. – Mademoiselle Eugénie azt az utasítást adta, hogy egy léleknek se szóljak a levélről. Mint mondtam, a komornyiknak kimenője volt, a szobalányok pedig a könyvtárban lebzseltek. Jean vitte fel a kisasszonynak a levelet, de aztán ment a dolgára. Senki sem volt a konyhában, amikor lejött hozzám, és olyan feldúltan megkérdezte, honnan van az az iromány.

A szakácsnő nyelt egyet, és folytatta:

– Azt mondta, soha senki nem tudhat róla. Különösen az apja nem. Azt mondta, olyan boldog. Semmi szükség rá, hogy aggódni kezdjen. Ezért, ha elmesélte magának, biztosan igaz barátok lehetnek. Márpedig, ha így van, és jót akar tenni vele, egy dolgot el kell mondania neki.

A nő sürgető hangja hallatán Atalantának libabőrös lett a karja. Vajon mit akarhat üzenni Eugénie-nek? Valami nagy titkot? Olyasvalamit, ami segíthet Atalantának rájönni a levélben rejlő figyelmeztetés mögötti igazságra?

Belenézett a nő nyugtalan szemébe.

– Rendben. És mi volna az?

A szakácsnő vett egy mély lélegzetet, és hátrapillantott a válla fölött, mintha meg akarna róla bizonyosodni, hogy senki sem hallja őket, aztán azt suttogta:

– A gyűrű nem valódi.

– Tessék?

– Az eljegyzésük alkalmából a gróf megajándékozta Mademoiselle Eugénie-t egy gyűrűvel. Egy hatalmas kő van benne. Nem gyémánt. Valami kék. Nem tudom, hogy hívják. De a komornyiknak van egy unokaöccse, aki szabóként dolgozik. Idejött a házba, hogy levegye a méreteket Monsieur Frontenacról az esküvői öltönyhöz. Miközben igazgatta az öltönyt, nehogy az ujja túl hosszú legyen, Mademoiselle Eugénie bement, hogy beszéljen az apjával. Az úr karjára tette a kezét, így az unokaöcs alaposan szemügyre vehette a gyűrűt meg a követ. Tudja, az apja ékszerész. Tízéves kora óta kövekkel dolgozott. Gyakornok volt a családi üzletben, de aztán, az apja nagy bánatára, nyitott egy elegáns szabóságot. De soha nem felejtette el, amit az apjától tanult. Jól látta azt a követ, és később elmondta, hogy nem igazi, hanem hamis ékkő. Hogy a gróf becsapta Mademoiselle Eugénie-t.

Érdekes. Ezek szerint igaz lehetett, hogy a fickó újra kifogyott a pénzből, és buzgón keresett egy új feleséget, akinek a tőkéjét felhasználhatta az üzletben. Talán ez lehetett a magyarázat arra is, hogy ragaszkodott a rövid jegyességhez? Mielőbb rá akarja tenni a kezét Eugénie hozományára?

– Köszönöm, hogy elmondta nekem. – Atalanta rámosolygott a szakácsnőre, hogy megnyugtassa; bár a saját szíve is hevesen kalapált a gondolatra, hogy a gróf ilyen hideg és számító lenne. *Veszélyes ellenfél.*

Ám nem úgy tűnt, mintha a szakácsnő megkönnyebbült volna. Széttárta a kezét.

– Szegény Mademoiselle Eugénie! Már az is elég nagy balszerencse, hogy nem mehet hozzá ahhoz, akit igazán szeret. És most megkaparintja ez a becstelen férfi, aki hamis ékkövet ad neki... – Megrázta a fejét, majd elsétált.

Atalanta döbbenten meredt a távolodó alakra. *A férfihoz, akit igazán szeret...?*

Az ügyfele nem említette, hogy gyengéd érzelmeket táplálna egy másik férfi iránt. Úgy tűnt, teljesen elégedett azzal, hogy Surmonne grófjának felesége lehet. Vajon Renard többet tud erről a bizonyos másik férfiról? Talán ezért mondta neki, hogy nem szabad megbíznia senkiben, még a saját ügyfelében sem?

A figyelmeztetése után Atalanta úgy érezte, mintha egy hideg kő került volna a gyomrába, ami egyre csak növekedett most, hogy bizonyítéka is volt rá, hogy Eugénie eltitkolt előle bizonyos dolgokat. Erre akár egészen egyszerű oka is lehetett. Talán a korábbi rajongás elmúlt, és kínos lett volna, ha említést tesz róla.

De a helyzet ennél jóval bonyolultabb is lehetett. Egy folyamatban lévő affér, miközben hozzámenni készül a férfihoz, akit a szülei támogatnak; egy olyan férfihoz, aki rangot és vagyont jelent a számára.

Vajon ez a titkos szerelmes írhatta a levelet, hogy elrémissze Eugénie-t a vőlegényétől?

Meg kell kérdeznem Renard-tól, ki az, vagy ki lehet az.

HATODIK FEJEZET

– Ó, nézze! Ott van! – Eugénie Frontenac odanyomta az arcát a Rolls-Royce ablakához, miközben végigsuhantak a hosszú, kacskaringós úton, amely egy fehér, tornyokkal ékesített ház felé vezetett. Az út mindkét oldalán levendulasorok hullámoztak a lágy szellőben. Eugénie a házra mutatott. – Bellevue az egyik legszebb vidéki udvarház, amit életemben láttam. Olyan fehér és tiszta, a tornyok olyan karcsúak és elegánsak! Minden maga a megtestesült tökély, a vágtató lovat formázó szélkakastól a szökőkútig, ami este ki van világítva. Egy valódi álomvilág a vendégeink számára.

Atalantának el kellett ismernie, hogy a ház és a közvetlen környezete valóban vonzó képet fest. A bokrokat tekervényes kúpokra és állatfigurákra metszették, sárga és narancssárga rózsák pompáztak egy lugas mentén, és egy kovácsoltvas jelzőtábla vezette a látogatókat egy kagylókkal kirakott, föld alatti barlanghoz.

Egy grottó itt?! Ez hogy lehet?

A Rolls-Royce lelassított, és a sofőr az út jobb oldalára kormányozta a kocsit. A bal oldalt eltorlaszolta egy egyszerű faszekér. Két, gyűrött, kék nadrágot és durva vászoninget viselő férfi emelt ki valamit az árokból. Atalanta úgy látta, hogy sötétbarna, sáros, és valami ernyedten lógott belőle, ami leginkább egy emberi kézre hasonlított!

Elakadt a lélegzete, és odafordult, hogy jobban lásson. De a férfiak már feltették a terhet a szekérre, és eltakarták a szeme elől.

– Mi történik itt? – kérdezte Eugénie a sofőrtől.

A férfi megvonta a vállát.

– Talán csak egy részeg csavargó. Elviszik a közeli tanyára, hogy kialhassa magát.

Részeg, nem halott. Atalanta sikeresen elnyomott egy megkönnyebbült kacajt. Az idegei pattanásig feszültek amiatt, hogy hamarosan megérkezik a házba, ahol el kell játszania az ártatlan vendéget, miközben valójában egy állítólagos gyilkosra vadászik. Máris elhamarkodott következtetéseket vont le. A nagyapja bizonyára rosszallóan ráncolta volna a homlokát. *Először kérdezni kell.*

Ám a kérdések, amelyek felmerültek benne, nem sok megkönnyebbülést hoztak. Miért fáradna valaki azzal, hogy kiemeljen egy részeget egy gödörből? Elvégre nem az ő bajuk, hogy ott fekszik-e, vagy sem. London szegényebb részein egészen természetesnek számított, hogy nyaranta koldusok és csavargók fekszenek az utcákon a rekkenő hőségben. Kis híján hőgutát kapnak, de senki nem fárad azzal, hogy behúzza őket az árnyékba.

De most vidéken voltak.

Talán a vidéki emberek jobban törődnek egymással, mint a városiak?

Úgy tűnt, Eugénie készpénznek vette a sofőr magyarázatát, és a figyelmét újra a szemük előtt magasodó épületre fordította.

– Lehet, hogy a vőlegényem ilyenkor nem tartózkodik itt. Talán kilovagolt a barátaival, vagy látogatást tett a szomszédságban. Gilbert nagyon népszerű. Azon tűnődöm – tette hozzá, és merengve elmosolyodott –, ez más lesz-e, miután összeházasodunk.

Egy pillanatra megváltozott az arckifejezése, mintha felmerült volna benne valami kellemetlen gondolat, amit aztán elhessegetett. Újra a házra mutatott.

– Nézd csak! Köszöntőbizottság fogad bennünket.

A ház ajtaja kinyílt, és kiáramlottak a személyzet tagjai, majd gondosan felsorakoztak a lépcsőn, amely a kavicsos útról a kőteraszra vezetett, amely az egész házat körülvette.

A legelöl álló férfi, talán a komornyik, odasietett a Rolls-Royce-hoz amint az megállt, és kinyitotta a hölgyeknek a kocsi ajtaját. Aztán a kezét nyújtotta, hogy kisegítse Eugénie-t a rózsaszín sifonruhájában.

– Isten hozta Bellevue-ben, *mademoiselle!*

– Köszönöm. – Eugénie kecsesen kinyújtózott, és körülnézett. – Milyen csodálatos napunk van!

A komornyik segített Atalantának is, majd utasításokat adott a sofőrnek, hogy vigye a kocsit a ház mögé, és gondoskodjon a csomagokról.

– Csak tedd le a hallban, én majd felviszem a hölgyek szobájába! – Aztán biccentett nekik, hogy kövessék, és elindult a várakozó személyzet előtt.

Volt ott két inas, akik olyan rezzenéstelen arccal álltak, akár a viaszszobrok; egy mélylila ruhát viselő házvezetőnő; valamint három szobalány, akik a húszas éveikben járhattak, és idegesen pukedliztek a vendégek előtt. Aztán egy tizenhat év körüli, laza szabású, türkiz ruhát viselő lány szaladt ki az ajtón, majd ő is beállt a sorba. Egy kis, fehér kutya követte, és körözni kezdett a lábánál, miközben csóválta az apró, bolyhos farkát.

A komornyik megköszörülte a torkát.

– Nem hiszem, hogy önnek itt lenne a helye, Mademoiselle Yvette.

– Márpedig én merem azt állítani, hogy itt van. Szörnyen bánnak velem itt. Nem mehetek oda, ahová csak akarok. Nem lovagolhatok azon a lovon, amin szeretnék. Tudja, már nem vagyok kisbaba.

A kihívó hangnem nagyon is ismerősnek tűnt Atalanta számára, aki gyakran volt szemtanúja, hogy a lányok ilyen hangulatban érkeztek meg az iskolába. „A szüleim ideküldtek ebbe a börtönbe; itt nem csinálhatom azt, amit akarok, ezért mindent utálni fogok." Eltökélték, hogy rémesen fogják érezni magukat, és közben mindenki másnak is megkeserítik az életét.

– Yvette! – kiáltotta Eugénie. – Úgy örülök, hogy itt vagy! – Azzal előrehajolt, hogy két csókot nyomjon a levegőbe a lány arca mellett.

A kiskutya ugatni kezdett, és csattogtatta a fogát Eugénie bokája körül. A nő hátrálni kezdett, és dühödten rámeredt az állatra, mielőtt újra mosolyt varázsolt az arcára, és lelkesen visszafordult Yvette-hez.

– Azt hittem, Nizzában vagy.

– Bárcsak ott lennék! – sóhajtott fel Yvette, majd a tekintete megállapodott Atalantán. – Ő az egyik nővéred? Louise vagy... hogy is hívják a másikat?

– Françoise, ahogy azt pontosan tudod. – Eugénie egy pillanatra ingerültnek tűnt, de aztán visszanyerte a lélekjelenlétét, elmosolyodott, és azt mondta: – Hadd mutassam be az unokatestvéremet, Atalanta Frontenacot! Zongorista, és ő játszik majd az estélyen.

Úgy döntöttek, Atalanta keresztnevét megőrzik, mert Eugénie biztosította, hogy a legtöbb Frontenacnak hosszú neve van, ezért senki nem tudja pontosan, ki kicsoda, különösen, ha a családfa távolibb ágairól van szó. A történetük szerint Atalanta a negyedik lánya Monsieur Frontenac fivérének, aki még a háború előtt Svájcba költözött. „Alig hallunk róluk – magyarázta Eugénie. – És még nagymama sem tudja pontosan, melyik lány mivel foglalkozik. Ez így elég biztonságos lesz."

Yvette a homlokát ráncolva szemügyre vette Atalantát.

– Fogadok, hogy nem zongorázik olyan jól, mint én. Miért nem hagyja Gilbert, hogy én játsszak az estélyen? – Azzal hátat fordított nekik, és beviharzott a házba. A kutya utánaloholt – az állat izgatott vakkantásai arra engedtek következtetni, hogy valami izgalmas játék közepén érzi magát.

– Kérlek, bocsáss meg a modora miatt! – fordult Eugénie Atalantához. – Felteszem, most ilyen korban van. Igazán kedves Gilbert-től, hogy gondoskodik róla. Hiszen nem lenne kötelessége magára vállalnia ezt a terhet.

Ez úgy hangzott, mintha Eugénie legszívesebben azt mondta volna: egyáltalán nem kellene magára vállalnia ezt a terhet.

Atalanta érezte, hogy a személyzet nagyon közel áll hozzájuk: lehet, hogy az arcuk rezzenéstelen maradt, de a fülüket biztosan hegyezték, hogy kihallgathassanak bármilyen érdekességet, amin aztán elcsámcsoghatnak.

Jobb lesz, ha nem adunk témát a pletykákhoz.

Rámosolygott Eugénie-re, és azt mondta:

– Bemehetnénk, hogy egy kicsit felfrissítsük magunkat? Hosszú volt az út.

A kötelességtudó komornyik megmutatta a szobáikat. Eugénie-é a keleti szárnyban volt elhelyezve, ahol az aprólékosan díszített ajtók arról árulkodtak, hogy gazdagon berendezett helyiségek rejlenek mögöttük. Atalantát az egyik szobalány gondjaira bízták, aki egy másik szárnyba vezette. Itt is színes tapéták fedték a falakat, és az edzettüveg ablakok a buja kertre néztek, de az ajtók egyszerű falapokból készültek bronzkilincsekkel.

A szobában egy hatalmas ágy, egy fésülködőasztal és az ablak alatt egy kanapé kapott helyet. Minden szövet a takaróktól a függönyökig lilás árnyalatban pompázott, mint a levendula, amely a környék ikonikus jelképének számított.

Vajon innen is láthatom? Atalanta az ablakhoz sietett, hogy élvezhesse a buja táj látványát, de az a másik irányba nézett, a ház mögött elterülő erdőre. Hatalmas tölgyek, birsek, bozót... és ekkor valami elsuhant az árnyas rengeteg felé... Talán egy szarvas lehetett?

A sűrű erdő sötétsége éles ellentétben állt a nyitott, napfényben úszó kerttel, és Atalanta izgatottan megborzongott, miközben gyönyörködött a lenyűgöző formájában. *És az a kagylóval kirakott grottó valóban itt rejtőzik valahol?*

Odafordult a szobalányhoz, aki megkérdezte, kíván-e még valamit.

– *Non, merci.* – A lány kiment a szobából, és becsukta az ajtót.

Atalanta jólesően nyújtózkodott egyet. Megérkeztek. Az ügy kezdett valósággá válni. Egy pillanatra felvillant előtte a kép az ernyedten lógó kézről, amit az autóból látott, mielőtt azok a férfiak elvitték a feltehetően részeg csavargót.

Ezen a helyen nem csak szépség és gazdagság lakozik, állapította meg. Egy pillanatra átkarolta a vállát, és vett egy mély lélegzetet, hogy elhessegesse a nyugtalanító érzést. Aztán észrevette, hogy az ő szobájából is nyílik ajtó az erkélyre, ezért odament, kinyitotta, és kilépett a kőépítményre. A friss levegő balzsamként hatott, lehűtötte a felforrósodott arcát. Eltűnődött, milyen nagyszerű lesz kihozni ide egy széket kora reggel vagy esténként, és nézni, ahogy a világ narancsos és vörös árnyalatot öltve elcsendesedik. Hallgatni a madarak esti koncertjét. *Talán itt is van egy bagoly a közelben, mint az iskola mellett?* Mosolyogva az erkélykorlátra fektette a tenyerét, és kihajolt, követte a távolba nyújtózkodó erdőt. Vajon ez az egész a gróf birtokában van? Valóban vagyonos ember lehet.

– Szép jó napot! – kiáltotta egy férfihang.

Atalanta lenézett, hogy lássa, ki szólította meg.

Magas, hollófekete hajú férfi állt a fűben az erkély alatt. A szeme elé tartotta a tenyerét, hogy eltakarja a napfény elől. Valóban vakítóan sütött a nap, de Atalanta egészen biztos volt benne, hogy a férfinak mélybarna a szeme, mint annak a jóképű idegennek, aki olyan gyakran szerepelt az utazásokról szőtt ábrándjaiban.

Ez nem lehet. Hiszen én találtam ki.

Igyekezett megőrizni a lélekjelenlétét, és nem elpirulni, miközben visszakiáltott:

– Jó napot kívánok! Az igazat megvallva, nem is csak jó. Egyszerűen tökéletes.

– Ez aztán a dicséret! – felelte a férfi. – De be kell vallanom, hogy az én napom ebben a pillanatban lett még jobb. – Kacér mosoly játszadozott a felfelé görbülő száján.

Vajon arra célzott, hogy meglátta Atalantát az erkélyen?

Dehogy!, dorgálta magát a lány. *Összpontosíts inkább az ügyre, ahelyett hogy elterelné a figyelmedet egy jóképű idegen, aki valószínűleg csak élcelődik!*

Ám ekkor belehasított egy újabb gondolat. Eugénie azt mondta, a vőlegénye nem tartózkodik a házban. És ha ő volt a gróf, amint éppen visszatért? Semmiképpen nem gyönyörködhetett egy olyan férfi külsejében, aki hamarosan megnősül.

Ráadásul az ügyfelét veszi el.

– Volt már lehetősége körülnézni? – kiáltott újra a férfi. – Látta a grottót? Jöjjön csak le, majd én megmutatom!

– De én… – tiltakozott Atalanta. A kagylóval kirakott, föld alatti járatot valóban meg akarta nézni, és míg lehetetlennek bizonyult lerohanni és felfedezni egymagában nem sokkal azután, hogy megérkezett, ez a meghívás tökéletes ürügynek bizonyult.

– Akkor siessen! Ott leszek a ház előtt – közölte a férfi, majd meg sem várva a beleegyezését, eltűnt Atalanta szeme elől.

A lány észrevette, hogy erősen szorítja a korlátot, és sietve elengedte. Vett egy mély lélegzetet, igyekezett megőrizni a nyugalmát. Igazán udvariatlanság lett volna visszautasítani a házigazda meghívását, ha körbe akarja vezetni. És ezzel alkalma nyílna azon nyomban megfigyelni a viselkedését – nem tömegben, hanem személyes beszélgetés során. *Micsoda remek lehetőség!*

Besietett a szobába, és lehajolt a fésülködőasztalhoz, hogy vessen egy pillantást a hajára és a kis kalapjára. Vett néhány új ruhát erre a kalandra, nem túl drágákat, de elég stílusosakat ahhoz, hogy ne hozza kellemetlen helyzetbe Eugénie-t. Lehet, hogy csak távoli rokont kellett játszania, de ezt jó modorral és ízléssel is megtehette.

Nem kellett megcsípnie az arcát, mert már amúgy is vöröslött. Rávette magát, hogy komótosan végigsétáljon a folyosón, majd le a lépcsőn. A hallban észrevette a férfit, aki rá várt.

– Inkább bejöttem, mert olyan sokáig tartott, amíg ideért – közölte, majd a karját nyújtotta. – Miért kell a nőknek egy egész örökkévalóság, hogy felkészüljenek egy kis kiruccanásra? Még a birtokot sem hagyjuk el!

Atalanta ügyet sem vetett a felkínált karra, azt gyanította, hogy Eugénie nem örülne, ha túl közel kerülne a grófhoz. Szemérmesen karba tette a kezét, de kedvesen elmosolyodott, hogy kárpótolja a kísérőjét.

– Úgy örülök, hogy láthatom Bellevue-t! Milyen csodálatos ház és lenyűgöző környék!

– Azért kár, hogy néhány nap után az ember úgy bűzlik, akár egy parfümbolt – jegyezte meg a férfi. – Mindent levendula borít. – Aztán odahajolt Atalantához. – Tudta, hogy a levendula illatáról azt tartják, hogy nyugtató hatású? Kész csoda, hogy a látogatóink nem dőlnek hanyatt néhány itt töltött perc után.

– Azért nem lehet olyan tömény – állapította meg Atalanta. Talán elszalasztotta, amikor kiszállt a kocsiból? Kiléptek az ajtón, és beleszippantott a levegőbe. – Alig érzem.

– Jó. Nem örülnék, ha elszundítana. Elvégre egy izgalmas barlangot kell felfedeznünk.

A szavai megidézték Atalanta legmélyebb álmait. A saját jogán volt ott, nem tanárként, aki csak az iskolaigazgató utasításait követi vagy a személyzet egyik tagjaként. Nem, vendég volt, megkülönböztetett és szabad.

Így aztán álomba merült ennek a férfinak az oldalán, és nyújtogatni kezdte a nyakát, hogy jobban lásson. Az ösvény mindkét oldalát liliommal és dáliával teli virágágyások szegélyezték. Egy kertész éppen egy csokrot állított össze egy lista alapján, amit a kezében tartott. *Talán ezek a virágok díszítik majd a vacsoraasztalt?*

– A kagylós grottó meglehetősen régi és eredeti része a birtoknak. A tizenhetedik században épült, és római mítoszokat elevenít meg. Ismer ilyeneket?

– Ó, igen, imádom a mítoszokat – lelkendezett Atalanta. Csaknem kiszaladt a száján, hogy egyszer ellátogatott az apjával egy római ásatáshoz, de ez biztosan kérdéseket vont volna maga után. *Csak óvatosan! Ne mondj semmit, ami elárulhat!* – Gyerekkoromban sokat olvastam.

Úgy tűnt, mintha a férfi elnyomott volna egy mosolyt.

– Már megint egy lány, aki imád a könyvekbe temetkezni.

– Még egy? – kérdezett vissza Atalanta. – Eugénie-re céloz?

Ám a férfi csak legyintett.

– Ezen az ösvényen megyünk tovább.

Keskenyebb volt, mint az előző, és a kavicsot letaposott föld váltotta fel, majd egy idő után Atalantának le kellett hajolnia egy virágzó, sárga bokor indái elől, amelyek az ösvény fölé borultak. Valami fájdalmasan megrántotta a haját, ezért felemelte a kezét, hogy érezze, mi gabalyodott bele.

– Majd én! – A férfi kinyújtotta a kezét, és óvatosan kiszabadított egy hajtincset egy ág fogságából. Olyan közel állt Atalantához, hogy érezni lehetett a kölnijét. – Tessék! Most már mehetünk.

Bár természetesen nem ő intézte úgy, hogy Atalantának beakadjon a haja, mégis könnyedén mozgott ebben a helyzetben, és közelebb húzódott hozzá, mint ahogyan illett volna egy olyan férfi részéről, aki éppen nősülni készül. Vajon ez azt jelentette, hogy nem szereti őszintén Eugénie-t?

A sötétbarna szeme nem árult el semmit, mialatt – talán egy másodperccel hosszabban, mint kellett volna – belenézett a lány szemébe, majd elfordult, és továbbvezette az ösvényen.

– Már nincs messze.

Ez izgalmasabb volt, mint bármi, amit Atalanta eddig tett. De nem felejthette el, hogy egy megbízás miatt érkezett ide. Hogy nyomozást folytat egy ügyben, és az is lehet, hogy az előtte sétáló férfi egy gyilkos.

Jeges érzés kerítette a hatalmába, megélesítette az érzékeit. Renard hangja csengett a fülében: „Vegye észre a dolgokat mások előtt!"

Sziklaszerű képződmény magasodott előttük, a bejárat felét pedig eltakarta egy szőlőtőke. Már látni lehetett a fejlődőben lévő fürtöket.

– Milyen találó! – állapította meg a kísérője. – Nincs valami mítosz arról, hogy gazdag szőlőfürtök lógnak karnyújtásnyira valakitől?

Nyirkos szag csapta meg Atalanta orrát, ahogy belépett a barlang száján, és önkéntelenül is megborzongott. De a tetejébe egy lyukat vágtak, amelyen beszűrődött némi fény, megvilágítva a kagylódarabokból kirakott mozaikokat. Lágy rózsaszín, bézs, lila és barna darabkák alkottak gazdag tablót aranyló hajú, ifjú nimfákról, akik fürdőztek, egy vadász figyelte őket a bozótból, miközben egy hatalmas agancsú szarvas rohant riadtan az őt üldöző kutyák elől.

– Aktaión – suttogta Atalanta. A halállal lakoló vágy.

Madarak daloltak a fákon, nyulak bújtak meg a fűben. A bal sarokban egy páva tárta szét a szárnyát. Atalanta minél tovább nézte a képet, annál több részletre figyelt fel.

– Nos, mit gondol? – érdeklődött a kísérője.

– Azt, hogy a felmenőinek remek ízlése volt.

– A felmenőimnek? – A férfi hangja egészen közelről szólt. Halkan felnevetett. – Drága hölgyem! Ugye nem gondolta, hogy én vagyok Surmonne grófja személyesen? Csak egy szerény barát vagyok. Rang és pénz nélkül.

Valóban? Milyen elmondhatatlanul csodálatos!

Atalanta igyekezett elfojtani az öröm minden jelét, és rosszallóan ráncolta a homlokát, amikor megjegyezte:

– Igazán bemutatkozhatott volna, amikor találkoztunk.

– Akárcsak ön. – A férfi összekulcsolta a kezét a háta mögött. – Összetévesztettem a menyasszonnyal. De feltételezem, hogy megismerné a saját vőlegényét, ha fényes nappal találkozna vele, így bizonyára én is tévedtem.

Atalantának lángolt az arca. A gróf barátja azt hitte, ő Eugénie, ezért nagylelkűen felajánlotta, hogy körbevezeti. Most azonban kiderült, hogy egy idegen, és... Lehetséges, hogy úgy érezte, kár volt rá pazarolnia az idejét.

– Bocsánatot kell kérnem a félreértésért – szólalt meg a férfi hivatalos hangon, majd kinyújtotta a kezét. – Raoul Lemont. Felkértek, hogy legyek a tanú a közelgő ceremónián.

– Atalanta Frontenac. Én zongorázok a mulatságon.

A férfi elmosolyodott.

– Ezek szerint mindkettőnknek megvan a maga szerény része ebben az örömteli eseményben. – Ez a megjegyzés kissé gúnyosnak hangzott.

Atalanta figyelte, milyen érzelmek tükröződnek a férfi arcán, miközben álltak a homályos helyiségben. *Vajon mi járhat a fejében?*

– Talán úgy gondolja, nem lesz boldog? – kérdezte.

Úgy tűnt, mintha Raoul elhessegetett volna egy zavaró gondolatot.

– Mit mondott?

– Talán nem lesz örömteli?

A férfi furcsa hangot hallatott, valahol a nevetés és a rosszalló horkantás között.

– Nem különösebben támogatom, hogy az ember egy életre elkötelezze magát valaki mellett. De úgy tűnik, a barátom belevág. Megint.

– Igen, hallottam, hogy már volt házas, de tragikus módon hamar megözvegyült. – *Így, tereld a beszélgetést a balesetre! De csak természetesen!* – Ismerte az első feleségét?

– Mathilde-ot? – Raoul arca meglepettségről árulkodott. – Az igazat megvallva, igen. De aligha számítottam rá, hogy valaki, akit Frontenacnak hívnak, előhozza a nevét.

Ez olyan vádlón hangzott, hogy Atalanta összerezzent. De nem kapta el a tekintetét. Éppen ellenkezőleg, igyekezett megfejteni a férfi szavai mögött megbúvó véleményt.

– Hogy érti ezt? Hiszen mindenki tudja, hogy a gróf volt már nős.

– Igen, természetesen, de csak nagyon rövid ideig. A frigy mindössze néhány hétig tartott. Néhányan úgy vélik, említésre sem érdemes. Különösen, ha úgy gondolják, hogy Mathilde-ot választani… hiba volt.

– Értem. – Milyen elbűvölő egy gyilkosság fényében. – És miért gondolnának ilyesmit?

Raoul megvonta a vállát.

– Mathilde egy fiatal és vad teremtés volt, nem igazán állt készen a házasságra. A döntése, hogy kilovagol egy csődör hátán, amit még egy férfi sem tud kordában tartani, jól tükrözi a hozzáállását. – A férfi borúsan ráncolta a homlokát. – Szerencsétlen teremtés! Az életével fizetett azért a tévedésért.

– Szóval a lóról tudni lehetett, hogy nehezen kezelhető? – kérdezte Atalanta, a szíve hevesen kalapált. Ezek értékes tények voltak, amelyek a balesetről szóló elméletet támogatták. – Másokat is levetett már a hátáról?

– Biztosan. Az igazat megvallva, Gilbert gondolkodott rajta, hogy visszaviszi annak, akitől vette. Nem gondolta elég megbízhatónak ahhoz, hogy az istállójában tartsa. De mielőtt valóra válthatta volna a tervét, Mathilde kilovagolt vele, természetesen Gilbert tudta nélkül, és a ló ledobta a hátáról, ő pedig kitörte a nyakát. – A férfi hátravetette a fejét, és tanulmányozni kezdte a lyukat, amelyen beszűrődött a napfény. – Vakmerő nő volt, de ezt azért nem érdemelte meg.

– Teljesen egyedül volt a halálakor? – kérdezte Atalanta. Ez furcsán hangzott, ezért sietve megmagyarázta. – Úgy értem, olyan szomorú, hogy valakinek így kell meghalnia, és még szomorúbb, ha teljesen egyedül volt, és senki nem siethetett a segítségére.

– Nem, egy barátjával volt – válaszolta Raoul mogorván.

Talán egy férfi barátról lehetett szó? Különben mi indokolná ezt a hangnemet?

– De ne búslakodjunk a múlton! – zárta le a témát Raoul, és finoman megérintette Atalanta karját. – A sötét felhőket már elfújta a szél, és újra ragyog a nap. Gilbert egy újabb asszonyt hozott a birtokra, és mindannyian táncra perdülünk majd az esküvői mulatságon. Jöjjön! – Azzal megfordult, és kiment a barlangból.

Túl késő, hogy a barátról kérdezzek, aki Mathilde-dal volt a halálakor. Atalantát elöntötte a kudarc keserűsége. Most aligha kezdhetett bele újra a témába. Mint a család egyik tagja, aki részt vesz az esküvőn, mutathatott némi futó érdeklődést az első feleség iránt, de a túl nagy kíváncsiság, különösen azzal kapcsolatban, hogy a nő pontosan miként halálozott el, gyanúsnak tűnhetett.

Raoul előtte igyekezett, mintha hirtelen mielőbb meg akart volna szabadulni tőle. Amikor elhagyták a keskeny, letaposott ösvényt, megpillantottak egy lovaglóruhás férfit. Egy egyenruhás rendőrrel beszélgetett, aki hevesen gesztikulált, miközben magyarázott valamit.

Rendőrség? Atalanta lelassította a lépteit, a feje megtelt kérdésekkel arról, hogy mit kereshet ott a hivatalos közeg. Talán csak valami ingatlanügylet? Egy teljesen ártatlan dolog?

– Ő Surmonne grófja – tájékoztatta Raoul Atalantát. – Méghozzá, felteszem, meglehetősen rossz hangulatban, mivel faképnél hagytam lovaglás közben.

Atalanta végignézett Raoul elegáns, könnyű öltönyén.

– Nincs is lovagláshoz öltözve.

– Milyen figyelmes! Én voltam a rókája. Kijelöltem az utat, amit követnie kellett. De beleuntam a játékba, és visszajöttem megnézni, milyen csábító dolgokat tartogat a ház.

Csábító dolgokat? Talán meg akarta tudni, hogy Eugénie megérkezett-e már? A szakácsnő említette, hogy van egy férfi, akit a lány őszintén szeret. Renard nem tudta, ki lehet az.

Lehetséges, hogy Raoulról van szó? Azért jött ide, hogy flörtöljön a menyasszonnyal annak a házában, akihez hozzá akar menni? Akkor bizonyosan nem fél a kockázatoktól.

Ám az mégsem lehetett, mert akkor biztosan nem tévesztette volna össze Eugénie-vel. Ez a tévedés arra utalt, hogy még nem találkoztak.

Bár ez, természetesen, nem jelentette azt, hogy Raoul nem is *akart* akkor találkozni vele, amikor a barátja nincs jelen. Az igazat megvallva, ez a jóképű férfi a hollószínű hajával, a melegbarna szemével és a megnyerő modorával valószínűleg megszokta, hogy a hölgyek első látásra megkedvelik, és kacérkodni kezdenek vele.

Talán Atalanta figyelmét is csak azzal az alig leplezett ürüggyel hívta fel a grottóra, hogy egy kis időt tölthessen vele?

De nem számított, milyen elragadó a grottó, Atalanta szigorúan az ügyre összpontosított, ami ide vezette.

A gróf befejezte a beszélgetést a rendőrrel, aki tiszteletteljesen fejet hajtott, majd távozott. Az úriember folytatta az útját a ház felé, aztán mégis meggondolta magát, és odament hozzájuk. Tetőtől talpig végigmérte Atalantát.

– Mademoiselle Atalanta Frontenac, ha nem tévedek. Eugénie megírta, hogy önt is magával hozza. Be kell vallanom, kissé kellemetlenül érintett a hír. Az igazat megvallva, már beleegyeztem, hogy az unokahúgom, Yvette zongorázzon az énekesnő mellett, akit felfogadtunk a partira.

– Hogy a kis Yvette kísérje a nagy Angélique Broneur-t? – Raoul hátravetette a fejét, és hangosan felnevetett. – Tudod, hogyan érez Yvette Angélique iránt? Amikor legutóbb találkoztak, egy vizes partvist rejtett az ágyába.

– Yvette akkor még fiatalabb volt – jelentette ki a gróf magabiztosan, de a nyaka elvörösödött. – Ezúttal jól fog viselkedni.

– Mégis nagyszerű ötletnek gondolom, hogy távol tartsd Mademoiselle Broneur-tól – erősködött Raoul. – Ha Mademoiselle Frontenac jól tud zongorázni, és ha a te kedves menyasszonyod kérte fel a nagy eseményre, be kell adnod a derekadat.

A férfi előrehajolt, és megveregette a gróf karját.

– Egy férfinak mindig hallgatnia kell a feleségére. Ezzel sok gyötrelemtől megkímélheti magát.

A gróf elrántotta a karját, mintha megcsípte volna valami. Düh villant a szemében, és egy pillanatig Atalanta meg volt róla győződve, hogy felemeli az ostorát, és lesújt Raoulra. Ám a harag máris elmúlt, akár egy villám fényes nappal, amikor az ember nem biztos benne, hogy tényleg látta, vagy csak a szeme szikrázott.

Természetesen nem ütné meg a barátját.

Különösen nem egy olyan ártatlan dolog miatt, mint egy élcelődő megjegyzés.

Mégis figyelemre méltó volt, hogy ennek a két embernek van egy közös múltja, amely kapcsolatban áll a halott Mathilde-dal, és úgy tűnt, igen érzékenyen reagálnak a feleségek és a házasság témájára.

– Jól láttam, hogy egy rendőrrel beszélgetett? – kérdezte Atalanta. – Remélem, nem történt semmi baj. Talán betörés? A tolvajok felbátorodhatnak a nagy esemény miatt, és talán még fényes nappal is megkörnyékezhetik az előkelőbb házakat. Hiszen műgyűjtőként bizonyára számos értékes tárgyat tart a házban.

– Nem, pusztán tájékoztatni akart egy orvvadászról, aki az én területemen halt meg. – A gróf legyintett. – Öreg volt már, és túl sokat ivott. Várható volt, hogy egy nap az árokban végzi.

Az árokban? Atalantának elakadt a lélegzete, amikor rájött az összefüggésre. Ezek szerint a férfi, akit útközben láttak, mégsem részeg volt, hanem halott?

Tudtam. Az a borzalmasan ernyedt kéz…

Halál a levendulák között. És Eugénie még azt mondta, hogy ez a hely maga a tökély. Márpedig Atalanta szerint semmi sem lehetett tökéletes, ha a halálnak is köze van hozzá. Egy újabb haláleset Mathilde után.

De Mathilde egy lovas balesetben hunyt el, ez a férfi pedig halálra itta magát. Az egyetlen közös vonás, hogy mindketten a gróf földjén veszítették az életüket. Csak egy véletlen egybeesés.

Mégis, az efféle véletlen egybeesések nyugtalanították Atalantát. Egy jó nyomozó semmit sem tudhat be a szerencsének. „Vegye észre a dolgokat mások előtt!" – mondta Renard.

De ezt vajon mégis hogyan kell csinálni?

HETEDIK FEJEZET

A vacsoraasztalnál ültek. Egy kitűnő leves után – vagy talán pontosabb lett volna *bouillon*nak, azaz erőlevesnek nevezni, mert könnyű és fűszeres volt, tökéletes előétel – a főfogásnál tartottak: szarvashús hercegnőburgonyával és *ratatouille*. Bor gyöngyözött a kristálypoharakban, és a dáliák, amelyek leszedésének Atalanta is szemtanúja volt, most ott pompáztak a lélegzetelállító asztaldíszeken.

Miután beléptek az étkezőbe, és Eugénie észrevette Yvette kutyáját, tiltakozni kezdett, hogy vigyék ki, de Yvette közölte, hogy Pompom csak akkor nyugodt, ha a gazdája közelében lehet. Ezután néhány esdeklő pillantást vetett Gilbert-re, a gróf pedig megadta magát, és megengedte, hogy ott tartsa maga mellett.

Yvette az asztal alatt most lopva finom falatokat csempészett a kutyának, és közben Eugénie tekintetét leste, hogy az orra alá dörgölhesse a győzelmét. Atalantának az volt a véleménye, hogy Eugénie jobban jönne ki a dologból, ha úgy tenne, mintha nem venné észre vagy nem érdekelné, de úgy tűnt, a fiatal hölgy nem az a típus, aki könnyedén átsiklik a sértések fölött. Csak tologatta az ételt a tányérján, láthatóan elment minden étvágya, és dühödt pillantásokat vetett Yvette-re, valahányszor a lánynak eltűnt a keze az asztal alatt.

A gróf tett néhány kísérletet, hogy beszélgetést kezdeményezzen a vidéki nyár szépségeiről, de amikor észrevette, hogy ez a lehető legkisebb lelkesedést sem váltja ki a menyasszonyából, inkább a szarvassültre összpontosított, és buzgón kóstolgatta a gazdag vörösbort, amit felkínáltak mellé.

Raoul vidám pillantást vetett Atalantára.

Vajon azon gondolkodik, mennyire igaza van, hogy idegenkedik a házasságtól és mindattól, ami ezzel kapcsolatos?

Hirtelen harsány dudaszó törte meg a csendet odakintről, mire a gróf felkapta a fejét.

– Ez meg ki lehet?!

Yvette azonnal felpattant, és az ablakhoz szaladt, majd felemelte a csipkefüggönyt. Pompom utánairamodott, és a hátsó lábára állva felágaskodott, míg a mellsőt a falnak támasztotta, miközben igyekezett elérni a párkányt, hogy kiláthasson.

– Egy pompás sportkocsi az – tájékoztatta őket Yvette, majd kirohant a helyiségből, a kutya a sarkában loholt.

– Most már én is kíváncsi vagyok – jegyezte meg Raoul, és elfoglalta Yvette helyét az ablakban. Aztán csettintett a nyelvével. – Még-hogy pompás sportkocsi! Én inkább unalmasnak mondanám.

Ez már Atalantának is felkeltette az érdeklődését, de tekintettel a házigazdára – aki borúsan ráncolta a homlokát, amiért ilyen események zavarták meg az esti étkezését – inkább a helyén maradt.

A folyosóról nevetés hangja szűrődött be, aztán belépett egy magas, szőke, göndör hajú férfi, akinek egy védőszemüveg fityegett a kezében. Türkiz ruhát viselő nő bukkant fel a háta mögött, és elegáns kezével intett a jelenlévőknek.

– Helló, mindenki! Attól tartok, lekéstük a vacsorát.

Otthagyta a társát, megkerülte az asztalt, majd lehajolt a grófhoz, és arcon csókolta.

– Gilbert! Úgy örülök, hogy újra látlak! – Aztán Eugénie-hez fordult. – Drága húgocskám…

Eugénie arca dühödten vöröslött.

– Mit keresel itt? – nyögte ki rekedt hangon.

A hölgy bizonyára az egyik nővére lehetett. Louise, vagy a másik, akinek a nevét Yvette sem tudta. Ez valahogy azt az érzést keltette Atalantában, hogy a harmadik nővér valahogy felejthető. Az újonnan érkező hölgy azonban korántsem volt az. Szőke haja megcsillant a csillár fényénél, kihívó szeme csak úgy ragyogott, miközben végignézett a vendégeken.

Az ajtóban álló férfi rámosolygott Eugénie-re.

– Meglepetés! Arra gondoltunk, korábban eljövünk, és eltöltünk néhány csodálatos napot az egészséges vidéki levegőn.

– Nem lesz túl egészséges, ha telefüstölöd az új játékszered kipufogógázával – jegyezte meg Gilbert mogorván. Ám ennek ellenére csettintett a komornyiknak. – Hozzon plusztányérokat a vendégeinknek!

– Útközben megvacsoráztunk – tájékoztatta a nő. – Egy szinte már túlságosan is elbűvölő helyen. Kis fogadó, keskeny asztalok, gyertyafény. – Aztán visszafordult a férfihoz, és szeretetteljesen végigsimított a karján. – Az lesz a legjobb, ha felmegyünk, és felfrissítjük magunkat a táncra. Ugye lesz tánc?

– Remek! – kiáltotta Yvette, aki csodálattal nézett a férfira.

A két új vendég visszavonult a szobájába, a hangjuk visszhangzott a hallban, ahogy a komornyikkal beszélgettek.

Gilbert Eugénie-re pillantott.

– Te tudtad, hogy jön Louise?

Szóval jól gondoltam, Louise az. Atalanta bólintott magában, miközben felemelte a borospoharát, ivott egy kortyot, és a beszélgetést figyelte. Minden helyes következtetés elégedett borzongást váltott ki belőle, mint amikor az apjával sakkozott, és lépésről lépésre haladt előre, hamis biztonságérzetbe ringatva az ellenfelét, miközben felkészült a mattra.

Eugénie hátradőlt a székén.

– Mégis miért kérdeztem volna meg tőle, hogy mit keres itt, ha tudom, hogy jön?

– Azt hittem, esetleg te javasoltad neki.

– Szó sincs róla. – Eugénie ádázul belemélyesztette a kését a szarvashúsba. – Azt pedig semmiképpen nem kértem, hogy *ő* is jöjjön vele. – Sikerült tengernyi gyűlöletet sűrítenie ebbe az egyetlen szóba.

Úgy tűnt, a gróf kissé megnyugodott.

– Értem. Nos, akkor próbáljuk meg kihozni a legtöbbet a helyzetből. Elvégre mégsem küldhetem el őket.

– Én nem bánnám, ha megtennéd. – Eugénie elengedte az evőeszközeit. – Kérlek, bocsáss meg! Érzem, hogy rémes fejfájás kerülget. – Esdeklő pillantást vetett Atalantára. – Nem bánnád, ha elkísérnél egy esti sétára? Egy kis friss levegőtől új életre kelek.

– Egyáltalán nem bánnám. – Atalanta felállt az asztaltól. Raoul Lemont arcvonásaiból nyilvánvaló volt, hogy a fickó remekül szórakozik, mintha azt feltételezné, hogy Atalanta a rokona egyetlen csettintésére azonnal ugrik.

Fájdalmas volt a gondolat, hogy a férfi a kevésbé tehetős kategóriába sorolta, olyasvalakinek látta, aki nem tagja a klubnak. Atalanta életében először találkozott egy valóban érdekes férfival, és mennyire más lett volna minden, ha egy párizsi fogadáson kötnek ismeretséget, ahová Atalanta irigy tekintetek gyűrűjében vonult volna be, mint a város új örökösnője. A nagy tiszteletnek örvendő Clarence Ashford unokája. Ám itt olyasvalakinek a szerepét játszotta, aki nincs olyan helyzetben, mint azok, akiknek a társaságában érkezett, és bár ezt a pozíciót már jól ismerte, egyáltalán nem szívesen játszotta el.

Ez így van jól, csitítgatta magát észszerű érvekkel, ahogyan szokta. *Emlékezz az ügyvéd figyelmeztetésére, hogy nem szabad megosztanod másokkal a meggazdagodásod mikéntjét, mert az emberek kihasználnak! Képzeld csak el, hogy Raoul kizárólag azért flörtölne veled, mert tudja, hogy van pénzed. Az sokkal rosszabb lenne annál, ahogy most lenéz.*

És mégis, bár az efféle észszerű gondolatok általában segítettek rajta, most nem sikerült meggyőzniük: továbbra is érezte a vágyakozást, hogy egyszer végre ezek közé az emberek közé tartozzon ahelyett, hogy kívülről figyelné csak őket.

A két nő hamarosan már az udvaron járt, és egyre távolabb sétáltak a háztól.

– Nem hiszem el, hogy Louise-nak volt képe idejönni. Vele! – Eugénie előhúzott egy finom csipkezsebkendőt a ruhája ujjából, és megtörölgette a szemét. – Rettenetesen megalázó.

– Nem értem, miért kellene kellemetlenül éreznéd magad, amiért a nővéred néhány nappal előbb érkezett. Biztos vagyok benne, hogy a gróf tökéletes házigazda.

– Louise csak azért csinálja, hogy rosszul érezzem magam. – Eugénie alig kapott levegőt. – Először megpróbált egy helytelen frigy felé terelni, hogy apa kitagadjon... – Megborzongott. – Louise gonosz. Az arca csinos és a modora kiváló, ha úgy akarja, de a szíve fekete, mint az éjszaka.

Vajon ő írta a levelet, hogy megrémissze a húgát? Atalanta lassan lépdelt, igyekezett kitalálni, mit kérdezhetne meg anélkül, hogy udvariatlan lenne. Másrészt viszont Eugénie azzal bízta meg, hogy járjon a titokzatos levél után, és derítse ki, fenyegeti-e valamilyen veszély a jövendőbelije részéről, így aztán teljesen természetesnek számított, hogy vannak kérdései.

– Nem vagy jó barátságban Louise-szal? – kezdte a beszélgetést egy nyilvánvaló kérdéssel.

– Régen közel álltunk egymáshoz. Louise csak egy évvel idősebb nálam. Sokszor játszottunk együtt, ugyanazok voltak a dadáink és a tanáraink. Sokan azt hitték, hogy ikrek vagyunk. – Eugénie-nek ellágyult az arca. – Megosztottuk egymással minden titkunkat. Soha nem hittem volna, hogy egyszer elárul engem.

Megállt, hogy leszakítson és megszagoljon egy levendulát.

– Bárcsak visszarepülhetnénk a múltba, amikor még azt hittem, megbízhatok benne. De azt hiszem, amikor felnövünk, minden megváltozik. Az embereket más dolgok érdeklik, és...

Eugénie a távolba révedt.

– Louise mindig is fiatalon akart férjhez menni. De annak ellenére, hogy elbűvölő és művelt, a férfiak nem tartottak ki sokáig mellette.

Gyakran elmondtam neki, hogy szerintem túlságosan megkönnyíti a dolgukat. Lerí róla, hogy azt akarja, hogy kedveljék, és ezt nem találják vonzónak. A férfiak azt szeretik, ha fáradságos munkával kell kiérdemelniük egy nő törődését. – Rápillantott Atalantára. – Ezért Louise úgy döntött, hogy kerítőnőt fog játszani az ismeretségi körünkben. Többek között azzal is előszeretettel henceg, hogy ő mutatta be Gilbert-t az első feleségének.

– Mathilde-nak? – kérdezett rá Atalanta. – Akkoriban Louise barátnője volt?

– Igen. Együtt jártak a bentlakásos iskolába.

Atalantának eszébe jutott, hogy Raoul azt mondta, Mathilde-ot elkísérte egy barátja a végzetes lovaglásra, amely végül a halálát okozta. *Csak nem Louise volt az?*

– Akkoriban engem még egyáltalán nem érdekelt a házasság, ezért egyszerűen csak örültem Mathilde-nak és Gilbert-nek. Még most is úgy gondolom, hogy jó párost alkottak. – Eugénie arca töprengőnek tűnt, már-már szomorúnak.

– Jobbat, mint te és Gilbert? – kérdezte Atalanta gyengéd hangon.

Eugénie azonnal felkapta a fejét.

– Nem akartam ezt mondani, de... Mathilde valahogy más volt. Kedves szívű, barátságos és végtelenül elegáns. Egyetlen porcikája sem ismerte a gonoszságot. Soha nem pletykált, vagy nevetett olyasvalakin, aki kevésbé szerencsés. Szerintem... szerintem Gilbert rajongott érte, piedesztálra emelte, úgy nézett rá, mint egy szentre. Kissé egészségtelen volt, ha engem kérdezel. Hiszen mindannyian emberek vagyunk.

– Én is így gondolom – vetette közbe Atalanta, hogy a lányt bátorítsa a folytatásra. Raoul egészen más képet festett Mathilde-ról. Vad teremtésnek írta le, aki azt teszi, amit akar, még akkor is, ha a férje megtiltja.

Vagy ez is része lett volna a vonzerejének?

– És mégis, miután Gilbert elveszítette ezt az igen különleges nőt, Louise úgy gondolta, gondoskodnia kell róla, hogy újra szerelembe essen?

– Igen. Mégpedig vele. – Eugénie izzó pillantást vetett Atalantára. – Egy ideje már pletyka alapjául szolgál a társaságon belül, hogy Louise a grófné halála után azonnal Gilbert mellett termett, hogy vigasztalást nyújtson neki. Ez... nem volt illendő. De amikor megpróbáltuk elmondani neki, méregbe gurult, és azt hajtogatta, hogy félreértjük a szándékait.

Mégis, vajon lehetséges lett volna, hogy miután Louise összehozta a tökéletes barátnőjét, Mathilde-ot Surmonne vonzó grófjával, rájött, hogy ő maga is kezd gyengéd érzelmeket táplálni a férfi iránt? Lehet, hogy ő tervelte ki a merényletet, amelyben Mathilde meghalt, hogy vigasztalhassa a reményvesztett grófot, és ő lehessen a következő grófné?

Ha ez volt a terve, kudarcot vallott.

De mi történhetett? Vajon megpróbálta feltárni az érzéseit Gilbert előtt, és a férfi visszautasította? Talán ez volt az oka, hogy hónapokig utazgatott, látszólag az üzleti ügyekbe temetkezve, de valójában azért, hogy elkerülje Louise-t?

Ez nagyon fájdalmas lett volna, csaknem elviselhetetlen. Vajon Louise Frontenac egy megkeseredett nő volt, akit csak a bosszú hajtott?

– Mialatt Louise bolondot csinált magából azzal, hogy Gilbert után epekedett, aki a legkevésbé sem érdeklődött iránta abban az értelemben, igyekezett nekem is találni valakit. Azt hittem, a jó szándék vezérli, ezért néhányszor találkoztam egy férfival, akit beajánlott nekem. Azt mondta, egy hatalmas németországi gyár örököse, de később kiderült, hogy ez egyáltalán nem igaz, ráadásul a jó hírnevemet is sikerült tönkretennie. Szerintem szándékosan csinálta. A szüleim nem örültek, hogy Louise egy özvegyért rajongott, és el akarta terelni valamivel a figyelmüket. De én még időben rájöttem, ki és mi ez a fickó. – Eugénie ökölbe szorította a kezét, és szétmorzsolta a levendulavirágot. – És most itt van.

– A férfi, akiről a nővéred azt állította, hogy egy németországi gyár örököse?

– Igen. De nem örököse semminek. Csak egy törtető alak, aki ki akar kaparni magának egy kis gesztenyét a családi vagyonunkból, rajtam vagy Louise-on keresztül, az neki teljesen mindegy. Nem hiszem el, hogy a nővérem idehozta, és úgy viselkedik, mint…

– Mintha együtt lennének – bólintott lassan Atalanta. A gyertyafényes vacsorára tett utalás határozottan ezt sugallta. – Talán így is van. Lehetséges, hogy a nővéred elfogadta, hogy a gróf soha nem fogja viszonozni az érzéseit, ezért másvalakit választott.

– Választott? – fortyogott Eugénie. – Miféle választás az, hogy egy olyan férfi karjaiba veti magát, aki nem akar mást, csak apánk csekkfüzetét? Megvetem ezért.

– És a férfit? – kérdezte Atalanta lágyan.

Eugénie egy pillanatra elgondolkodott.

– Feltételezem, Victor nem tehet róla, hogy ilyen.

Milyen kedves hozzáállás azok után, hogy a testvére olyan szigorú ítéletben részesült! Talán Eugénie még mindig gyengéd érzelmeket táplált a férfi iránt, akivel a nővére össze akarta boronálni?

Milyen bonyolult ügy!

– És nem is hívtad meg a nővéredet?

– Természetesen az esküvőre meghívtam, mi mást tehettem volna? Anyám soha nem bocsátaná meg, ha mellőzném. De úgy hiszem, hogy a többiekkel együtt érkezik majd, a szertartást megelőző napon. Nem idejekorán és ilyen… feltűnősködő körülmények között. – Eugénie széttárta az ujjait, és ránézett a meggyötört levendulavirágra. – Csodás az illata. – Mélyen beleszippantott. – Beleteszem egy kis vászonzacskóba, és bedugom a párnám alá. Azt mondják, a levendulaillat segít elaludni. Szükségem is lesz rá. Ez az esküvő olyan sok idegeskedéssel jár. – Eugénie rápillantott Atalantára. – Van már bármi elképzelésed arról, hogy ki írhatta azt a levelet?

– Sajnálom, de nincs – rázta meg a fejét Atalanta. – Hogyan is juthatnék bármire ilyen gyorsan?

– Bárcsak úgy érezném, hogy van elég időnk, de sajnos ez nem így van. Rossz előérzetem támadt.

Atalanta nyelt egyet, és eszébe jutott a halott vadorzó. A gróf meg sem említette vacsora közben; talán logikus döntés volt, hiszen ezt a kellemetlen helyzetet nem akarhatta feltárni a vendégei előtt.

Vagy lehetett valami más oka is a hallgatásának?

– Nem tudom megmagyarázni ezt az érzést – folytatta Eugénie. – Mintha valami súly nehezedne a mellkasomra, amitől képtelen vagyok szabadon lélegezni. Hiába olyan tiszta itt a levegő – tette hozzá, és átkarolta a saját vállát.

– Nem vagy jól, Eugénie? – szólalt meg egy férfihang.

Mindketten megfordultak.

A szőke hajú úriember, Victor állt mögöttük mosolyogva. Egy cigarettát tartott a bal kezében, de úgy tűnt, mintha nem lenne meggyújtva. Vajon a dohányzást csak ürügyként használta, hogy kimehessen, és követhesse Eugénie-t?

Victor közelebb lépett hozzájuk, és finoman megérintette Eugénie bal kezét.

– Te fázol. Nem szabadna az esti hidegben sétálgatnod.

– Nyár van – jegyezte meg Atalanta. – Még most is húsz fok fölötti a hőmérséklet.

A férfi rászegezte a csillogó szemét.

– És ön a gardedám?

– Talán úgy gondolja, hogy a hölgynek szüksége lenne rá? – vágott vissza Atalanta.

Az egyenes kérdést kínos csend követte. Lehet, hogy Eugénie mérges volt rá, amiért így viselkedett, de ha Victor hazudott arról, hogy egy német üzleti birodalom örököse, megérdemelte, hogy kordában tartsák.

– Nyugodtan visszamehetsz a házba, Atalanta – szólalt meg Eugénie lágy hangon. – Tökéletesen jól vagyok.

Tényleg így volt? Hiszen mindössze néhány perccel korábban mondta, hogy rossz előérzete van.

– Azt hittem, szörnyű fejfájással küzdesz – jegyezte meg Atalanta. – Biztos vagy benne, hogy nem erőlteted meg magad túlságosan?

– Most mondta, hogy meleg az esti levegő – vetette közbe Victor kihívóan mosolyogva. – És amíg itt vagyok mellette, Eugénie-t nem fenyegeti az a veszély, hogy megtámadja egy vadállat vagy egy csavargó.

Ez nem azt jelentette, hogy Eugénie nincs veszélyben a társaságában, gondolta Atalanta, de nem adhatott hangot az aggodalmainak a férfi jelenlétében. Így inkább elmosolyodott.

– Bízom benne, hogy úriemberhez méltón viselkedik, *monsieur*.

Úgy tűnt, a szavainak kettős értelme nem kerülte el Victor figyelmét. A férfi fürkészni kezdte Atalantát, mintha megpróbálna rájönni, mennyit tudhat az Eugénie-vel folytatott titkos viszonyáról.

Atalanta igyekezett szenvtelen arcot vágni. Úgy tűnt, Victor megértette, hogy nem jut vele dűlőre, ezért Eugénie-hez fordult.

– Elnézésedet kérem, hogy így betoppantunk, de Louise nagyon eltökélt tud lenni. Meg akart lepni.

– Igyekezhettetek volna, hogy időben érkezzetek a vacsorához.

És kihagyják a kettesben töltött vacsorát, amire Louise célzott?, tűnődött Atalanta, miközben távolodott tőlük. Amikor a ház közelébe ért, hátrapillantott, és azt látta, hogy Victor Eugénie vállára teszi a kezét, és hevesen magyaráz valamit. Azt kívánta, bárcsak hallhatná, miről beszélnek.

– Elbocsátották? – kérdezte ekkor egy cinikus hang. Raoul állt előtte. Elnézett Atalanta mellett a távolban álló pár felé. – A három már tömegnek számít?

– Csak megkértek, hogy induljak el előttük. Biztos vagyok benne, hogy hamarosan követnek – mondta Atalanta, aztán hozzátette: – Bármiről beszélgetnek, az nem rám tartozik. És nem is magára.

Raoul résnyire szűkült szemmel méregette a párt.

– Én ebben azért nem lennék olyan biztos.

Atalanta érdeklődve nézett rá.

– Valóban közeli barátja lehet a családnak, ha ennyire a szívén viseli, ami itt történik.

Úgy tűnt, mintha Raoul megrázná magát, aztán szembefordult vele.

– Van szemem.

– És?

– És használom is. – Azzal elfordult Atalantától, és elindult vissza, a házba.

Atalantának szaporáznia kellett a lépteit, hogy utolérje. *Vajon mi lehet a terve?*

– El akarja mondani a grófnak, hogy együtt vannak?

– Mégis mi a fenéből gondolja ezt?

– Talán azt szeretné, ha ez a jegyesség felbomlana?

Raoul megtorpant. A szeme dühösen megvillant, ahogy Atalantára szegezte.

– Honnan veszi ezt?

– Nem tudom. – Atalantának hevesen kalapált a szíve. Vajon Raoul írta azt a levelet?

A férfi megrázta a fejét.

– Ezúttal nem fogadok el efféle kitérő választ, Mademoiselle Atalanta. Pontosan tudja, hogy miért mondta ezt. Maga amolyan csendes alkat, aki nem beszél sokat, de folyamatosan figyel, hallgat és... várja az esélyt, hogy hasznot húzhasson a helyzetből. Talán azt hiszi, fizetnék, hogy megvásároljam a hallgatását?

A felvetés teljesen megdöbbentette Atalantát. *Én mint zsaroló?* Hitetlenkedő nevetés gerjedt a mellkasában, de a férfi arca láttán hamvába holt.

Komolyan gondolja. Azt hiszi, azért vagyok itt, hogy kijátsszam egymás ellen az embereket, és hasznot húzzak belőlük.

Csak azért, mert úgy tudja, hogy nincs pénzem? A hideg érzés a zsigereiig hatolt. Mindig ugyanaz a lemez? Előítéletek és hazugságok? Atalantának esze ágában sem volt hencegni az újdonsült gazdagságával, de olyan nagy volt kísértés, amikor az emberek a legrosszabbat feltételezték róla, csak mert azt hitték, nincs pénze.

– Ezt sértésnek veszem – jelentette ki. Aztán kihúzta magát, és farkasszemet nézett a férfival. – Alig ismer. Az égvilágon semmit sem tud rólam, eltekintve attól, hogy milyen az élethelyzetem. Csak azért, mert zongoratanárnő vagyok… – A dühtől remegett a hangja.

– Ha azt hiszi, manipulálhat – szakította félbe Raoul –, én az ön helyében kétszer is meggondolnám. Nem az a férfi vagyok, akivel játszadozni lehet – közölte, majd sarkon fordult, és elsietett.

Atalanta nézte, ahogy távolodik. A méltatlankodástól remegett a lába, képtelen volt elhinni, hogy a férfinak volt képe ilyen aljas dologgal vádolni őt. *Szemtől szembe!*

Az arcára szorította a tenyerét, és vett néhány mély lélegzetet. Raoul azt hitte, ő irányít, de közben elárulta magát. Miért feltételezte, hogy Atalanta hasznot akar húzni a helyzetből? Hiszen semmi kellemetlen nem történt.

Hacsak Raoul nem tudott többet annál, mint amit elárult.

Itt rátapintottam valamire.

De vajon olyasvalamire, ami segíti az ügyet, amellyel megbízták? Most már tudta, hogy Louise ismertette össze a grófot az első feleségével, Mathilde-dal, hogy Louise-nak volt valami szerepe abban, ami itt történt, hogy Eugénie talán valaki mást szeretett, mielőtt beleegyezett, hogy feleségül megy a grófhoz… De hogy jön a képbe Raoul? Miért lett olyan mérges attól, hogy Atalanta talán figyeli őt?

Megdörzsölte a halántékát. Fel kellett jegyeznie mindent, amit megtudott, hogy megpróbáljon rendet teremteni ebben a káoszban.

NYOLCADIK FEJEZET

Atalanta a fésülködőasztalnál ült, és rövid feljegyzéseket készített a kódolt nyelven, amelyet a bentlakásos iskolában is használt. Nyomon követte a diákjai fejlődését, apró kitérőit, a tulajdonságokat, amelyek lehettek hasznosak és károsak, és az elején egyszerűen csak mindent leírt a jegyzetfüzetébe. Ám miután egy okos diák egyszer megszerezte a füzetet, és arra használta, hogy manipulálja a többieket, Atalanta kifejlesztett egy kódolt nyelvet, hogy se a kíváncsi kollégák, mint Miss Collins, se a buzgó tanulók ne férhessenek többé hozzá a gondolataihoz, és használhassák fel az önös érdekeiknek megfelelően.

Tulajdonképpen a cirill ábécéhez folyamodott, mert a tapasztalatai szerint nem sokan ismerték. Extra óvintézkedés céljából pedig egy egyszerű, felcserélésen alapuló rejtjelezéssel egészítette ki, hogy ha valaki mégis beazonosítaná a betűket, akkor se tudja megfejteni a szót. Apró szórakozás volt, amit mindig nagyon élvezett, hiszen izgalmasabbá tette a munkáját, és jelen pillanatban, miközben írta az ismerős, kacskaringós betűket, úgy érezte, hogy valósággal száguld a vér az ereiben. Ez az információ fontosabb volt minden megfigyelésnél, amit eddig tett.

Talán szégyellnie kellett volna magát, amiért izgalmasnak találja, hiszen egy nő meghalt. A halál tragikus dolog, és minden érintettre hatással van, még akkor is, ha baleset történik. De ha gyilkosság, az még rosszabb. El kellett volna borzasztania Atalantát, és részben így is volt, amikor belegondolt, hogy egy ilyen fiatal élet egyszerűen odalett. De a pontos tény arra sarkallta, hogy közelebbről is megvizsgálja az esetet, többet akart tudni róla. Mi történt? Ha nem baleset, akkor kinek a keze lehet a dologban? És miért?

Úgy érezte, mintha a grottóban állna, nézné a mozaikokat, és azon tűnődne, hogy volt képes valaki megalkotni őket, amikor a fal teljesen fehér volt. Honnan tudta, hová kell tennie az apró darabkákat ahhoz, hogy egy ilyen pompás egészet alkossanak?

Ez a gyilkossági ügy is olyan volt, mint egy mozaik, ahol a kagylókat rossz helyre ragasztották. Felesleges információk vagy tudatos hazugságok megváltoztathatták a képet. De ha Atalanta megérti, melyiket kell elmozdítani és a helyére egy másik darabot illeszteni, képes lesz felismerni a mintát. És elkerülhetetlenül rátalál majd az igazságra.

Hirtelen kopogtattak, és Atalanta megdermedt. Becsúsztatta a jegyzetfüzetét a fiókba, és azt kiáltotta:

– *Entrez!**

Louise Frontenac volt az. Csodálatos, fehér estélyi ruhát viselt, és gyöngysor díszelgett a nyakában. Belépett a szobába, majd finoman becsukta az ajtót.

– Szeretnék váltani veled néhány szót.

Atalanta azonnal felállt, mert így valahogy erősebbnek érezte magát: sikeresebben szembe tudott nézni azzal, amit ez a szépséges, hűvös arcú nő akart tőle.

– Nem tudom, hogyan sikerült kapcsolatba lépned Eugénie-vel – közölte Louise –, de azzal pontosan tisztában vagyok, hogy a családod soha nem volt képes fenntartani magát. Kénytelenek voltatok mindig másokra támaszkodni, akik vagyonosabbak, vagy talán inkább fogalmazzak úgy, hogy eszesebbek és szorgalmasabbak?

Atalanta összerezzent. Ha valakit ebben a házban nem lehetett lustasággal vádolni, az ő volt. *Először Raoul, most meg Louise…*

* Szabad! *(francia)*

De ha rögtön a saját védelmére kel, azzal aláássa azt a törekvését, hogy többet megtudjon mások gondolatairól és érzéseiről. Úgy kellett tennie, mintha meg lenne rémülve, de kicsit azért provokálta a nőt, hogy folytassa.

Enyhén felszegte az állát.

Úgy tűnt, Louise elfogadja a kihívást. Résnyire szűkült a szeme, és azt mondta:

– Lehet, hogy azt hiszed, Eugénie könnyű célpont, de tudnod kell, hogy van családja és barátai, akik megvédik. Nem szerzel meg tőle semmit.

– Biztosíthatlak, hogy tévedsz. – Atalanta szenvtelen, szinte önelégült hangot ütött meg. – Eugénie mindössze felkért arra, hogy zongorázzak az esküvőjén.

– Akkor miért vagy máris itt?

– Találkoztunk Párizsban, és meghívott, hogy jöjjünk együtt. Meglehetősen unalmas egyedül utazni.

Úgy tűnt, hogy Louise legszívesebben megvetően felnevetne.

– Lehet, hogy ezt mondtad neki, és el is hitte, de én nem fogom. Habozás nélkül figyelmeztetem, hogy vigyázzon veled.

– Akkor most miért nem éppen vele vagy, hogy figyelmeztesd?

Louise arca még hűvösebb lett, és elfehéredett dühében.

– Hogy merészelsz így beszélni velem?

– Én nem valami szolgáló vagyok, akinek végre kell hajtania az utasításaidat. Önálló nő vagyok. És Eugénie kérésére jöttem ide. – *És fogalmad sincs, milyen nagy horderejű következményekkel járhat ez a kérés, ha rájövök, ki felel Mathilde haláláért.* Aztán hozzátette: – Talán el kellene fogadnod, hogy a húgod is felnőtt nő, aki a saját útját járja az életben, és nincs szüksége rá, hogy a nővére mondja meg, mit tegyen.

– Szóval erről van szó. Megmérgezed az elméjét, hogy ellenem forduljon. Azt sugallod, hogy basáskodom fölötte, és megpróbálom olyan irányba terelni, amit ő nem szeretne. – Louise rászegezte a tekintetét Atalantára, mint egy vipera, amelyik kiemelkedik a fűből.

– Tönkretetted, ami kettőnk között volt, és beférkőztél a bizalmába. A saját nyerészkedésed érdekében. – Louise közelebb lépett Atalantához, és az arcába sziszegte: – De biztosíthatlak, ezt még nagyon megkeserülöd! Méghozzá hamarosan.

Azzal sarkon fordult, kiviharzott a szobából, majd becsapta maga mögött az ajtót.

Atalanta vett egy mély lélegzetet. *Ez már a második ellenség, akit szereztél magadnak, és mindezt vacsora után,* mondta magának. De a cseppnyi vidámság hamar elpárolgott, és gondterhelten sóhajtva leroskadt a fésülködőasztal előtti zsámolyra.

Az, hogy Louise nem kedveli, nem aggasztotta túlságosan, mivel egyértelmű volt, hogy Eugénie nem bízik a nővérében, és nem fogja meghallgatni a meséit, ha valóban elmegy, hogy befeketítse Atalantát. Az igazat megvallva, tulajdonképpen hasznosnak tűnt, ha Louise fenyegetve érezte magát, és kénytelen volt úgy viselkedni, hogy biztosítsa a pozícióját.

De Raoul Lemont már más lapra tartozott. Atalanta őszintén kedvelte, és a férfi minden nyilvánvaló ok nélkül ellene fordult. Lehet, hogy a sértettségét palástolta dühvel? Talán korábban már elárulta valaki? Atalanta azt kívánta, bárcsak visszaforgathatná az időt addig a beszélgetésig, és valahogy megváltoztathatná, hogy másként záruljon. Ám ez természetesen lehetetlen volt. És Raoul talán még ki is nevette volna, ha tudná, mennyire aggódik emiatt, miközben ő maga már rég túllendült ezen, és vidáman készülődött a táncos mulatságra. *Nekem is készülődnöm kellene.*

Felemelte a tollát, és kiegészítette a jegyzeteit Louise-ról. Aztán odament a félig kipakolt bőröndjéhez, hogy keressen egy megfelelő ruhát. Ám a néhány ruhadarab között egy egyszerű, fehér borítékra bukkant, amit egy erős kéz címzett neki. Fogalma sem volt, hogy kerülhetett oda.

Talán Renard volt az?

Felnyitotta, és olvasni kezdett.

Legdrágább unokám!

Nagyot dobbant a szíve. Az elhunyt nagyapja újra jelentkezett. És megszólításképpen nem a „drága" szót használta, hogy kifejezze a kapcsolatukat, hanem a „legdrágább" jelzővel kedveskedett.

Amikor ezt olvasod, életed első helyzetén dolgozol. Megkérem Renard-t, hogy küldje el veled ezt a levelet, hogy megtaláld, amint megérkezel a helyszínre. Fogalmam sincs, hogy ez hol lesz, Franciaországban vagy külföldön. A megbízásaim számtalanszor szólítottak idegen országokba, Svájcba, Olaszországba, Ausztriába, sőt, még Lengyelországba is, és biztos vagyok benne, hogy a fiatalságod és a tehetséged téged még ennél messzebbre is elrepít, akár az óceánon túlra, Amerikába is.

New York! Atalantát izgatott borzongás fogta el erre a kilátásra.

Nem tudom, hogy jelen pillanatban milyen ügyben nyomozol, ezért azt sem mondhatom meg, hogy mit tegyél. És ez így van jól, hiszen nincs is bosszantóbb annál, mint amikor egy öreg vadászkopó folyamatosan ugat, ha meghallja a vadászatra hívó kürt szavát, pedig már rég nem tudja tartani az iramot a lovakkal sem, nemhogy előttük szaladni.

– Nem is voltál öreg, nagyapa – motyogta Atalanta maga elé –, és hiszem, hogy az elméd egészen a végig éles maradt.

De azért adhatok néhány általános tanácsot. Mindig menj vissza az elejére! Gondolj az indítékra úgy, mintha egy motor lenne, ami mindent mozgásba lendít. A veszély egyeseknek olyan, mint a mágnes; és a kockázat – vagy akár a halál – gondolata csak arra sarkallja őket, hogy még vakmerőbbek legyenek. Az elkeseredett embert semmi sem állíthatja meg. Ne higgy el semmit, amit hallasz, de vizsgáld meg a mögötte rejlő igazságot! Keress valamit, ami alátámasztja az információt, amit kaptál, minél tényszerűbb, annál jobb.

– Így tettem – mondta Atalanta csendesen. – Elmentem a Frontenac-házba, és beszéltem a szakácsnővel. Biztosan helyes lépésnek tartottad volna.

A véleményeknek is van értéke, de soha ne felejtsd el azokat az érdekeket, amelyek vezérlik őket. Még sokáig folytathatnám, hiszen annyi tapasztalat jutott eszembe, mialatt írtam ezt a levelet, de hagynom kell, hogy bejárd a saját utadat, és kidolgozd a magad módszereit.
Én hiszek benned.

Szeretettel…

És aztán ott állt az aláírás, amely gyakorlatilag egy határozott „C"-ből és „A"-ból tevődött össze. Clarence Ashford. A férfi, akivel Atalanta soha nem beszélt, mégis úgy érezte, erős kapocs fűzi hozzá. Tudta, hogy mindig nagy becsben fogja tartani ezt a levelet.

És elrejti, hiszen túl sokat elárul a szándékairól és a személyazonosságáról.

Atalanta a varrókészletében lévő, apró késsel felhasította a bőröndje bélését, és becsúsztatta mögé a levelet. Az első, amit az ügyvéden keresztül küldött a nagyapja, szintén ott lapult. Gondosan visszavarrta a bélést, és aztán azt tette, amit tennie kellett: felvette a vörös estélyi ruháját. A nagyapja tanácsa mélyen belevésődött az elméjébe. De legfőképpen izgatott volt, amiért a levélben a saját utazásáról beszélt. Az útról, amely elviszi majd olyan helyekre, amelyekre máshogy nem jutna el. Miközben leereszkedett a lépcsőn, megcsodálta a pompás virágdíszt, amely a kanyarulatban kapott helyet, ahol a lépcső kettévált: egy márványváza volt, hosszú szárú, rózsaszín rózsákkal, szagos bükkönyfonatok övezték a szárukat, mint egy füzér. Nem lehetett itt esetleg egy üvegház, tele orchideákkal? Szerette volna megnézni, és eltervezni, melyiket vegye meg. *Bárcsak tudnád, anya, éppen mit csinálok...*

Hirtelen fülsértő zenebona öntötte el a házat, akár egy szökőár. Atalanta rémülten megfordult, és hallgatózni kezdett, bár valójában ezt egyáltalán nem akarta hallani. Hamis hangok botladoztak egymás után, valósággal bántották a fülét. *Ki lehet az, aki így meggyalázza azt a zongorát?*

Sikeresen ellenállt a késztetésnek, hogy befogja a fülét, és sietve követte az idegtépő muzsika hangját a terembe, ahol számtalan ember gyülekezett. Yvette két kézzel püfölte a hangszert, disszonáns hangok viharát csalva elő belőle, miközben Eugénie rikoltozott, hogy hagyja abba.

Pompom elbújt a kanapé mögé, a füle a fejéhez lapult. Mégsem hagyta el a helyiséget, nyilvánvaló volt, hogy rajta akarja tartani a szemét a gazdáján.

Gilbert az ablaknál állt, és rágyújtott egy cigarettára. Amikor az öngyújtó lángja megvilágította az arcát, Atalanta úgy ítélte meg, hogy aggodalmat és talán szomorúságot lát rajta. Odament hozzá, és azt mondta:

– Nem lehet könnyű gondját viselni egy ilyen korban lévő lánynak.

Gilbert ránézett, és felvonta a szemöldökét.

– Mit tud maga erről?

– Zenét tanítok. A diákjaim gyakran megosztják velem az életükkel kapcsolatos nehézségeket: szülőket, akik nem értik meg őket, barátságokat, amelyek megszakadnak. – *Az első szerelmet, amely örökre viszonzatlan marad.* – Ezenkívül, bár bizonyára ezt nehéz lehet elképzelni, valamikor én magam is voltam tizenhat éves.

A férfi ezúttal felnevetett.

– Drága *mademoiselle,* soha nem merészelném megsérteni azzal, hogy arra utalok, ez már réges-rég történt.

Atalanta viszonozta a mosolyát.

– Ön igazán kedves. De amikor látok egy ehhez hasonló hisztit, úgy érzem, egy évezred telt el azóta. Amikor az ember felnő, sok mindenért lesz felelős, és már nem engedhet meg magának hasonlókat.

A gróf felsóhajtott.

– Ebben nagyon igaza van. – A cigarettájával a zongoránál ülő lány felé intett, aki kis híján kitépte a billentyűket az ádáz klimpírozás közben. Eugénie abbahagyta a sikoltozást, és most már a lábával toppantgatott, a kezével pedig hevesen integetett, mintha megpróbálná lehalkítani a hangot.

– Tudja, úgy szeretném, ha Eugénie tudná, hogy kell bánni vele. Ha megadhatná neki azt a gyengéd, nőies törődést, amire én képtelen vagyok. Mathilde… – A gróf elhallgatott.

Vajon ezért tűnt olyan szigorúnak az imént?

– Az első felesége megtalálta a közös hangot Yvette-tel? – kérdezett rá Atalanta.

– Ó, igen! A legjobb barátnők voltak. Mathilde igyekezett a kedvére tenni, de Yvette akkor is hallgatott rá, amikor megkérte, hogy vegye komolyan a tanulmányait, vagy… – A kanapéra bökött, amely mögül Pompom kukucskált, mint aki nem tudja eldönteni, hogy előmerészkedjen-e, vagy még jobban elbújjon. – Ez a kiskutya is Mathilde ötlete volt. Úgy vélte, Yvette lecsillapodik, ha kap valamit, amiről gondoskodnia kell. De attól félek, nem számít, menyire szereti ezt a kutyát, ez sem segít rajta. Egyre rosszabb a helyzet.

– Biztos vagyok benne, hogy a felesége halála nagy traumát okozott Yvette-nek, és még mindig nem tudott továbblépni. A gyász nem múlik el olyan gyorsan, mint egyesek hiszik. – Még mindig voltak olyan pillanatok, amikor Atalanta hirtelen, fájdalmasan ráeszmélt, hogy az apja soha többé nem siet be a szobába azt kiáltozva, hogy végül megtalálta a módját, hogyan vessen véget a balszerencséjüknek, és tegye boldoggá őket. Hogy soha többé nem karolja át, hogy felemelje a földről, és körbeforgassa a szobában arról esküdözve, hogy ezúttal minden megváltozik.

Bár egy idő után már nem hitt neki, a férfi nevetése akkor is ragadósnak bizonyult, és Atalantát önkéntelenül is magával ragadta az apja izgatottsága, amikor valami új lehetőség bukkant fel a láthatáron.

A gróf leeresztette a cigarettáját, és körülnézett, hogy keressen egy hamutálat. Atalanta elvett egy ezüstöt a kandallóról, és letette kettejük közé az ablakpárkányra.

– *Merci!* – A férfi lepöckölte a hamut. – Mathilde kedvéért leszoktam a dohányzásról. Nem szerette a szagát, és azt, hogy tönkreteszi a függönyöket. – A fehér csipkeanyagra mutatott, aminek valóban volt egy halvány, sárgás fénye. – Beleegyeztem, hogy csak a dolgozószobámban gyújtok rá. Oda úgysem tette be a lábát soha, ezért nem zavarta, ha a saját territóriumomon cigarettázok. Nagyon jó hatással volt rám.

– És Eugénie? – érdeklődött Atalanta. – Ő nem panaszkodik, hogy a cigarettafüsttől besárgulnak a függönyök?

– Nem tudom, érdeklik-e ezek a dolgok. – Egy kört írt le a kezével a levegőben, hogy a mozdulatba belefoglalja a falakon lógó olajfestményeket, a piedesztálokon álló szobrokat és az ablakon túli világot, amely pompás esti fényben fürdőzött. – Vagy bármi Bellevue csodáiból.

– Nagyon is érdeklik. Igen lelkesen beszélt erről a helyről, amikor idefelé autóztunk. Szinte mámoros állapotba került, amikor megpillantotta a házat. És már Párizsban is úgy festette le, hogy alig vártam, hogy ideérjünk.

– Ő gyakran ilyen. Túláradó az idegenekkel, és... – Elhallgatott, és beleszívott a cigarettájába.

Atalanta megsajnálta. Talán ez a férfi éppen olyan kevéssé értette Eugénie-t, mint Yvette-et, és bizonyára úgy érezte, kudarcot vallott vőlegényként és a boldogtalan unokahúga gyámjaként egyaránt.

Atalanta szeretett volna valami felemelőt mondani, de megzavarta egy hang. Egy puffanás, majd egy jajdulás hallatszott. Eugénie Yvette fölé hajolt, aki leesett a zongoraszékről.

Vagy lehetséges, hogy Eugénie rángatta le róla?

– Ezt sosem fogom neked elfelejteni! – rikoltotta Yvette. – Te rusnya banya! Legjobb lenne, ha meghalnál! Halj meg! – Azzal feltápászkodott a földről, és kirohant a szobából. Pompom azonnal követte, éles vakkantásai visszhangoztak a folyosón.

Most, hogy a zene elhallgatott, nyomasztó csend ereszkedett a helyiségre. Mintha minden életet kiszívtak volna, és csak vákuum maradt volna helyette. Eugénie eltorzult arccal meredt az üres ajtókeretre. Aztán a vőlegényéhez fordult.

– Hallottad ezt? Banyának nevezett! Még a huszonhármat se töltöttem be. És azt akarja, hogy meghaljak.

– Ez csak egy ártalmatlan dühkitörés. – Gilbert hangja figyelemre méltóan nyugodt volt. – Miért nem hagyod, hogy zongorázzon?

– Zongorázzon? Te zongorázásnak nevezed ezt a tébolyult klimpírozást? Be kellene zárni a szobájába, amíg észhez nem tér. Igen. Nem tudnád bezárni? – Eugénie szeme vidáman csillogott, ahogy odalépett a grófhoz. – Szólj valamelyik szolgálónak, hogy intézze el! Nem kell saját kezűleg megtenned. – Az utóbbi kissé úgy hangzott, mintha gúnyolódna, arra célozva, hogy Gilbert nem is képes rá.

A grófnak elvörösödött a nyaka.

– Én nem teszek ilyesmit. Yvette nem valami vadállat, amelyet ketrecbe kell zárni.

– Akkor nem is kellene úgy viselkednie. – Eugénie végigsimított az estélyi ruháján. – A fejfájásom teljes erővel visszatért az ő… hóbortos viselkedésének köszönhetően. Hogyan táncoljak ilyen állapotban?

– Akkor ne táncolj! – A grófnak megvillant a szeme. – Senki sem kényszerít rá.

Eugénie jól hallhatóan felszisszent. Az arca diadalittasból lesújtottá változott. Aztán azt sziszegte:

– Hát persze. Másokkal kívánsz táncolni, nem velem.

Gilbert tiltakozásul felemelte a kezét, de a nő folytatta:

– Rendben. Ha túl sok vagyok neked, nem maradok tovább. – Azzal sarkon fordult, és felszegett fejjel kivonult a helyiségből.

A gróf széttárta a kezét.

– Nők! Soha sem tudunk a kedvükre tenni.

Atalanta elfojtott egy mosolyt.

– Talán én meg tudom győzni, hogy visszajöjjön.

– Az igazat megvallva, ne fáradjon! – A gróf arca ismét hűvös lett. – Ha Eugénie olyan gyerekesen akar viselkedni, mint Yvette, hát legyen. Nem akarom egész este a duzzogó képét nézni. – Az ablakhoz fordult, és kinézett a kertre, ahol az esti nap fénye csókolgatta a rózsákat.

Atalanta lágyan megszólalt:

– Ő a menyasszonya. Néhány nap múlva összeházasodnak. Meg kell próbálnia kiengesztelni, és...

– Szembenézni az ítélettel. – Gilbert felsóhajtott. – Kizárólag az én hibám, hogy újra akartam nősülni. Tudnom kellett volna, hogy semmi jó nem sülhet ki belőle. – Elnyomta a cigarettát, és azt motyogta: – Elnézést!

Amikor a férfi elhagyta a szobát, Atalanta magára maradt a csendben, ami úgy letaglózta, mint valami mázsás kőtömb. Itt mindenki olyan boldogtalannak tűnt, pedig minden feltétel adott volt ahhoz, hogy tökéletesen meg legyenek elégedve az életükkel. Volt egy csodálatos ház, amelyben lakhattak, egymás társasága... De ők hagyták, hogy a nyers érzelmek irányítsák őket, így szembefordultak egymással, és széttörtek mindent, ami értékes.

Az is lehet, hogy csak a fejemben létezik egy idilli kép arról, hogy milyennek kell lennie egy családnak, hiszen nekem soha nem volt benne részem.

El akarta hagyni a helyiséget, mert kellemetlenül érezte magát egyedül, de a szeme megakadt egy fényképen, amely egy kis asztalkán állt a sarokban. Szépiafelvétel volt, mégis felismert rajta néhány ismerős arcot. A gróf, Raoul Lemont és még néhány ember szerepelt rajta. Fiatalabbnak látszottak, gondtalannak, és megemelték a poharukat. Főként férfiak voltak, mindössze egyetlen nőt látott közöttük, nyugodtan mosolygott, azzal a fajta csendes szépséggel, amire később is emlékszik az ember. *Vajon ő lett volna Mathilde?*

Atalanta alaposan megnézte az arcokat, majd távozott.

KILENCEDIK FEJEZET

Miután az előző esti terveiket olyan rútul megzavarta az Eugénie és Yvette közötti veszekedés, illetve a házigazda döntése, hogy egyáltalán nem lesz tánc, Atalanta arra számított, hogy a másnapi reggelinél kissé nyomott lesz a hangulat.

Ám a legnagyobb meglepetésére mindenki tökéletesen vidámnak bizonyult, és kedvesen beszélgettek egymással. Eugénie dicsérte az áldásos hatását a levendulának, amit egy kis zsákban a párnája alá rejtett, kijelentette, hogy még soha nem aludt ilyen jól, és egyetlen kellemetlen álom sem zavarta meg az éjszakáját. Yvette azt mondta, hogy összekészítette a festőfelszerelését, és az erdőben tölti a délelőttöt, míg a gróf tájékoztatta őket, hogy sajnálatos módon el kell mennie üzleti ügyben, de később visszatér, és mindannyiukat elviszi piknikezni a közeli tóhoz.

Megszülettek a tervek, mindenki szétszéledt, és Eugénie tájékoztatta Atalantát, hogy leveleket fog írni, és nincs szüksége rá.

Nagyszerű! Így marad időm elolvasni az újságokat, hátha a halott orvvadászt megemlítik valahol.

Atalanta a frissen érkezett, összehajtogatott újsággal a kezében kisétált a kertbe, és leült egy padra egy sárga és narancssárga futórózsáktól roskadozó lugas mellé. Néhány kehely még csak félig nyílt ki, míg mások teljes díszükben pompáztak, feltárva a selymes szirmaikat.

A helyi lap címoldalát egy falusi fesztiválnak szentelték, amely hamarosan megrendezésre kerül, míg a második oldalon megemlítették, hogy előkelő vendégek érkeztek Surmonne szeretett grófjának küszöbönálló esküvőjére. Sajnálatos módon Raoul Lermont-ról semmiféle érdekes részletet nem talált.

Születések és házasságok kerültek bejelentésre, elveszett tárgyak – többek között egy tömör aranyból készült jegygyűrű – gazdái kérték az olvasók segítségét, és egy kereskedő kínálta a szolgálatait. Egy hölgy házas nők kérdéseit válaszolta meg a háztartásban felmerülő nehézségekkel kapcsolatban, illetve fiatal lányokét, akik fel akarták kelteni annak a férfinak a figyelmét, akin megakadt a szemük.

Mindössze az utolsó oldalon szerepelt egy rövid említés Marcel DuPont haláláról, akit nemrégiben engedtek ki a börtönből, ahol mind a tizenkét havi büntetését letöltötte orvvadászatért.

Szerencsélen flótás! Végre kiszabadul, erre meghal.

A börtönben természetesen nem ihatott alkoholt, ezért lehetséges, hogy olyan alaposan ünnepelte volna meg a szabadulását, hogy bele is halt?

Ez a magyarázat meglehetősen logikusnak tűnt, és Atalanta már túl is akart lépni a dolgon, amikor megakadt a szeme a cikk utolsó során.

Az orvosi vizsgálat kimutatta, hogy Monsieur DuPont-t leszúrták, és a rendőrség várja az információkat egy esetleges vitáról, amelyben része lehetett a halála előtt, és elvezethet a gyilkoshoz.

Halál a levendulák között?

Gyilkosság a levendulák között.

Az újság azt írta, leszúrták. Szó sem volt balesetről, az alkohol és a nagy meleg sajnálatos egymásra hatásáról, vagy egy balszerencsés esésről a sáros árokparton. Nem, ez hidegvérrel elkövetett gyilkosság volt.

A hidegvérrel elkövetett meggyilkolása egy orvvadásznak, aki börtönben ült. Egy férfinak, akinek lehettek ellenségei, és talán csak arra vártak, hogy kiszabaduljon. Valószínűtlennek tűnt, hogy a halála valamiképpen kapcsolatban állna Mathilde, vagyis Surmonne grófnéjának szomorú végével. Elvégre egészen más körökben mozogtak.

Mégis, követnem kell a híreket erről a gyilkosságról, amennyire hozzá tudok jutni. Ki kell derítenem, hogy a rendőrség kapott-e bármilyen tippet arra vonatkozóan, hogy ki felel a végzetes szúrásért.

Atalanta félretette az újságot, és körülnézett, hogy lecsillapítsa a szívverését. A reggeli napfény megcsillant a virágok szirmain, és egy pillangó üldögélt az ösvény kavicsain; széttárta a szárnyait, hogy feltöltődjön a nap melegétől. Az erdő mélyén harkály kopácsolt.

Szinte hihetetlennek tűnt, hogy előző este olyan feszült volt a légkör azok között, akik itt tartózkodtak. Vagy hogy Eugénie azt állította, hogy valami rossz előérzete van. Hogyan is fenyegethetne bármiféle veszély bárkit ebben a buja kertben, az árnyas erdőben vagy a lenyűgöző kagylós grottóban a finoman kidolgozott, mitológiai alakokkal, amit előző nap fedezett fel Raoullal?

Raoul... Vajon hová tűnhetett?

Reggeli közben nem árult el semmit az aznapi terveiről, de miközben a pirítóst szeletelte, szemmel láthatóan a gondolataiba mélyedt. *Talán a házban kellett volna maradnom, hogy kémkedhessek utána?*

De miután a férfi azzal vádolta, hogy pénzt akar kérni a hallgatásáért, valahogy helytelennek érezte követni. Raoulnak szerepelnie kellett egyáltalán a gyanúsítottak listáján? Hiszen úgy tűnt, nem része az Eugénie, Louise és a gróf alkotta háromszögnek.

Vagy annak, amely Eugénie-ből, Louise-ból és Victorból állt.

Á, a kifürkészhetetlen Victor! A férfi továbbra is rejtély volt Atalanta számára. Míg mások óvatlanul kiteregették a lapjaikat, és nyíltan vállalták vele az összeütközést, a fickó gondosan kerülte, és szóba sem állt vele. A reggelinél nem mutatott érdeklődést sem Eugénie, sem Louise iránt, csak megrakta a tányérját tojásrántottával, sonkával és barackkompóttal, mintha még életében nem evett volna rendes ételt. Talán ettől még gyanúsabbnak kellett volna lennie? Csendesen meghúzódik a háttérben, de figyel és vár? Elvégre aznap érkezett, amikor az orvvadász meghalt.

De ez Louise-ra is igaz volt.

Raoul pedig már itt volt, de magára hagyta az erdőben a grófot, amikor neki kellett volna törnie az utat. És ami a grófot illeti, ő sem tartózkodott Raoul társaságában.

És mindketten szerepelnek a fényképen a gyönyörű nővel, aki feltehetően Mathilde.

Micsoda zűrzavar!

Bárcsak velem lenne Renard, hogy többet megtudhassak a jelenlévőkről! A komornyik olyan könnyedén számolt be minden részletről a Frontenac családdal kapcsolatban; biztosan tudott valami hasznosat Raoulról is.

Átható sikoly törte meg a csendet, visszhangzott a rezzenéstelen levegőben.

Atalanta felpattant. Úgy tűnt, hogy a sikoltás az erdőből érkezett.

Yvette! Egy tizenhat éves lány, egyedül a festményeivel.

Victor említett valami csavargót az este. Vajon általánosságban értette, vagy valóban ólálkodott valaki a környéken? Egy csavargó, aki megkörnyékez egy kislányt, hogy pénzt kérjen tőle? És erőszakos lesz, miután nemet mond?

Ugyanaz a gyilkos, aki leszúrta Marcel DuPont-t? Miért nem tiltotta meg a gróf, hogy Yvette az erdőbe menjen, amikor tudott az emberölésről?

Ekkor újra felhangzott a kétségbeesett, vérfagyasztó sikoly. Atalanta rohanni kezdett a hang irányába, a szíve a fülében kalapált. Gyakran sétált a hegyekben, jó volt az állóképessége, ezért egy darabig meg sem érezte az erőfeszítést. Ökölbe szorította a kezét, és még nagyobb iramra kapcsolt.

Az első fák alatt megpillantott egy alakot, aki felé közeledett. De nem a karcsú Yvette volt az, a veszély elől menekülve, és nem is egy zsákmányra leső férfi. Ennek ellenére valóban úgy festett, mint egy csavargó, mivel tetőtől talpig csúf, barnás mocsok fedte, mintha sár hullott volna az égből, beterítve szerencsétlen teremtést. Az alak folyamatosan jajveszékelt, miközben Atalanta felé szaladt. Atalanta csak akkor ismerte fel, amikor már egészen közel járt. Eugénie volt az, sárral borítva. Leginkább úgy nézett ki, mint a lusta lány a Grimm testvérek *Holle anyó* című meséjéből, amelyben két lány beleesik egy kútba, és míg az egyik kötelességtudónak bizonyul, ezért aranyesővel jutalmazzák, a másik lusta és tiszteletlen, ezért kátrányfürdővel lakol. Eugénie megtorpant előtte.

– Valaki megpróbált megölni – panaszolta.

– Azt hittem, a házban van, és leveleket ír – jegyezte meg Atalanta. Mit kereshetett itt az ügyfele?

– Szükségem volt egy kis friss levegőre. Csak meg akartam nézni a grottót. – Eugénie nyelt egy nagyot. – De rám omlott. Biztos vagyok benne, hogy valaki megpróbált az életemre törni.

A kagylós grottó? Atalantának vadul cikáztak a fejében a gondolatok. Amikor ott járt Raoullal, a hely stabilnak és biztonságosnak tűnt. Nem valami hevenyészett tákolmánynak, ami hirtelen ráomolhat valakire.

Ráadásul, bár Eugénie-ről csöpögött a büdös, mocskos folyadék, szemmel láthatóan nem sérült meg, ami kissé különösnek tűnt, ha sziklás törmelék zúdult a fejére.

– Megütötték a kövek? – kérdezte Atalanta.

– Nem. Igen. Nem tudom. – Eugénie felemelte a kezét. – Nézzen rám! Meg is halhattam volna. – Az utolsó szavakat vontatott nyivákolással közvetítette.

Atalantának sikerült magához térnie a fülsértően magas hang erejétől.

– Odamegyek. Megnézem, mi történt a grottóval.

– Valaki üldözött, és tudni akarom, ki volt az – siránkozott Eugénie. – Nem lehetett Gilbert? Azt mondta, elmegy valami üzleti ügyben, de...

– Mademoiselle Frontenac! Azt mondta, attól fél, hogy a gróf a hozományára pályázik. De hogyan jutna hozzá, ha megölné önt, mielőtt összeházasodnak?

Ám úgy tűnt, az adott lelkiállapotban Eugénie-t nem győzi meg a logikus érv.

– El akarok menni innen – zokogta. – Ez a hely kész rémálom!

Atalantának talán át kellett volna karolnia, és visszavezetni a házba, de hajtotta a kíváncsiság, hogy megnézze, mi történt a grottóban, mielőtt bármiféle esetleges nyomot eltüntetnek. Mindenképpen ez tűnt a legjobb döntésnek, ha bizonyítékokat akart gyűjteni az ügyhöz.

– Később találkozunk – mondta, majd megfordult, és a barlang felé vette az irányt. Eugénie méltatlankodva felkiáltott, de aztán elindult a ház felé.

Atalanta könnyen megtalálta a grottót, és egy pillanatra megállt, hogy szemügyre vegye. Látszólag semmi nem változott. A tető nem omlott be, és semmiféle kárt nem szenvedett.

Odasétált a bejárathoz, és belesett. Ügyelt rá, hogy a hátát védje a fal, megállt középen, és felnézett a nyílásra, amelyen beáradt a napfény. Barnás folyadék csöpögött róla.

A barlang nem omlott be. Valaki sarat öntött be a lyukon, egyenesen Eugénie fejére.

De egyáltalán mit keresett itt Eugénie?

Atalanta tanácstalanul ráncolta a homlokát, aztán újra kiment, és felnézett a barlang sziklás felszínére. Akár ember alkotta építmény is lehetett, amit kifejezetten arra terveztek, hogy megtartsa a kagylókból készült mozaikot, és lenyűgözze a birtok látogatóit. Vajon felmászhat rá, hogy megnézze, nem hagyott-e valami nyomot a tettes?

Ha a szerkezet nem elég stabil, nem tűnik tanácsosnak felmászni rá. Eltörheti a lábát, vagy akár valami rosszabb is történhet.

És mi van, ha Eugénie támadója még mindig a közelben ólálkodik?

Akkor légy óvatos! Hiszen sokszor csináltál már ilyet az iskola melletti várromnál.

Felmászott a sziklára. Miután biztosan megvetette a lábát a tetején, odaaraszolt a nyíláshoz. Valaki járt ott előtte. A sziklát borító moha itt-ott hiányzott. És úgy tűnt, valami áll a nyílás szélén. *Egy sárral teli vödör?*

– Hahó! Maga megőrült? – A hang félig csodálkozónak, félig vádlónak tűnt.

Atalanta felegyenesedett, és megállapította, hogy Raoul ott áll a barlang előtt, és felnéz rá. Hunyorgott a szikrázó napsütésben.

Persze hogy éppen ő kap rajta ebben a kompromittáló helyzetben. Most mit mondjak?

– Már megyek is le.

Amikor sikerült annyira leereszkednie, hogy kényelmesen leugorhatott, Raoul megjelent, és mielőtt Atalanta felfoghatta volna, erős kezek kulcsolódtak a derekára, és a férfi lesegítette. Leemelte a szikla tetejéről, majd letette a földre. Egy másodpercig még nem engedte el, érdeklődéssel fürkészte a lány arcát.

– Ön ügyesebb, mint egy hegyi kecske.

– A családom Svájcban él. – Atalanta követte a történetet, amit Eugénie-vel kitaláltak. *De jobb, ha nem bocsátkozom részletekbe, mert még elkövetek valami baklövést.* – Próbálom kinyomozni, mi történhetett Eugénie-vel.

– Kinyomozni? – kérdezett vissza Raoul, és a barna szeme csillogott a kíváncsiságtól.

Rossz szóválasztás.

– Úgy értem – magyarázkodott sietve a lány –, hogy Eugénie rémült sikoltozásba kezdett, amikor ráomlott a grottó teteje, és ez olyan furcsán hangzott a számomra, hogy a saját szememmel akartam látni, mi történt. De a szerkezetnek semmi baja; valaki leborította sárral a nyíláson keresztül.

Raoul felvonta a szemöldökét.

– Azt el tudom képzelni, hogy valamennyi beszivárog, de... valaki szándékosan tette volna? Kicsoda? És miért?

– Ezt én sem tudom. – *Sajnos.* – Viszont úgy látom, hogy valaki járt a barlang tetején, és egy eszközt is használt, hogy beöntsön valamit a nyíláson. Kellett hozzá erő, hogy valaki felcipeljen egy sárral teli vödröt egy ilyen magas pontra. Közelről láttam Eugénie-t, és nem csak egy kis por koszolta be, amit befújt az erdei szellő.

– A madarak most készítik a fészkeiket, amik néha leesnek.

– Túlságosan folyékony volt ahhoz, hogy fészek legyen. Nem látta, hogy nézett ki Eugénie?

– Annyit láttam, hogy egy zilált alak siet a ház felé, és motyog valamit a barlangról. Idejöttem, hogy megnézzem, mi történt.

Lehetséges, hogy Raoul tette? Hogy megalázza vagy megrémissze Eugénie-t?

– Nem látott valakit idefelé? – kérdezte Atalanta, és kíváncsian fürkészte a férfi arcát.

– Nem. És ön? – Raoul ugyanolyan gyanakodva méregette őt. – Talán arra számított, hogy lát valakit? A tettest? Bizonyára elsietett, amikor Eugénie sikoltozni kezdett.

– Honnan tudja, hogy sikoltozott? Talán a szabadban volt, amikor történt?

– Nem tudom elképzelni, hogy ne sikoltozott volna. Akkor is sikít, ha egy pillangó hozzáér a karjához. – Raoul megvonta a vállát. – De ön hol volt, kedves Mademoiselle Frontenac? Nem az a feladata, hogy kötelességtudóan kövesse a kisasszonyt?

– Nem vagyok a cselédje. – Atalanta érezte, hogy ez kissé nyersen hangzott, ezért jóval lágyabban hozzátette: – Azt állította, hogy leveleket fog írni, és nincs szüksége a társaságomra.

– Azt állította? Talán nem hitt neki?

– Azt mondta, egy kis friss levegőt akart szívni, és később sétált ki ide. De talán mindvégig ez volt a terve.

– Miért?

– Nem tudom. – Atalanta lesütötte a szemét. Azt gyanította, hogy Eugénie találkozni akart Victorral, távol a háztól, de mivel nyomát sem látta a szőke férfinak, ez puszta feltevés maradt, amit nem óhajtott megosztani senkivel.

Raoul közelebb lépett hozzá.

– Valóban azért van itt, hogy zongorázzon az estélyen?

– Igen, hiszen ön is tudja. – Atalanta érezte, hogy árulkodó pír jelenik meg az arcán. A férfi egyre közelebb került hozzá és az igazsághoz, márpedig ezt nem hagyhatta. Elfordult tőle. – Jobb lesz, ha most visszamegyek, és megkeresem Eugénie-t.

– És mit fog mondani neki? Hogy valaki ott ólálkodott a grottó tetején, és egy vödör sarat zúdított a nyakába? Ezzel csak tovább feszíti az idegeit.

– *Tovább?* – kérdezett vissza Atalanta. Szeretett volna megszabadulni a férfi fürkésző tekintetétől, de a megfogalmazása túl érdekes volt ahhoz, hogy annyiban hagyja. – Talán már korábban is idegesnek látta?

– Nem ismerem túl jól a Frontenac nővéreket, de nekem a tegnap esti fejfájás alapján úgy tűnt, hogy Eugénie szörnyen feszült, nem is beszélve a levenduláról, amit a párnája alá tett, hogy nyugodtan tudjon aludni. Ebben az állapotban a lányok a legapróbb eseménytől is képzelődni kezdenek.

– De azt nem tagadhatja, hogy tiszta sár volt. Aligha önthette le saját magát.

– Ebben van valami. – Raoul mellette sétált. – Akkor mi az ön elmélete?

Atalanta egy pillanatig habozott. Túl nagy volt a kísértés, hogy megtárgyalja a kérdést Raoullal, csak azért, hogy lássa, hogyan reagál a férfi. De nem volt szabad túl sok mindent megosztania vele. Csak a hipotézist.

– Valaki játszadozik Eugénie-vel. Akár Yvette is lehetett az. Tegnap este megesküdött, hogy bosszút áll rajta. – Atalanta röviden felvázolta a zongoránál történt incidenst.

Raoul felnevetett.

– Egy ilyen jelentéktelen nézeteltérés? Aligha kíván bosszút, különösen nem ilyen színpadiasat.

Atalanta oldalra billentette a fejét. A vidám válasz hallatán kissé megkönnyebbült, de Raoul talán alábecsülte a lányt.

– Yvette igen lobbanékony. És többnyire egyedül van itt, nem tud vele egykorú lányokkal beszélgetni, ezért lehetséges, hogy túlzásokba bocsátkozik.

Raoul megfogta Atalanta karját.

– Ugye nem arra utal, hogy mentális problémái vannak?

– Talán mondtam ilyesmit? – Atalanta diákjai néha kiszámíthatatlanul reagáltak, amikor megbántva érezték magukat, de mielőtt megmagyarázhatta volna, hogy értette, a férfi megszorította a karját, és közölte:

– Ezt nem tűröm el. Hagyja abba a zaklatását!

Zaklatását? Atalanta döbbenten pislogott. Hogy lehet, hogy a férfi az egyik pillanatban rálegyint Yvette viselkedésére, mert teljesen ártalmatlannak tartja, míg a következőben azt hiszi, valaki komolyan azt állítja, hogy mentálisan labilis?

– Nem egészen értem, mire akar figyelmeztetni. Mindössze megjegyeztem, hogy lobbanékony természet, és ha magára marad, könynyedén kieszelhet valami ostoba bosszút, mint például leönteni sárral Eugénie-t.

Raoul elengedte a karját.

– Igen – szólt, hirtelen megnyugodott. – Értem, mire gondol. Csak egy csíny, amilyet az iskolás lányok szoktak kitalálni. Valami ártatlan dolog. – Úgy hangzott, mintha magát próbálná meggyőzni.

Valószínűleg nem sok sikerrel.

Atalanta elhatározta, hogy ezt a témát máskor még előhozza, hogy kitapogassa, mit gondol Raoul Yvette-ről, és miért ennyire fontos neki a lány, de most nem lett volna bölcs húzás tovább erőltetni a dolgot. Raoul megint a legrosszabbat feltételezte volna róla. Először zsarolással vádolta Atalantát, most meg azzal, hogy zaklatja Yvette-et.

De miért rám összpontosít? Hiszen én teljesen idegen vagyok.

Megpillantották a házat. Louise és Victor a teraszon ücsörögtek, és kávéztak. Egy görög isten szobra magasodott föléjük. A kezében tartott tárgyakból – íj, nyíl, kard és pajzs – Atalanta arra a következtetésre jutott, hogy talán Arész lehet az, a háború istene. Milyen találó! Ebben a házban nem volt más, csak feszültség, háború az emberek között, mintha volna valami a levegőben, amitől egymás torkának esnek.

Rápillantott a mellette sétáló férfira, és kissé csalódottnak érezte magát. Egyáltalán nem erre az ellenségességre számított, amikor megpillantotta az erkélyéről.

Louise már messziről integetett nekik.

– Gyertek, csatlakozzatok hozzánk! Tökéletes itt, az árnyékban. És a szakácsnő készített friss *macaron*t. – Egy porcelántányérra mutatott, amelyen rózsaszín, sárga és zöld finomságok sorakoztak.

– A pisztáciás nem túl édes – jegyezte meg Victor.

– Meg akarom nézni, hogy van Eugénie – jelentette ki Atalanta. Aztán rájuk szegezte a tekintetét, hogy lássa a reakciójukat, és hozzátette: – Nem voltak itt, amikor halálra rémülve visszajött ide?

– Halálra rémülve? – visszhangozta Victor. Elejtette a *macaron*t, amit az imént választott ki a tányérról. – Miért? Mi történt?

Louise a csészéjébe meredt, és nem szólt semmit.

– Egy kis baleset érte az erdőben – mondta Atalanta.

– Baleset? – Victor izgatottan kihúzta magát a székén. – Úgy érti, megsérült? – Úgy tűnt, őszintén megrázza a hír.

– Biztos vagyok benne, hogy ez csak valami túlzás – vetette közbe Louise éles hangon. – Eugénie szereti, ha rá figyelnek.

– Megyek, megnézem, hogy érzi magát – ismételte meg Atalanta, míg Raoul csatlakozott a társasághoz, és megkérte Victort, hogy csengessen, és kérjen egy kávét neki is.

A házban békés csend uralkodott. Egy cselédlány halkan porolta a lépcsőket, tovább fényesítette az egyébként is ragyogó tölgyfát, és Atalanta rámosolygott, amikor elhaladt mellette.

– Melyik szobában szállásolták el Mademoiselle Eugénie-t?

– Megmutatom. – A szobalány a kötényе zsebébe dugta a porrongyot, és mutatta az utat. Kopogtatott az ajtón, és a válaszra bejelentette a látogatót. – Mademoiselle Frontenac kívánja látni önt. – Majd félrelépett, hogy elengedje Atalantát.

A szoba nagyobb volt, mint Atalantáé, a hatalmas, oszlopokkal övezett ágyat súlyos bársonyfüggönyök takarták, amelyeket finoman kidolgozott, hímzett aranyszalagok kötöttek össze. Az ágy tetejére egy faszerkezetet szereltek, amit egy díszes kötéllel lehetett mozgásba hozni. Atalanta eddig még csak olvasott róla; arra szolgált, hogy egyfajta legyezőként hűvös levegőt adjon a meleg nyári éjszakákon.

Eugénie átvette a hálóingét, az ablakfülkében ült, a tenyerébe temette az arcát, és zokogott. Kellemes illat töltötte be a szobát, egyáltalán nem hasonlított a grottó nyirkos szagára. Eugénie bizonyára megmosakodhatott.

Atalanta odasétált mellé.

– Jobban van?

– Hogy lehetnék jól, amikor valaki ártani akar nekem? Az egész grottó ráomlott a fejemre. Valamiféle árnyék vetült rám, aztán ömleni kezdett a mocsok, én meg elszaladtam. – Eugénie megborzongott. – Nem kellett volna idejönnöm. És ma el is megyek. Megmondom papának, hogy képtelen vagyok hozzámenni ehhez a borzalmas emberhez. Ehhez a… gyilkoshoz!

– Úgy véli, hogy a jövendőbeli férje áll a grottónál történtek hátterében? – kérdezte Atalanta.

– Csak ő lehet. Ki más tenne ilyet? Gilbert bizonyára gyűlöl valamiért. Ön mondta, hogy a hozományom nem lehet az oka. De nem tudja, milyen ember. Tegnap este, amikor Yvette rám támadott, még a védelmemre sem kelt.

Atalanta kinyitotta a száját, hogy rámutasson, tulajdonképpen Eugénie támadt rá Yvette-re azzal, hogy lerángatta a zongoraszékről, de a jelenlegi lelkiállapotában nem lett volna nyitott az érvelésére. Ezért inkább lágyan annyit mondott:

– A vőlegénye törődik Yvette-tel. És a kisasszony még fiatal és befolyásolható. Hozzá kell szoknia a változásokhoz... ahhoz, hogy ideköltözik hozzájuk.

– De én nem akarok itt lakni, és el is megyek. Csomagolja össze a holmimat! – Eugénie hevesen a szekrényre és az ágyra mutatott.

– Nem vagyok szobalány. És nem hinném, hogy bölcs dolog lenne elmenni. A grottó nem omlott be. Nem volt valódi veszélyben.

– Nem voltam valódi veszélyben? Hogy merészel ilyet mondani?! Úgy megrémültem, hogy majdnem belehaltam! De persze ez önt nem érdekli. Miért is érdekelné? Hiszen ön csak egy idegen.

– Ne olyan hangosan! – intett Atalanta. – A végén még lebuktat bennünket. – Az ajtó felé pillantott. Rendesen be volt csukva.

– Gondolja, hogy valaki hallgatózik az ajtónál? – kérdezte Eugénie rémülten.

– Nem tudom, de nem lehetünk elég óvatosak. – Eugénie méltatlankodva szipogott egyet, de halkabban folytatta: – Önt nem érdekli, mit érzek. Senkit sem érdekel.

Talán, ha azt akarod, hogy komolyan vegyenek, nem kellene folyton úgy viselkedned, mint egy tragikus hősnő. Ám Atalanta visszanyelte a megjegyzését, ami csak további hisztériába lovalta volna az ügyfelét. Meg kellett nyugtatnia, és meggyőznie, hogy nem ez a megfelelő pillanat egy drasztikus lépésre. Legalábbis azelőtt, hogy megbeszélte volna a kérdést a gróffal.

– Biztos vagyok benne, hogy a vőlegényét nagyon felzaklatja majd, ha meghallja, mi történt – magyarázta bátorító hangon. – Én pedig elmentem a grottóhoz, hogy nyomozzak egy kicsit, és közelről megvizsgáltam, hogy pontosan mekkora veszélyben volt. A grottó nem omlott be. – Úgy tűnt, Eugénie végre figyel rá, ezért Atalanta hangsúlyozta: – Minden szögből ellenőriztem. Voltam benne és a tetején is.

– A tetején? – Eugénie kíváncsian ránézett. – Felmászott rá?

– Igen. Nagyon komolyan veszem a megbízásomat. Láttam a nyomokat, amelyek arra utalnak, hogy valaki ott járt, és sarat öntött a grottóba, hogy megrémissze magát. De nem állt szándékában végezni önnel. Az lehetetlen lett volna.

– Akkor is kaphattam volna szívinfarktust... – fröcsögte Eugénie. De úgy tűnt, ezúttal sikerült jóval higgadtabban végiggondolnia a történteket. Egy gyűrött zsebkendőt szorongatott a kezében. – Szóval úgy gondolja, hogy nem akartak megölni? Csak megijeszteni?

– Inkább egyfajta csínynek tűnik – mondta Atalanta.

Úgy festett, hogy a „csíny" szó hallatán Eugénie újra méltatlankodni kezd, de Atalanta felemelte a kezét, hogy elhallgattassa.

– El kell ismernem, hogy gonosz csíny. Nem akarom mentegetni, sem elvitatni öntől a jogot, hogy mérges legyen miatta, és bárki tette is, szégyellnie kellene magát, de az illető nem akart az életére törni. Csak azért hitte azt, mert felzaklatta az a figyelmeztető levél. Bizonyára most már olyan dolgok között is kapcsolatot lát, amelyeknek semmi közük egymáshoz.

– Akkor is... – Eugénie lassan vett egy mély lélegzetet. – Egyáltalán nem vagyok itt nyugodt. Különösen most, hogy Louise és Victor is idejött.

– De ön eljegyzett menyasszony, aki hamarosan férjhez fog menni. Ez a hely lesz az otthona. Ön pedig a háziasszony. – Atalanta közelebb hajolt a lányhoz, és eltökélten folytatta: – Foglalja el az önt megillető helyet! Szórakoztassa a vőlegényét, legyen mellette! Látszódjék, hogy fontosnak tartja, mit gondol önről. – Eugénie tiltakozni akart, de Atalanta nem hallgatott el. – Annyira belefeledkezett a küzdelembe Yvette-tel és a nővérével, hogy megfeledkezett arról, ami valóban számít: a házasságáról, amelyet egy olyan emberrel köt, akit remélhetően tisztel és szeret.

Eugénie végül egy szót sem szólt, úgy festett, mint egy kislány, ahogy mezítláb ücsörgött az ágyon.

– Természetesen elmehet, ha úgy kívánja – magyarázta Atalanta. – Nem állíthatom meg. De úgy érzem, a vőlegénye megérdemel egy tisztességes esélyt. – A gróf őszintén elkeseredettnek tűnt, amikor a minap megosztotta vele az Yvette-tel kapcsolatos aggodalmait. – Nem tudhatja biztosan, hogy valóban volt-e valami köze az első felesége halálához. Ha az a levél egy hazugság, amely azt a célt szolgálja, hogy ártson önnek, most pontosan az írója kezére játszik azzal, hogy így viselkedik.

Eugénie kihúzta magát.

– Igaza van. Nem adom meg nekik ezt az elégtételt.

– Ez már jobban hangzik. És most áruljon el valamit! Valóban azért hagyta el a házat, hogy friss levegőt szívjon?

A hirtelen kérdésnek az volt a célja, hogy kizökkentse az ügyfelét, és ez működött is. Eugénie elpirult.

– Nem. Kaptam egy üzenetet. Bedugták az ajtóm alatt. Az állt benne, hogy menjek a grottóhoz tizenegyre. – A nő lesütötte a szemét. – Azt hittem, Victortól jött... mert látni szeretett volna.

– És így akart vele találkozni, távol a háztól? – Atalanta oldalra billentette a fejét. Tessék, itt győzködi Eugénie-t, hogy hozza helyre a dolgokat Gilbert-rel, miközben ő kisurran a házból, hogy találkozzon a korábbi szerelmével.

Renard-nak tökéletesen igaza volt. Nem bízhatott meg az ügyfelében.

– Ha a vőlegénye megtudná...

– De ő elment valami üzleti ügyben. És soha nem volt esélyem megmagyarázni Victornak, hogy... Csak el akartam varrni a szálakat. Tisztességesen lezárni a kapcsolatunkat.

Eugénie mondandóját erősen aláásta, ahogy gyűrögette a zsebkendőjét, és nem volt hajlandó belenézni Atalanta szemébe, miközben beszélt. Vajon még mindig volt valami kettejük között? Vagy pusztán csak arról volt szó, hogy ez a fiatal nő szomjazta a figyelmet, és érezni akarta, hogy körülrajongják, még akkor is, amikor jegyben jár valaki mással?

Vajon az az elképzelés hajtotta, hogy megbánthatja a nővére érzéseit, ha képes bebizonyítani, hogy Victor még mindig a befolyása alatt áll, és nem adta meg magát Louise vonzerejének?

Hogy lehetne logikát találni ebben az érzelmi kavalkádban?

– Felöltözöm a piknikhez – közölte Eugénie, a hangja erőteljes és elszánt volt. – Megmutatom mindenkinek, hogy nem hagyom magam elüldözni innen. Bellevue az új otthonom, a hely, ahová tartozom.

Atalanta bólintott.

– Ez a beszéd! Azt hiszem, egy autót hallok. Bizonyára a vőlegénye érkezett vissza.

Atalanta elhagyta a szobát. Örült, hogy Eugénie lecsillapodott, de furcsának tartotta az ügyfele reakcióit. Az egyik pillanatban elkeseredetten el akart menekülni, aztán a másikban megint maradt volna. Vajon ez az egész csak színjáték volt? *Hogy becsapjon?*

De először ellenőriznie kellett a gróf alibijét.

Gilbert abban a pillanatban lépett be az ajtón, amikor Atalanta leért, és csendesen dúdolgatott magában. A nő köszönt, és elsietett mellette a kocsihoz, amivel a sofőr éppen el akart indulni.

– Hová vitte a *monsieur*-t? Úgy értem, tudnom kell, pontosan hová, de… a gazdája azóta nem tartózkodott a birtokon, amióta elmentek innen?

A sofőr zavartnak látszott.

– Természetesen. Saint Michelbe vittem, ahol egy ismerősével találkozott.

Gyanakodva méregette Atalantát, aki sietve magyarázkodni kezdett:

– Mademoiselle Frontenac, a menyasszony egy kis meglepetéssel készül, és aggódott, hogy a gróf talán korábban hazaér, mint ahogy ígérte, és meglát valamit, ami elrontja az egészet. Kérem, nyugtassa meg!

– Minden további nélkül – intett a sofőr. – Miközben ők üzleti tárgyalást folytattak a Café Sur Merben, én a főtéren vártam, és újságot olvastam. Miután a gróf kijött, visszahoztam ide. Mindvégig ott volt.

Gilbert-nek tehát nem volt lehetősége sarat zúdítani a menyasszonya nyakába, gondolta megkönnyebbülten Atalanta. Úgy tűnt, mégsem adott rossz tanácsot Eugénie-nek, amikor azt mondta, ne menjen el.

– Igazán sokat segített, köszönöm.

A férfi értetlenül bámult utána, mintha nem lenne teljesen biztos benne, mit kezdjen a női szeszéllyel. Atalanta megtudta, amit akart. Nem ártott az ügyfelének azzal, hogy azt tanácsolta, meg kellene próbálnia itt maradni. Hiszen a grottónál történt incidens nem egy gyilkos vőlegény műve volt.

Ám azt, hogy ki lehetett a tettes, még ki kellett derítenie. Eszébe jutott Yvette.

És éppen ezért tűnt olyan különösnek Eugénie válasza. Atalanta dermedten megtorpant, amikor belé hasított a felismerés. Miért nem kapott Eugénie a lehetőségen, hogy megvádolja a lányt, akit ki nem állhatott? Hiszen Yvette csúnyán megsértette őt előző este, még azt is a fejéhez vágta, hogy jobb lenne, ha meghalna. Nem lett volna észszerű azt feltételezni, hogy ő bújt el a grottónál?

Ám Eugénie meg sem említette. Azonnal arra a következtetésre jutott, hogy Gilbert a tettes. Még akkor sem jutott eszébe Yvette, amikor Atalanta csínytevést említett.

És ez csaknem lehetetlennek tűnt. Vajon miért nem próbálta meg befeketíteni a lányt, akit annyira utált?

Pusztán a levél miatt? Készpénznek vette a benne rejlő vádaskodást?

És ha valamiképpen még mindig kötődött Victorhoz, akkor ő maga sem lehetett teljesen ártatlan. Talán emiatt próbálta rossz fényben feltüntetni a vőlegényét?

Atalantának azt tanácsolta a nagyapja, hogy semmit ne higgyen el, amit hall, de vizsgálja meg a mögötte rejlő igazságot.

Ezt észben kellett tartania. Ahogyan a következő szavait is: „Keress valamit, ami alátámasztja az információt, amit kaptál, minél tényszerűbb, annál jobb."

Talán a pikniken lezajló események majd a segítségére lesznek?

TIZEDIK FEJEZET

A kis tó kristálytisztán kéklett a nyári égbolt alatt, és a gróf takarókat terített le a füves parton. Eugénie kiosztotta az ételeket meg az italokat a kosarakból, ahogy egy tökéletes háziasszonyhoz illik, miközben Pompom felfedezte a közeli bozótost, majd csaholva visszarohant, amikor egy madár hirtelen felröppent.

– Ez az állat a saját árnyékától is megijed – jegyezte meg élcelődve Raoul.

– Ez nem igaz. Nagyon bátor ahhoz képest, hogy mekkora. Képzeld csak el, ha ilyen apró lennél! – közölte Yvette, majd elterült a pokrócon. A szoknyája felcsúszott, felfedve a térdét a harisnya fölött, mire Louise figyelmeztetőn pillantott rá, de Yvette-et ez a legkevésbé sem hatotta meg.

Atalanta méregetni kezdte az ifjú hölgy térdét, hátha észreveszi, hogy lehorzsolódott vagy sebes, ami arról árulkodott volna, hogy reggel felkapaszkodott egy sziklára. El kellett ismernie, hogy a térd korántsem sértetlen, de azok a sebek nem voltak frissek.

Raoul elővett egy csomag kártyát, és belekezdett Yvette-tel egy *chemin de fer* nevű játékba. Atalanta nem tudta megítélni, hogy a férfi hagyja nyerni, vagy Yvette ilyen ügyes, de a lány mosolya minden egyes diadalittas kiáltással szélesebb lett, és a társaság általános hangulata egyre emelkedettebbé vált.

Louise élvezetes élménybeszámolót tartott egy tavalyi, római látogatásról, mialatt Victor egy vázlatfüzetet támasztott a térdére, és belefeledkezett a rajzolásba, amihez egy széndarabot használt.

Miközben újabb frissítők jártak körbe a társaságban, Atalanta felállt, hogy szemügyre vegye a művét, és elakadt a lélegzete, amikor megpillantotta a kimondottan jónak tűnő képet, ami a vendégeket ábrázolta. Victor egy leheletnyit mindannyiuk vonásait eltúlozta: Yvette mohó arcának éles vidámságát, Louise elegáns fejtartását, Eugénie révedező pillantását.

A vőlegény úgy lett megörökítve, hogy elfordul a társaságtól, mintha olyasvalamit vagy olyasvalakit várna, aki kívül van a körön, amit a rajz megragadott. Abban az irányban volt egy árnyék. Valaki állt ott, láthatatlanul, a jelenlétének árnya mégis rávetült az életvidám jelenetre.

Victor felnézett Atalantára.

– Hogy tetszik? – kérdezte.

– Ön nagyon tehetséges. Valamennyire én is tudok rajzolni, de soha nem lennék képes felvázolni egy ilyen lélegzetelállító képet ennyi idő alatt.

Victor csak legyintett a bókra.

– Amikor Párizsban tanultam, kerestem egy kis pénzt abból, hogy rajzoltam a turistáknak.

– Úgy érti, úgy élt, mint azok a nincstelen művészek a Montmartre-on – vetette közbe Gilbert élesen. – Apád nem helyeselte volna.

– Apámat soha nem érdekelte, mit gondolok róla, ezért úgy döntöttem, engem sem túlságosan érdekel majd, hogy ő mit gondol rólam. Igazságos megállapodás volt, amíg tartott.

– Nekem úgy tűnik, nagyon is érdekelte, hogy mit teszel, különben nem tagadott volna ki.

– Gilbert! – Eugénie úgy festett, mint aki megdöbbent, ám egyszersmind élvezi is a helyzetet. – Victor mindig is nagyra értékelte az őszinte beszédet, de nem szükséges megvitatnunk személyes jellegű családi ügyeket, különösen nem egy ilyen élvezetes alkalmon.

Yvette felült, és ledobta a kártyáit.

– Olyan meleg van! Szívesen úsznék egyet – jelentette be, és közben le sem vette a szemét Eugénie-ről, hogy lássa, mit reagál a javaslatra.

– Egyikünk sem hozott fürdőruhát – mutatott rá Louise, de Yvette félbeszakította:

– Az nem is kell. – Azzal felállt, odasétált a tó széléhez, lerúgta a cipőjét, majd lehajolt, hogy lehúzza a harisnyáját.

– Ne csinálj bolondot magadból! – figyelmeztette Eugénie, és lángolni kezdett az arca. Rápillantott a vőlegényére, mintha azt követelné, hogy csináljon valamit.

De a gróf csak ült, és a távolba révedt, semmit sem reagált a védence bohóckodására.

Yvette levetette a harisnyáját, és belelépett a tóba. A víz sekély volt, körbenyaldosta a bokáját.

– Kellemesen hűvös – kiáltotta a lány. – Senki nem tart velem?

– Jobb lesz, ha ügyet sem vetnek rá – jegyezte meg Louise; a vöröslő arca arról árulkodott, hogy teljesen felháborodott.

– Mutasd meg nekünk a vázlatfüzetedet, Victor! – javasolta Eugénie, és ők hárman hamarosan közel húzódtak egymáshoz: a nők lenyűgözve sóhajtoztak, miközben Victor megmutatta a rajzait.

Raoul hátradőlt a pokrócon, összekulcsolta a kezét a tarkója mögött, és becsukta a szemét.

Yvette egyre beljebb merészkedett a tóba, széttárta a karját, mintha egyensúlyozna. Aztán hirtelen felsikoltott, előrezuhant, és beleesett a vízbe. Az egész teste eltűnt. A vízfelszín fodrozódott egy keveset, majd kisimult.

Ez nem jó jel. Miért nem kapálózik?

Raoul egy szempillantás alatt felpattant, és ruhástul belegázolt a tóba. A karját használta, hogy átfésülje a vizet az eltűnt lány után. *Hol lehet?* Atalantának fájdalmasan zakatolt a szíve, és ökölbe szorult a keze a törzse mellett.

A gróf egyenesen állt, és az arcára szorította a tenyerét, miközben Louise és Eugénie rosszallóan nézett, mintha a mentőakció éppen olyan illetlenség lett volna, mint a fürdőzés, amely megelőzte.

Atalanta előrelépett, aztán megfékezte magát. Vajon segítenie kellene, vagy Raoul képes úrrá lenni a helyzeten? Elvégre erős és sportos férfi volt, aki nyilvánvalóan tudta, mit csinál.

Fürge karjai kiemeltek valamit a víz alól, majd átvetette a vállán a csöpögő lányt, és visszahozta hozzájuk.

– Ön egy igazi hős! – rebegtette a szempilláit Louise, miközben Victor a szemét forgatta, és Eugénie igyekezett elfojtani a nevetést.

Senki sem sietett, hogy megnézze, jól van-e Yvette. A lába ernyedten lógott, mintha…

Atalanta lelki szemei előtt felvillant Marcel DuPont kezének a képe, és összeszorult a gyomra. Igyekezett azt mondogatni magának, hogy egy fiatal, egészséges lány nem halhat meg ennyitől, de összeszorult a torka a hűvös haragtól, amiért senki sem fáradt azzal, hogy valódi figyelmet áldozzon a boldogtalan lányra, és hagyták, hogy ilyen ostoba baleset történjen.

Baleset?

A gróf mozdulatlanul várt, amíg Raoul zihálva megállt, és óvatosan leeresztette a földre a vizes terhét. Nagyon sápadt volt, és remegett a hangja, ahogy kimondta Yvette nevét, miközben a lány fölé hajolt.

Ekkor a lányból kirobbant a nevetés, majd felült, és megrázta magát.

– Mindannyian bevettétek, mi?

A gróf hátrahőkölt, és elkerekedett a szeme. A szája vékony vonallá szűkült.

– Hogy lehettél ilyen ostoba? – tört ki belőle. – Meg is sérülhettél volna. – Úgy tűnt, mintha folytatni akarná, de hirtelen megfordult, és elsietett.

– Gilbert! – Eugénie felpattant, a vőlegénye után futott, és megragadta a karját, de a gróf lerázta magáról, és faképnél hagyta.

A szemmel láthatóan megalázott nő visszatért a társasághoz. Olyan dühödt pillantást vetett Yvette-re, amely megdöbbentette Atalantát. Csak regényekben olvasott olyan pillantásokról, amikkel ölni tudtak volna, de most a saját szemével láthatta, milyen, mert Eugénie tekintete képes lett volna lángra lobbantani a szerencsétlen lányt.

Yvette a fűben ücsörgött, hátrasimította a vizes haját, és nevetett.

– Nem fuldokoltam. Még csak rosszul sem léptem. Csak olyan unalmas volt ez az egész. Fel akartam egy kicsit rázni a dolgokat. Szórakozni.

– Te szórakozásnak nevezed azt, hogy szívrohamba kergetsz másokat? – kérdezte Louise, majd ránézett Victorra. – Azt hiszem, jobb lenne, ha Gilbert keresne neki egy bentlakásos iskolát olyan szigorú szabályokkal, hogy megtanulja a leckét.

Yvette azonnal felkapta a fejét. Egy pillanatra kiüresedett a tekintete a sápadt arcán.

– Soha nem küldene el engem.

– És mégis miért nem? – kérdezte Louise kihívóan. – Biztosan nem tart itt örökké. Hiszen hamarosan megnősül.

– Ha lesz egyáltalán esküvő... – Yvette felpattant, és megrázta magát, mint egy ázott pudli. Aztán elszaladt.

Raoul utánakiáltott:

– Ne ronts tovább a helyzeten, te lány! Gyere vissza! – Aztán ingerülten felsóhajtott. Csöpögött a víz a hajából és a drága öltönyéből.

Atalantának még mindig remegett a térde a rémülettől, hogy ez a lány a szemük láttára hal meg. És az egész csak egy ostoba tréfa volt? Provokálni akarta a nőket, akiket nem kedvelt?

Erre az ifjú hölgyre valóban ráférne egy kis nevelés.

– Majd én megpróbálok beszélni vele – vetette fel.

Összeszedte minden erejét, és a lány után eredt, aki egy magas napraforgók mellett kanyargó földúton rohant.

– Yvette! Nincs értelme elmenekülni. Vissza kell jönnöd velünk Bellevue-be.

– Miért, ha egyszer senki nem akar ott látni? – Dühösnek hangzott, de mindenekelőtt kétségbeesettnek.

Atalanta az ajkába harapott. A haragját egy csapásra elmosta a sajnálat hulláma, amit ez iránt a magányos lány iránt érzett, aki nem tudta, hogyan kommunikáljon anélkül, hogy mindenkit maga ellen fordítana.

Mindössze néhány perccel azelőtt legszívesebben még ő maga is alaposan megrázta volna, amiért olyan ostoba volt; ám most szinte alig tudott ellenállni a késztetésnek, hogy átkarolja a lány keskeny vállát. Ám ez nem volt jó ötlet. A nyilvánvaló fájdalma ellenére Yvette elkeseredetten vágyott rá, hogy felnőttként kezeljék és komolyan vegyék. Ha úgy bánik vele, mint egy gyerekkel, csak még jobban elidegeníti magától. Atalantának felnőttként kellett beszélnie a lánnyal.

– A gróf biztosan szeretné, ha ott lennél. Amikor beleestél a tóba, valóban megrémült. Láttam az arcát. Féltette az életedet.

Yvette dühödt arca megenyhülni látszott, de aztán mérgesen felhorkant.

– Tudom, hogy nem arról van szó, hogy őt nem érdeklem. De ezek az ostoba nőszemélyek... Jobban törődik az ő véleményükkel, mint velem. Azt akarják, hogy vigyázzban üljek, mint valami kutya.

– Tényleg olyan szörnyű lenne? – Atalanta közelebb hajolt a lányhoz. – Megpróbálhatnál kedves lenni. Csak akkor, amikor a közelben vannak.

– Magának tényleg kedvesnek kell lennie az emberekhez, mert nincs semmije. Csak valami zongoratanár, akinek mosolyognia kell, hogy pénzt kapjon.

A szavak rosszul érintették Atalantát, még akkor is, ha tudta, hogy a lány csak dühében vagdalkozik, és lecsap az első keze ügyébe eső áldozatra. Egy pillanatra kísértésbe esett, hogy elárulja, rengeteg pénze van. Hogy bármit megvehet, amit akar, és messzebb utazhat, mint ahová Yvette valaha is eljuthat.

Ám a beismerés okozta elégedettség csak rövid ideig tartott volna, ellenben maradandó károkat okozott volna. Ezért, ahogyan oly gyakran az élete során, Atalantának józanul kellett gondolkodnia, és elengedni a sértéseket a füle mellett, úgy tenni, mintha teljesen hidegen hagynák.

Yvette folytatta:

– De nekem van pénzem. És rangomnak is kellene lennie. Én vagyok az elsőszülött. Ostoba szabály, hogy a fiúk többet érnek, még akkor is, ha később születnek.

– Ezek szerint van egy öcséd. – *Vajon eddig miért nem hallottam róla? És hol lehet?*

Yvette bólintott.

– Évek óta nem láttam. Nem mintha érdekelne.

Atalanta várt néhány percet. Óvatosnak kellett lennie.

– Megértem, hogy gondoskodnod kellett magadról. Ezzel én is így vagyok. – Talán a nyomorúságos élet, amit Yvette elképzelt róla, segíthetett közelebb kerülni a lányhoz. Előcsalogatni az együttérzést, amire Atalantának szüksége volt, hogy a lány bizalmába férkőzhessen.

De Yvette elhúzta a száját, mintha megütötték volna.

– Ne tegyen úgy, mintha megértene, mert ez nem igaz. Mind ezzel próbálkoztak. Eugénie, Louise. „Ó, áruld el a kis titkaidat, kislány, szeretnék a legjobb barátnőd lenni." De én nem hiszek nekik. A hátam mögött kinevetnek. Azt hiszik, ostoba vagyok, és nincs meg a magamhoz való eszem. De tévednek. És ezt hamarosan ők is meglátják.

Yvette megállt, és ránézett Atalantára. A makacsság kihunyt a tekintetében.

– Természetesen visszatérek magával a társasághoz – mondta. – Hiszen nincs más hely, ahová mehetnék. – Azzal sarkon fordult, és elindult visszafelé.

Atalanta csak pislogni tudott. Túl hirtelennek tűnt a változás. A tomboló dühből beletörődés lett. Mintha elfordítottak volna egy kapcsolót, mire Yvette egész lénye egy szempillantás alatt megváltozott.

Mintha egy másik ember vette volna át az irányítást.

Atalanta megborzongott, és megdörzsölgette a csupasz karját. Raoul szavai visszhangoztak a fejében. „Mentálisan labilis." A férfi amiatt aggódott, hogy Atalanta ezt gondolja a lányról. Vajon okkal tarthatna róla ilyesmit?

Vagy ez az egész csak színjáték volt? A kiáltás az együttérzésért, a hangulatváltások...

Yvette az imént vallotta be, hogy nem is fuldoklott. Nagyon ravasz lány volt, aki előszeretettel játszotta ki az embereket egymás ellen. Az egyik pillanatban a társaság elégedett volt, végre egységesülni látszott, míg a következőben darabokra hullott, az emberek egymásnak estek, és a másikat vádolták. És úgy tűnt, Yvette ezt nagyon is élvezi.

Raoul eléjük jött. Megtörölte az arcát meg a haját, ami továbbra is nedves maradt, de legalább már nem csöpögött.

– Hogy vagyunk? – kérdezte Yvette-től, sötét szeme a lányt fürkészte.

– Nem mintha szükségem lett volna rád – közölte a lány, és felszegte az állát. – Csak hőst akartál játszani Eugénie előtt. Tudom, hogy epekedsz utána, bár úgysem kaphatod meg. De ha tényleg be akarsz férkőzni a kegyeibe, hagynod kellett volna megfulladni. Hiszen ezt akarja. Halottnak látni.

Azzal megtette a néhány lépést az első piknikpokrócig, majd leroskadt rá. Pompom azonnal odarohant hozzá, és nyalogatni kezdte a szöveten heverő kezét. A kezet, amely ökölbe szorult.

– Mindig csak a dráma! – Raoul forgatta a szemét, de kerülte Atalanta tekintetét. Atalanta azon tűnődött, vajon Yvette-nek igaza van-e abban, hogy a férfi szerelmes Eugénie-be. Az ügyfele igazán elbűvölő tudott lenni, ha akart. Atalanta azt remélte, egy olyan higgadt ember, mint Raoul, könnyedén átlát a szitán, de mégis mennyire ismerte? Mit tudott az életéről, a döntéseiről, a nőkről, akiket kedvelt?

Egyáltalán nem értette a férfi viselkedését. Egész felnőtt életében nők vették körül, és a férfiak olyanok voltak, mint valami holdbéli teremtmények. Vajon mit akarnak? Mi vezérli a tetteiket? Vajon képesek lennének odáig alacsonyodni, hogy megírjanak egy olyan levelet, amilyet Eugénie kapott?

Atalanta felsóhajtott. Bellevue-ben az egyik pillanatban kellemes és békés volt a légkör, és meg volt róla győződve, hogy semmi sötét és gonosz dolog nem ólálkodhat itt, míg máskor heves veszekedések szemtanúja volt az itt lakók és a vendégek között, és a feszültség hullámai úgy csapkodtak, hogy szinte érezte, ahogy bármelyik pillanatban elsodorhatják őket.

És ő maga sem volt pártatlan. Az akart lenni, ezt várta el magától. Ám nem tehetett róla, sajnálta az anyátlan Yvette-et és a nagybátyját, Gilbert-t, aki küszködött, hogy felnevelje a lányt. És nem úgy tűnt, hogy Eugénie lenne a megfelelő személy, aki támogatja majd a törekvését. *Függetlenül attól, ami abban a levélben áll, ennek a két embernek valóban össze kell házasodnia?*

Ám Atalanta nem ezért volt ott. Tárgyilagosan kellett szemlélnie a személyes viszonyokat ahhoz, hogy felfedhesse az igazságot Mathilde és a vadorzó Marcel DuPont haláláról. Nem számított, mi a véleménye Yvette-ről, a grófról vagy az ügyfeléről.

De úgy érezte, mintha futóhomokon lépdelne, és sehová sem jutna, miközben lassan, de biztosan elnyeli a mélység. Talán a nagyapja túlságosan derűlátóan ítélte meg a női ösztönöket? Azt mondta, semmihez sem hasonlíthatók. Ám Atalanta mindig előbb hagyatkozott a józan eszére, mint valami olyan homályos dologra, akár az ösztönök. Olyan megbízhatatlan dolgokra, mint az érzelmek.

Atalanta az ajkába harapott. Megérteni mások érzéseit anélkül, hogy kötődni kezdene hozzájuk, szinte lehetetlen vállalkozásnak tűnt.

És felfedni a titkaikat könnyedén veszélyes próbálkozásnak bizonyulhatott.

TIZENEGYEDIK FEJEZET

Meglehetősen komor hangulatban érkeztek vissza a házhoz. Az épület előtt egy ismeretlen autó parkolt, és amikor felsétáltak a lépcsőn, az ajtó kinyílt, és megjelent a komornyik, aki meglehetősen zavartnak látszott.

– Itt van Madame Lanier – jelentette be. – Azt mondja, marad az esküvőre.

Gilbert elsápadt.

– Az esküvőre? – ismételte, mintha a szavak valami idegen nyelven hangzottak volna el.

– Meghívtad? – kérdezte Eugénie szinte rikoltva. – Milyen... különös.

– Nem hívtam meg. – Gilbert gyilkos pillantást vetett a menyasszonyára. – Nem mintha rád tartozna. – Aztán visszafordult a komornyikhoz. – Hol van most?

– A szalonban.

– Megyek, megnézem. Meggyőzöm, hogy... – Azzal belépett a házba.

– Hogy elmenjen? – súgta Raoul Atalantának.

A nő lágyan megkérdezte:

– Ki az a Madame Lanier?

– Mathilde anyja.

Atalantának elkerekedett a szeme.

– A lánya meghalt, és most részt akar venni a volt vője esküvőjén, amikor az elvesz egy másik nőt, aki elfoglalja majd a lánya helyét?

Raoul megvonta a vállát.

– Így megfogalmazva valóban nem hangzik túl hétköznapinak. De meg kell értenie a körülményeket. Madame Lanier mindig szerette Gilbert-t. Nagyon közel álltak egymáshoz. A baleset után hetekig itt maradt. Nem hiszem, hogy valaha is őt... – Raoul kereste a megfelelő szót.

– Hibáztatta? – javasolta Atalanta, és kíváncsian nézte, hogyan fogadja a férfi a szóválasztását.

De Raoul arca meg se rezzent. Megkönnyebbülten felsóhajtott.

– Pontosan. Pedig nem lett volna csoda, hiszen a ló Gilbert-é volt, és mindenki tudta, hogy egy vadállat. De az asszony tisztában volt vele, hogy a lánya mindig elérte, amit akart. Hogy senkitől nem fogadott el nemet.

Atalanta csak fél füllel hallgatta. Hazafelé már kezdett elcsüggedni, a kudarc érzése átvette a hatalmat az elméje fölött, egészen addig, hogy már gondolkodni sem tudott. De most fény gyúlt a sötétségben. Mathilde anyjának érkezése valódi áttörést jelenthetett az ügyben. Alig várta, hogy beszélhessen a nővel, és még többet tudhasson meg az elhunytról meg a halálának a körülményeiről.

Lehetséges lett volna, hogy Madame Lanier mélyen magába temette a gyanút, hogy Gilbert-nek valami köze lehetett a lánya halálához? Ha igen, semmi sem állhatott Gilbert és Eugénie egybekelésének az útjába. Az, hogy boldog házasság lesz-e, már más lapra tartozott, mert nagyon különböző személyiségnek tűntek, és ott volt Yvette is, aki közéjük állhatott. De ez már kívül esett a nyomozás hatóterén.

És mi a helyzet Marcel DuPont-nal, a halott orvvadásszal?, suttogta Atalanta fejében egy vékony hang. *Egy újabb haláleset Bellevue-ben, és ez biztosan nem volt véletlen.*

Csak szép sorjában!, intette magát. *Most foglalkozz Madame Lanier-vel!*

Végül mindannyian bementek a házba, és szétszéledtek. Atalanta fellépdelt az emeletre a többiekkel, úgy tett, mintha a hálószobája felé tartana, de miután mindannyian eltűntek a lakosztályukban, visszasettenkedett a földszintre, és odalopózott a szalonba nyíló ajtóhoz. A szíve hevesen kalapált, amiért olyan aljas dologra készül, mint kihallgatni mások beszélgetését, de a lehetőség túl értékes volt ahhoz, hogy elszalassza.

Ám az ajtót teljesen becsukták, így nem hallott semmit.

Atalanta egy pillanatig csak állt, félig bosszankodva, félig megkönnyebbülve, hogy nem kell ilyen mélyre süllyednie. Ám egy magánnyomozónak leleményesnek kell lennie. Talán volt más megoldás is?

Kisietett a házból, és a szalon franciaablakai felé igyekezett. Ahogyan remélte, a meleg nyári időben az ajtókat szélesre tárták, és hangok szűrődtek ki a helyiségből.

– Természetesen szívesen látunk, ha itt szeretnél maradni, és részt vennél az ünnepségen – mondta Gilbert. – Az én házam mindig a te házad is marad. Mathilde emlékére. De én… nem akarom, hogy fájdalmat okozz magadnak. Én újra megnősülhetek, de te soha nem kaphatod vissza a lányodat.

– Tudom – szólalt meg egy női hang, jól hallhatóan a könnyeivel küszködve. – Mégis meg kell mutatnom magam. Nem hagyhatom, hogy az emberek suttogni kezdjenek, hogy nem kívánom a legjobbakat neked. Hogy valamiképpen téged okollak azért, ami történt. Tisztában vagyok vele, hogy butaság, hiszen senki sem tudta volna megfékezni azt a lovat, és a lányomnak nem lett volna szabad felülnie rá, de ismered az embereket. Mindig a legrosszabbat feltételezik. Hogy legyen miről pletykálniuk.

Úgy tűnt, hogy Gilbert fel-alá járkál a szobában, mert Atalanta léptek zajára lett figyelmes.

– Te túl kedves vagy, hogy még a jó hírnevemre is gondolsz. De nem várhatom el tőled, hogy végigszenvedj egy esküvőt, ami olyan élénken emlékeztet arra a napra, amikor fogtam Mathilde kezét, és… – Elhallgatott, mintha képtelen lenne folytatni.

Ruha susogása hallatszott.

– Drága fiam...

Atalanta összeszedte a bátorságát, és belesett a szobába, ahol megpillantotta egy feketébe öltözött, apró nő alakját, aki épp átkarolta Surmonne grófjának erős vállát. Gilbert a nő vállára hajtotta a fejét, és furcsa hangokat hallatott, ami leginkább elfojtott sírásra hasonlított.

Atalanta sietősen visszahúzódott. Lángolt az arca. Aljas dolog volt kihallgatni másokat, és ez a bizalmas beszélgetés semmiképpen sem tartozott rá.

Mégis megerősítette a lányt abban, hogy Gilbert ártatlan Mathilde halálával kapcsolatban.

Ám ez még mindig nem zárta ki a lehetőségét annak, hogy valaki más kitervelte a nő megölését. Talán Eugénie továbbra sem volt biztonságban. Ki öntött sarat a fejére a grottónál, és miért?

Atalanta visszament a szobájába, és újabb rejtjeles feljegyzéseket készített. Ki kellett vizsgálnia néhány sajátos kérdést, hogy megpróbálja felfedni a sárdobáló és a levélíró személyét. Szintén hasznos lett volna megtudni, hogy a rendőrség előrehaladt-e már a leszúrt vadorzó ügyében. Ha például kiderítették, hogy egy rivális orvvadász volt a tettes, Atalanta elvághatta a lehetséges szálat a két haláleset között.

Hirtelen vérfagyasztó sikoly törte meg a csendet. Ez meg mi lehetett? Atalanta elejtette a tollat, felpattant, és kirohant a szobájából. A folyosóra érve megpróbálta felmérni, honnan érkezhetett a hang. Úgy tűnt, a másik szárnyból.

Odasietett. Felbukkant előtte Louise, a halványsárga selyemköntöse libegett mögötte, ahogy Eugénie szobájához rohant, és bekopogtatott az ajtón.

– Eugénie? Mi történik? Miért sikoltottál?

Mivel nem kapott választ, kinyitotta az ajtót, és belépett. Atalanta követte. Felvértezte magát, hogy hamarosan valami borzalmas jelenet szemtanúja lesz.

Eugénie az ágy szélén ült. Egy vászonzacskót szorongatott a kezében, és a kék ágytakarón valami sötétbarna dolog hevert, amiből átható bűz áradt.

– Mi a fene ez? – kiáltotta Louise. Felhúzta az orrát, és hátrálni kezdett. Eugénie felzokogott.

– Ürülék. Valaki ürülékre cserélte az édes levendulát a zacskómban. Borzalmas. Szerettem volna néhány megnyugtató szippantást, és... éreztem, hogy ez nem levendula. Nem a szirmok, amelyeket a saját kezemmel szedtem. Ki tette ezt, és miért?

Felpattant, és hátrálni kezdett az undorító anyagtól.

– Biztosan Yvette volt. Az a kis boszorkány megpróbál mindent tönkretenni, de most elkapom. – Azzal elviharzott Louise és Atalanta mellett, kirohant a folyosóra, és berontott Yvette szobájába.

A két nő sietve követte, miközben Louise azt kiáltozta, hogy ne tegyen semmiféle ostobaságot.

Yvette az ablakfülkében ült, és egy fényképalbumot szorított a mellkasához. Eugénie odarohant hozzá, és kitépte a kezéből.

– Ne! Add vissza!

Pompom idegesen ugatott, de kitért Eugénie útjából, amikor a nő kirohant a szobából, és beviharzott a közeli fürdőbe. Megnyitotta a csapot, és a folyó víz alá akarta tartani az albumot.

Yvette utánarohant, és sikoltozva megpróbálta kicsavarni a kezéből, mielőtt víz érné. Pofon vágta Eugénie-t, aki erre elengedte az albumot, de felkapott egy kancsót, megtöltötte vízzel, és Yvette-re löttyintette, aki ezúttal is erősen magához szorította az albumot.

Yvette felkiáltott, és megragadott egy fakefét, amit Eugénie felé hajított. Bár Eugénie ösztönösen félrehúzta a fejét, a kefe súrolta a halántékát, és a dobás erejétől felszakadt a bőre. Eugénie odakapott. Amikor elhúzta a kezét, a tenyere tiszta vér volt. Elsápadt és felszisszent.

– Megpróbált megölni! – Hátratántorodott, és a véres keze valami kapaszkodót keresett.

Louise elkapta, mielőtt a csempézett padlóra zuhant volna.

– Segíts! – szólt Atalantának. – Vigyük a szobájába!

Vér folyt végig Eugénie állkapcsán. Atalanta hozott egy tiszta mosdókesztyűt, és rászorította a sérülésre. Aztán segített Louise-nak kitámogatni a húgát. Eugénie nem válaszolt a kérdéseikre. *Lehet, hogy eszméletlen?* Küszködve bevitték a szobájába, és lefektették az ágyra. Amikor Atalanta felemelte a mosdókesztyűt, Eugénie halántékából még mindig szivárgott a vér, és Louise kiadta az utasítást:

– Hozz egy tiszta rongyot meg vizet, hogy kitisztíthassam a sebet!

– Máris! – Atalanta visszasietett a fürdőszobába, és remélte, hogy elmondhatja Yvette-nek, várja meg ott, hogy megbeszélhessék, ami történt. Ilyen csúnyán megdobni valakit komoly dolog volt, de Atalanta nem tagadhatta, hogy Yvette-et provokálták. Vadmacskaként küzdött azért az albumért. *Vajon mi lehet benne?*

De a fürdőszoba üres volt; a lány már elment. Vajon hová? Ilyen állapotban Yvette bármire képes lehetett.

És mindeközben Madame Lanier is ott volt a házban. Atalanta csóválta a fejét, miközben megtöltött egy tálat vízzel, és egy törlőronggyal együtt visszavitte a nővérekhez. Eugénie nyögve azt hajtogatta, hogy azt a kis szörnyeteget be kell zárni, és korábban már mondta Gilbert-nek, hogy vigye el pszichiáterhez.

– Őrült! Egy kiszámíthatatlan, dühöngő őrült! – tajtékzott.

Atalanta odaadta a tálat Louise-nak, majd elnézést kért, és Yvette szobájához rohant, hogy megkeresse a lányt. Nem hagyhatta, hogy megint valami veszélyes dologra ragadtassa magát.

Ha nem elég óvatos, a végén még valóban beszámíthatatlannak nyilvánítják.

Raoul szörnyen megrémülne. Atalantának fogalma sem volt arról, hogy ez miért olyan fontos a férfi számára. Egyszerűen csak cselekedni akart, hogy még csírájában elfojthassa a nehéz helyzetet.

Ám Yvette már nem volt a szobájában.

És Pompom sem.

Atalanta körülnézett, hogy meggyőződjön róla, nincsenek-e rejtekhelyek, ellenőrizte az erkélyt, amely szintén üresnek bizonyult, aztán lesietett, hogy megnézze, Yvette nem a zongoránál van-e, hogy ismét a hangszeren vezesse le a dühét.

Senki nincs a zeneszobában. Atalanta feszülten hallgatózott, hátha sírást, dühödt szemrehányásokat vagy kutyaugatást hall valahonnan, de minden csendes volt. Szinte rémisztően csendes, mintha minden lélegzet-visszafojtva várná a nagy kitörést.

Ami ezúttal végzetes lesz?

A folyosón Atalanta kis híján nekiment egy szobalánynak, akitől megkérdezte, nem látta-e Mademoiselle Yvette-et, de a lány nemmel válaszolt.

– Talán kiment.

Atalanta a bejárati ajtóhoz sietett, és megállapította, hogy egy kertész éppen a sövényt nyírja. Amikor megkérdezte tőle, látta-e a lányt, a férfi bólintott, és előrebökött a metszőollójával. Atalanta megköszönte, és követte az irányt, miközben gondosan hegyezte a fülét, hátha valami árulkodó hangot hall.

A kert hatalmas volt, és a félreeső sarkokban ülőalkalmatosságok sorakoztak. Tökéletes búvóhelyek egy zaklatott kislány számára. Végül valóban zokogásra lett figyelmes, és rátalált Yvette-re. A lány a Minerva istennőt ábrázoló kőszobor lábánál kuporgott, és a mellkasához szorította a fényképalbumot, amit olyan kétségbeesetten igyekezett megmenteni. Pompom a lábánál állt, és a bokájára hajtotta a fejét.

Atalantának elszorult a szíve a sajnálattól, miközben letérdelt a lány mellé, és a karjára fektette a tenyerét. Tudta, milyen, ha valaki magára marad ezen a világon...

– Menjen el! – kiáltotta Yvette.

– Nem megyek. – Atalanta feje tele volt gondolatokkal, amelyeket szeretett volna elmondani ennek a szomorú, fiatal nőnek, de Yvette nem lett volna nyitott rájuk. Azon tűnődött, hogyan kezelje ezt a helyzetet.

Várjunk csak! Az iskolában megtanulta, hogy a legegyszerűbben úgy nyerheti el a diákjai bizalmát, ha megkéri, meséljék el a történteket a saját szemszögükből, ahelyett hogy természetes módon azt feltételeznék, hogy a tanárnak vagy a szülőnek van igaza. Talán ez a megközelítés itt is beválhat.

– Te tetted az ürüléket a vászonzacskóba?

– És ha én voltam? Folyton csak erről fecsegett. Hogy milyen kellemesen alszik tőle. – Yvette elhúzta a száját. – Csak szerettem volna megviccelni. Amikor elképzeltem, ahogy az orrához szorítja azt a zacskót… és mélyen beleszippant, hogy megnyugtassa magát, erre lócitromot érez! Nagyszerű ötletnek tűnt.

Atalantának küszködnie kellett, hogy visszafojtsa a nevetését. El kellett ismernie, hogy volt Yvette ötletében egyfajta irónia, ami valóban szórakoztatóvá tette a helyzetet, de igyekezett megőrizni a komolyságát.

– Vendég vagy a gróf birtokán. Nem viselkedhetsz illetlenül, és nem zaklathatod a többi vendéget.

– Ő nem gondolja vendégnek magát. Azt hiszi, máris minden az övé. Látom az arcán, ahogy fel-alá járkál. Mindent meg fog változtatni. Eladja a bútorokat, és új holmikat vesz. Átalakítja a szobákat. Kijelentette, hogy az egyik emeleti szobát vörösre kell festeni. Már dolgoznak rajta. Vörösre? Borzalmas! És *ő* mégsem tesz semmit.

– A gróf?

Yvette szipogni kezdett. Kicsit ellazult, és a térdére támasztotta az albumot. Atalanta ránézett.

– Ez egy fényképalbum? A családodról?

Yvette bólintott.

– Eugénie képtelen elviselni, hogy az édesanyám gyönyörű volt. Tönkre akar tenni mindent, ami megmaradt nekem belőle.

– Nekem inkább úgy tűnik, hogy az album elvétele csak válasz volt az ürülékkel megrakott zacskóra – mutatott rá Atalanta gyengéd hangon. – És a grottónál komolyabban is megsérthetted volna.

– Milyen grottó? – kérdezte Yvette. – A kagylókkal kirakott barlangra gondol? – A szeme elkerekedett, és értetlenül meredt Atalantára. – Napok óta nem jártam ott.

– Valaki megtámadta Eugénie-t a grottónál.

– Az nem én voltam. – Yvette ránézett az albumra, és szeretetteljesen végigsimított a borítóján. Ebben a pillanatban valahogy fiatalabbnak tűnt, és teljesen belefeledkezett a gondolataiba. Talán boldog emlékek jártak a fejében azokból az időkből, amikor az anyja még élt? Vagy csak a fájdalom munkált benne, hogy azoknak az időknek örökre leáldozott?

Milyen keserédes dolog is a múlton töprengeni.

A gyász megváltoztatja az embert. Csak egy időre vagy örökre. Vajon lehetséges, hogy a gyász és a harag olyan mélyen belevette magát Yvette szívébe, hogy a lány veszélyessé vált? Magára és másokra? Atalanta nekiszegezte a kérdést:

– Őszintén meg tudsz esküdni, hogy nem te voltál az, aki sarat dobott Eugénie-re a grottónál?

A lány belenézett a szemébe.

– Miért számít ez?

Atalanta felsóhajtott. Ha elmondja Yvette-nek, hogy az emberek suttognak az elmeállapotáról, azzal csak megrémisztené. Meg kellett védenie ezt az ifjú hölgyet a saját vakmerő viselkedésének a következményeitől.

– Eugénie mindenért téged okol, de szerintem kissé túloz. Ezen a helyen kissé feszültek az idegei.

Yvette megvonta a vállát.

– És miért kellene, hogy ez érdekeljen engem? – Megvakargatta Pompom füle tövét. A kis kutya elégedetten lehunyta a szemét.

– Ha így folytatódnak a dolgok, valóban nem lesz esküvő – jegyezte meg Atalanta, majd lassan, mintha ebben a pillanatban ütött volna szöget a fejében a gondolat, hozzátette: – Vagy talán éppen ezt akarod? Azért teszed mindezt, hogy elüldözd Eugénie-t?

– Ez nem róla szól – felelte a lány, majd újra összekuporodott, és hátat fordított Atalantának.

– Akkor miről szól? A gróf szeretetéről? Ez valami verseny, hogy kiderüljön, ki a fontosabb a számára?

– Én családtag vagyok – közölte Yvette méltatlankodva. – Ő meg egy idegen. – Visszafordult Atalantához, és elkerekedett szemmel folytatta: – Miért kell mindig valami idegennek idejönnie, és mindent tönkretennie? Mathilde halála után minden tökéletes volt.

– Mert a gróf csak a tiéd volt?

– Megtanított sakkozni, és elvitt egy közeli kastélyba. Végre volt rám ideje. – Yvette összeszorította a száját. – De tudhattam volna, hogy nem tart örökké. A jó dolgok soha nem tartanak.

Atalanta kíváncsian fürkészte a lány arcát.

– Az, hogy Eugénie megjelent a nagybátyád életében, még nem jelenti azt, hogy nem sakkozhat veled, vagy nem kirándulhattok.

– Dehogynem. Hiszen az a nő folyton itt lesz. Az a típus, aki azonnal rácsimpaszkodik. Ha sakkoznánk, ő is ott ólálkodna a szobában, mint valami tigris, elterelné Gilbert figyelmét, ásítozna, és azt mondogatná, hogy ez szörnyen unalmas, amíg a nagybátyám végül elmenne vele, ő pedig diadalittasan rám nézhetne azzal az „én nyertem" arckifejezéssel.

– Ez nem verseny. Az emberek különféleképpen szerethetik egymást. A gróf is szerethet egyszerre téged és Eugénie-t is.

Yvette csökönyösen hallgatott, ezért Atalanta folytatta:

– Megérkezett Mathilde édesanyja. Kedveled őt?

Yvette nem válaszolt. Egy pillangót követett a tekintetével, amely virágról virágra szállt a közeli ágyásban. Aztán hirtelen megszólalt.

– Megpróbált kedves lenni hozzám. Nem tudom, miért. Soha nem értem, hogy az emberek miért kedvesek hozzám.

Milyen nehéz lehet, ha az ember így gyanakszik mások jó szándékát illetően! Ha folyton ébernek kell lennie, hogy megvédhesse magát.

– Talán őszintén érdeklődik irántad – vetette fel Atalanta gyengéden.

– Miért tenné? Csak egy gyerek vagyok, aki senkinek sem kell. Miután anyám meghalt, kézről kézre adtak, mint valami csomagot.

– Ez azért nem teljesen igaz. A gróf megkért, hogy költözz ide. Már itt laktál, amikor Mathilde megérkezett.

– Az csak egy éve történt. Én azelőttre gondolok. – Yvette feltápászkodott. – De ezt maga nem tudhatja, és nem is értené. És még én sem akarom megérteni. Nincs szükségem magára vagy bárki másra.

– Megtámadtad vagy nem támadtad meg Eugénie-t a grottóban? – kérdezte Atalanta.

Yvette felszegte az állát.

– Ha azt mondanám, én voltam, mit tenne? Hívná a rendőrséget, hogy elmondja nekik, megpróbáltam megölni? Úgysem jönnének ki. Túlságosan lefoglalja őket a halott orvvadász. – A lánynak diadalittasan csillogott a szeme.

– Honnan tudsz erről? – kérdezte Atalanta. – Talán láttál valamit?

– Itt voltak a rendőrök, hogy beszámoljanak róla. Áhítattal bámulják Gilbert-t, mert egy gróf. Egy ujjal sem nyúlnának a családtagjaihoz. – Yvette elégedetten elmosolyodott. – Viszlát! – Azzal felnyalábolta a kutyáját, és távozott.

Atalanta állt, és végignézett Minerva sima márványarcán. Az efféle vonások semmit sem árulnak el. Ám annak ellenére, hogy Yvette arca hús és vér volt, és könnyedén észre lehetett venni rajta a lány haragját vagy a fájdalmát, nehezen lehetett kitalálni, hogy valójában mi jár a fejében, és mit miért tesz.

Yvette gondolkodás nélkül bevallotta, hogy ő tette az ürüléket a vászonzacskóba, de tagadta, hogy ő támadta volna meg Eugénie-t a grottónál. Miért hazudott volna? Nyilvánvalóan büszke volt arra, ahogy a nagybátyja menyasszonyával bánik.

Szóval ha Atalanta elfogadta, hogy a lánynak nincs köze a grottónál történtekhez, akkor ki lehetett a tettes? És miért? Azt feltételezte, hogy sárt önteni valakinek a nyakába nem számít emberölési kísérletnek. Sokkal inkább a megalázás a célja.

Lehet, hogy csak egy rossz tréfa volt?

Talán Louise volt az?

Vagy Victor, akit Eugénie mellőzött? Elvégre egy üzenet csalta a nőt a grottóhoz. Atalanta úgy érezte, hogy ez lényeges részlet. Bárki is hívta ki Eugénie-t, tudta, hogy eljön, ha azt hiszi, Victor várja.

Vajon ez egy próbatétel volt?

Valami megmoccant a közvetlen közelében, és felkapta a fejét. Raoul állt mellette szétvetett lábbal és zsebre dugott kézzel, az arca kifürkészhetetlen volt, ahogy őt nézte. A napfény megcsillant az aranyóráján.

– Ilyen könnyen nem férkőzhet Yvette bizalmába, Mademoiselle Atalanta.

Atalantát elfogta a nyugtalanság. Vajon a férfi mennyit hallhatott? És mit akart megtudni?

– És miért törekedne egyáltalán ilyesmire? – folytatta Raoul, és oldalra billentette a fejét. – Talán ön is meg van áldva a tanárok jellegzetes adottságával, hogy őszinte érdeklődést mutatnak a tanítványaik iránt?

Olyan cinikusan hangzott, hogy Atalanta elpirult.

– Yvette nem a tanítványom.

– Nem. Az igazat megvallva, semmi köze hozzá. Ön csak egy vendég itt, akit azért hívtak meg, hogy zongorázzon az esküvői mulatságon. Miért érdekli annyira, hogy mi történik?

– És önt miért érdekli annyira, hogy engem miért érdekel? – vágott vissza Atalanta. A férfi folyton a nyomában járt, mellette akart lenni, beszélgetni vele. Vajon gyanakodott? Vagy egyszerűen csak kedvelte a társaságát?

És Atalantának megdobbant a szíve, valahányszor a közelébe jött. Más körülmények között talán…

De nem voltak mások a körülmények. Azért érkezett ide, hogy dolgozzon. Nem engedhette meg magának, hogy megkedvelje Raoult, ahogyan nem is bízhatott meg benne.

De akkor miért akarok mégis vele lenni?

Elsétált mellette a ház felé.

Raoul követte.

– Azon tűnődöm, vajon mit nyer vele.

– Mit nyerek vele?

– Igen. Ön a Frontenac család rokona. Ám se nem olyan vagyonos, se nem olyan magas rangú, mint ők. Azt reméli, hogy megkedveltetheti magát Eugénie-vel, ha kiáll mellette?

– Mégis miből gondolja, hogy kiállok Eugénie mellett? – Éppen erről volt szó. Valóban támogatnia kellett volna az ügyfelét, de minél több időt töltött itt, annál jobban kételkedett abban, hogy az esküvőt, amit meg kellett volna mentenie, valóban jó ötlet-e megtartani.

Raoul olyan hirtelen megtorpant, hogy ő is megállt.

– Talán azt kellene hinnem – kérdezte eltúlzott értetlenkedéssel –, hogy Yvette mellett akar kiállni? Mert az igen oktalan lépés volna az ön helyzetében. Eugénie gyűlöli Yvette-et. Ha úgy dönt, hogy a lány oldalára áll, a menyasszonyt eltávolítja magától.

Ez még rosszabbul hangzott. Azzal, hogy ennyire együttérzett Yvettetel, talán megsértette a saját ügyfele érdekeit. Nem volt túl szakszerű lépés, mégsem tudott uralkodni magán. Yvette árva volt, akárcsak ő, sóvárogva vágyott rá, hogy otthon érezze magát Bellevue-ben, miközben folyamatosan szembe kellett néznie a fenyegetéssel, hogy elküldik. Nincs annál rosszabb, mint amikor az embernek újra össze kell csomagolnia, és elmennie egy másik, ismeretlen helyre. És a kár, amit a fényképalbumban tettek... Ha bárki hozzá mert volna nyúlni az egyetlen képhez, amely megmaradt az édesanyjáról, Atalanta is elveszítette volna a fejét.

– Ellökné magától az egyetlen embert – folytatta Raoul –, akire szüksége van ahhoz, hogy előrébb jusson a világban.

Persze hogy így látja. Az anyagi haszonszerzés az egyetlen dolog, amire gondolni képes.

– Arra a következtetésre jutott, hogy Eugénie-re van szükségem ahhoz, hogy előrébb jussak a világban? – Atalanta öntudatosan felsóhajtott. – Önálló ember vagyok, és azt az oldalt választom, amelyiket akarom. – Aztán sietve hozzátette: – Nem mintha már döntöttem volna. Még gondolkodom.

Raoul csak meredt rá, aztán kirobbant belőle a nevetés.

– Drága Atalanta! Ön olyan bájos, amikor fel van háborodva. Ez az őszinte meggyőződés, hogy képes valamiképpen... észszerűen eligazodni ebben az egészben. Hogy létezhet valami olyasmi, mint a tárgyilagosság. Nem úgy szokott történni, hogy az emberek azonnal döntenek? Meglátunk valakit, vonzónak tartjuk... – Raoul mélyen Atalanta szemébe nézett, a szavai a levegőben lebegtek.

Atalanta nyelt egyet. Szörnyen kiszáradt a torka.

Raoul folytatta:

– Hall egy véleményt, és egyetért vele, vagy nem. Ez nem olyan, mint egy bírósági ügy, ahol meghallgatják mindegyik felet, majd egy remélhetőleg elfogulatlan döntésre jutnak.

– Szeretem azt hinni, hogy a lehető legpártatlanabb vagyok. – *Annak kell lennem, ha sikeres nyomozó akarok lenni.*

– Pártatlan és érzelemmentes? – kérdezte Raoul. Közelebb lépett a nőhöz, a sötétbarna szeme foglyul ejtette a lányt a mélyről fakadó ragyogásával. – Képes csak állni, figyelni, hallgatni, és megítélni a helyzeteket anélkül, hogy részt venne bennük? Anélkül, hogy érezne és megbántódna?

Atalanta képtelen volt elkapni a tekintetét, vagy előállni valami szellemes válasszal. A feje kiüresedett, a térde elgyengült.

– Az életben nincsenek tárgyilagos szemlélők – búgta Raoul. – Mindannyian a játék részesei vagyunk. Döntéseket hozunk, jókat és rosszakat egyaránt, de akkor is döntünk. Belekeveredünk, felelősséget vállalunk. Akár rossz dolgokért is.

– Akár valami bűnért is? – suttogta Atalanta. Szeretett volna látni valamiféle választ a férfi szemében, de akárhogy figyelte, nem volt biztos benne, hogy bármit is felismert. Csak álltak ott ebben a néma küzdelemben, egyikük sem volt hajlandó félrenézni.

Aztán egy hang Atalanta nevét kiáltotta, mire elváltak egymástól, Raoul pedig beleveszett a kertbe, mintha megfeledkezett volna róla, hogy vissza akart menni a házba.

Atalanta sietős léptekkel a felé igyekvő szolgáló irányába indult. Zihálva vette a levegőt, mintha valaki üldözte volna. A férfi kérdése visszhangzott a fülében. Sajnálatos módon igen távol állt attól, hogy érzelemmentes maradjon ebben az ügyben. Sokat korholta magát emiatt, de egyszerűen képtelen volt gátat szabni az érzéseinek. Mindenekelőtt végtelenül tehetetlennek érezte magát, amiért nem tud mindent jobbra fordítani.

– Megérkezett a varrónője – közölte a szolgáló.

– A varrónőm?

– Igen. A ruhájával, amit az esküvőn fog viselni. Azt mondta, szüksége van néhány utolsó igazításra. A szobájában várja. Bátorkodtam felvezetni.

Fogalmam sincs, ki lehet az. De biztosan nem én hívtam.

Igyekezett nyugodtnak tűnni, és követte a szobalányt a házba, majd fel az emeletre. A szobájában egy karcsú, szőke lány várt rá divatos kreppruhában. Kinyitotta a hatalmas táskáját, és elővett egy ruhát, amit kiterített az ágyra.

Atalanta ámulva meredt a finoman szabott lila ruhára, az elegáns, hosszú ujjával.

– Az az én ruhám? – kérdezte. A szobalány már távozott. Az ifjú hölgy ellenőrizte, hogy az ajtó be van-e csukva, majd halk hangon azt felelte:

– Monsieur Renard küldött. Azt akarta, hogy az esküvőre megkapja ezt a ruhát és az információt, amit gyűjtött önnek.

– Információt? – kapta fel a fejét Atalanta. Fellobbant a szívében a remény apró szikrája, hogy a komornyik talán felfedezett valami hasznosat, ami visszatereli a nyomozást a helyes vágányra.

– Kérem, próbálja fel a ruhát, hogy megnézzem, hol kell igazítanom rajta! Játszanunk kell a szerepünket. – A lány rákacsintott.

– Ismerte a nagyapámat? – kérdezte Atalanta. – Korábban is dolgozott már neki?

– *Oui*, Monsieur Renard-on keresztül.

Atalanta megfogta a ruhát, és eltűnt a paraván mögött, hogy átöltözzön.

– Párizsból jött el egészen idáig?

– Monsieur Renard szerzett egy autót meg egy sofőrt.

– Igazán figyelmes. – *És nyilvánvalóan úgy gondolja, jól jön egy kis segítség. Nem tagadhatom, hogy így van, mert ez az egész szörnyen zavaros, de szerencsére Renard nem tudja, milyen rosszul állok.*

Belebújt a ruhába, és élvezte a szövet selymes simogatását. A hossza tökéletes volt, de a derekánál kissé bőnek bizonyult. Előlépett, és a lány gyorsan végigmérte.

– Már intézem is.

Elkezdett Atalanta körül sürgölődni, gombostűket tűzött a ruhába, és motyogott magában.

Atalanta különlegesnek érezte magát, már-már olyan különlegesnek, mint egy menyasszony. Milyen lehet olyan mélyen szerelembe esni, hogy az ember az élete egész hátralévő részére elkötelezze magát valaki mellett?

De nem szabad megfeledkeznem az ügyről.

– Mit mondott Renard, amit át kell adnia nekem?

– Küldött egy levelet. Azt mondta, el kell rejtenie, nehogy valaki megtalálja és elolvassa. Vagy semmisítse meg, miután elolvasta. – A lány elhúzta a száját. – Néha nagyon romantikus tud lenni.

Atalanta elmosolyodott.

– Biztos vagyok benne, hogy ez egy bölcs és elővigyázatos lépés. Itt még a falnak is füle van.

A lány megkérte, hogy vesse le a ruhát, és elvégezte az igazításokat, amíg Atalanta – egy sietősen felvett köntösben – elhelyezkedett az ablakfülkében, és elolvasta Renard levelét.

Remélem, nem veszi tolakodásnak, hogy ily módon kapcsolatba lépek önnel, de úgy vélem, nem árthat emlékeztetnem, hogy a távolban vannak barátai, és nincs egyedül.

Atalanta arca felderült. Renard nem is sejthette, milyen jólesnek majd a szavai.

Kérdezősködtem egy keveset a házaknál és a klubokban dolgozó személyzet köreiben arról, mi a véleményük a néhai grófné lovas balesetéről, és úgy tűnik, soha senki nem feltételezett idegenkezűséget. Mathilde Lanier gyerekkora óta vakmerő volt, és számtalan balesetet szenvedett, leesett fákról és a pónilováról is. Hat hetet töltött ágyban agyrázkódás miatt, miután beütötte a fejét, amikor felfedezett egy barlangot a barátaival az Ardennekben. Az emberek csak csóválták a fejüket, és nagyon szomorúnak tartották, ami történt, de nem gyanakodtak semmire. Ezenkívül voltam olyan szerencsés, hogy meggyőződhettem róla, a házasságkötéskor született egy megállapodás, amely szerint a hozományt, amit Mathilde magával vitt a frigybe, közvetlenül a gyermekei öröklik, és ha gyermektelenül hal meg, visszaszáll a családjára. Ami annyit jelent, hogy Surmonne grófja nem húzott anyagi hasznot a halálából.

Atalanta csendesen motyogni kezdett.

– Szóval úgy tűnik, a baleset tényleg baleset volt, és Gilbert-nek nem volt indítéka a gyilkosságra. Legalábbis anyagi indítéka. Nem szerezhetett pénzt vagy egyéb vagyontárgyat.

A levél így zárult:

Bízom benne, hogy jól van, legyen nagyon óvatos! Ha szüksége van valamilyen információra, küldje vissza a kérdéseit Párizsba Mademoiselle Griselle-lel!

Atalanta ránézett a lányra.

– Van még teendője? Írhatok egy válaszlevelet, amit magával visz?

– Természetesen. Monsieur Renard meghagyta, hogy mindenképpen adjak lehetőséget a válaszírásra, ha ön úgy kívánja. Akár fel is bonthatom ezt a szegélyt, hogy újravarrjam...

– Nem, nem! Kérem, semmit se változtasson azon a gyönyörű ruhán! Gyorsan megírom. – Leült a fésülködőasztalhoz, és fürgén írni kezdett.

Kedves Renard!

Köszönöm az információkat. Valóban nagyon hasznosak. Szeretnék többet tudni Yvette-ről, egy tizenhat év körüli lányról, aki a gróffal lakik. Családtag, ha jól értettem, unokahúg, de a pontos rokoni kapcsolat nem tiszta a számomra. Úgy tűnik, van egy öccse is. Kiderítene róla mindent, amit csak tud, különösen, hogy van-e valamiféle kórtörténete vagy bármi különleges érdeklődése?

Egy pillanatra megállt, a gondolatai visszatértek a kertben lejátszódó, furcsa szembesítéshez, amitől szédülni kezdett.

Aztán eltökélten folytatta az írást.

Ezzel együtt szintén szeretnék megtudni mindent, amit ki lehet deríteni egy bizonyos Raoul Lemont-ról. Családi barát, és láttam egy réges-régi fényképen a gróffal és másokkal együtt. Nem tudom, mikor készülhetett. Bízom benne, hogy mindezt képes a legnagyobb diszkrécióval kezelni.

Üdvözlettel:

A. A.

Beletette a levelet egy borítékba, majd lezárta.

Griselle befejezte a munkát, és újra az ágyra terítette a ruhát.

– Nézzük meg, hogy most milyen, *mademoiselle!* – Elvette a levelet, és becsúsztatta a táskájába. – Még ma este visszautazom Párizsba. Renard azt mondta, minden nagyon sürgős.

Atalanta ismét felpróbálta a ruhát, és belenézett a tükörbe. A szabás kiemelte a karcsú derekát, amitől sokkal magasabbnak tűnt. A levendulaszín elragadó volt, és tökéletesen illett a helyszínhez. Ha ebben a ruhában mutatkozott volna Párizsban, az emberek bizonyára elcsodálkoztak volna, ki lehet ez az új, lélegzetelállító örökösnő.

De Párizs messze volt, és Atalanta nem járhatott estélyekre, hogy élvezze a gondtalanságot. Még ebben a ruhában is szerepet játszott: olyan szerepet, amelyet azért kellett magára öltenie, hogy végezhesse a magánnyomozói munkáját. A ruha pompás külsőt kölcsönzött neki, egyszersmind egyenruhaként is szolgált. *Az örökségem két oldala összeolvad benne.*

Végigsimított a szöveten, és azt mondta:

– Kérem, köszönje meg Renard-nak ezt a nagyszerű ajándékot!

– Ez nem ajándék – javította ki Griselle mosolyogva. – Kétség sem fér hozzá, hogy a nagyapja pénzéből fizették, ami most már az öné. – A lány őszinte érdeklődéssel fürkészte Atalantát. – Kicsit hasonlít rá. Ő is magas volt, és úgy viselkedett, mintha az egész világ nyitott könyv lenne előtte.

Atalanta nem tudta eldönteni, hogy örüljön-e a bóknak, vagy helyreigazítsa a lányt, amiért túlságosan magabiztosnak nevezte. Talán ez idegesítette Raoult is?

– A nagyapám boldog ember volt? – kérdezte Griselle-t.

A varrónő zavartan nézett rá.

– Azt hiszem. Volt pénze, utazgatott, és segített az embereken. Ez nagyon sokat jelentett neki. Mielőtt nyomozásokat folytatott, gyakran volt egyedül a birtokán, de az ügyek kimozdították, és lehetőséget nyújtottak arra, hogy tornáztassa az elméjét.

Az elméjét igen, de az érzelmeit nem. Atalanta fogadni mert volna, hogy a nagyapja mindig higgadt maradt, és tisztes távolságot tartott az emberektől, akikkel kapcsolatba került az ügyek során.

De én erre képtelen vagyok.

Egy pillanatra megfordult a fejében, hogy közli Griselle-lel, visszamegy vele Párizsba, mert valójában nem képes elvégezni a feladatot, amit elvárnak tőle. Egyszerűen csak élvezni akarta az új házát, *macaron*t eszegetni divatos kávézókban, és kalapokat vásárolgatni a legjobb butikokban ahelyett, hogy át kelljen gázolnia a Bellevue-ben uralkodó feszültségen, és elviselni a rá nehezedő felelősség súlyát.

Ebből már éppen elég volt az életemben. Itt az ideje, hogy valami teljesen más következzen. Ideje, hogy... a változatosság kedvéért saját magamra is gondoljak.

Griselle elpakolta a holmiját, és azt mondta:

– Sok sikert kívánok, *mademoiselle!* Bizonyára nagyon izgalmas lesz itt maradni és figyelni, ahogy mindenre fény derül.

– Izgalmas? – ismételte Atalanta. – Általában nem tűnik annak. Mintha folyamatosan valami várakozásféle lebegne a levegőben, mint a vihar előtti csend. És ami történni fog, lehet jó és rossz dolog is.

– De ön befolyásolhatja a kimenetelét. Jobbá teheti minden érintett számára. Renard egyszer azt mondta, a gazdájának ez volt a legnagyobb nyereség. Hogy képes volt jobbá tenni az emberek életét.

Yvette... Vajon az ő életét is lehetséges lett volna jobbá tenni? Miután Atalanta megérezte a lány boldogtalanságát, természetesen szerette volna, ha újra mosolyogni látja, ha olyan környezetet teremt a számára, ahol biztonságban érzi magát, és ahol értékelik. De vajon a gróf és Eugénie házassága efféle otthont teremt majd?

És mégis miért gondolt folyton Yvette-re, amikor Eugénie volt a megbízója? Lojálisnak kellett volna lennie. Vagy nem?

Mit is írt a nagyapja a leveleiben? Este elő kell vennie őket, hogy újraolvassa, és megértse, amit megpróbált elmondani neki.

Sietve visszahúzta a ruháját, majd lekísérte Griselle-t, és elbúcsúzott tőle. Amikor az autó eltűnt a távolban, elfogta a sajnálat, amiért ő nem ülhet benne. De túl sok kérdés kavargott a fejében. Nem az üggyel, saját magával kapcsolatban. Mit akart az élettől most, hogy már nem volt az apja, akiről gondoskodnia kellett, és nem maradt több elrendezetlen kérdés. Sajgó űr tátongott a lelkében.

Louise bukkant fel a szalon ajtajában.

– Ó, látogatód érkezett?

– Csak néhány esküvői előkészület.

Louise megvetette a lábát a szőnyegen.

– Miért? Szerinted lesz esküvő? – kérdezte, a szeme kihívóan csillogott.

– Nem értem, miért ne lenne.

– A húgom szerzett egy horzsolást, és egy vágás éktelenkedik az arcán. Kétlem, hogy így szeretne férjhez menni.

– A seb a halántékán van. Olyan frizurát készítünk neki, ami eltakarja. És felteszem, fátylat is visel majd.

– Azért szerezte azt a sérülést, mert egy hisztérikus lány hozzávágott a fejéhez egy súlyos, fa fürdőkefét. – Louise láthatóan teljesen fel volt háborodva. – Nem vagyok róla meggyőződve, hogy biztonságos ez a hely, amíg Yvette itt van. Jobb lenne, ha ezt Gilbert is belátná, és elküldené.

– Bentlakásos iskolába? – kérdezte Atalanta. Louise már korábban is felvetette ezt az eshetőséget, és talán tapogatózott is ebben az irányban.

Louise felhorkant, ahogy visszanyelte a gúnyos nevetést.

– Kétlem, hogy bárhová is felvennék. Három bentlakásos iskolában is megfordult, mielőtt Gilbert befogadta, és mindannyiszor eltanácsolták. Ő nem olyan, mint... a többi lány.

– Felteszem, az édesanyja halála érzékenyen érintette – jegyezte meg Atalanta abban a reményben, hogy Louise talán elárul valamit ezzel kapcsolatban. Ám a nő unatkozó arccal annyit mondott:

– Már olyan sokszor hallottam ezt a kifogást, hogy képtelen vagyok elviselni. Gilbert mindent elnéz neki, mert sajnálja. De jobb lenne, ha ezúttal alaposan végiggondolná. Lehet, hogy Mathilde elkényeztette, de Eugénie nem fogja. Ha mindkettejüket itt tartja, abból háború lesz.

Máris az van, gondolta Atalanta, de ezt nem mondta ki.

– Mathilde-nak sikerült közel kerülnie Yvette-hez? – kérdezte.

Louise megvonta a vállát.

– Azt hiszem, Mathilde kicsit hasonlított Yvette-re. Vad és kiszámíthatatlan volt. Ők ketten jól megértették egymást, mert egyikük sem viselte el a szabályokat. Mathilde azt mondta, kincsekre szoktak vadászni. Szerintem csak azért találták ki, hogy érdekesebbnek látsszanak.

Atalanta felkapta a fejét.

– Kincsekre vadászni? Mégis mire utalhatott?

– Tényleg nem tudom. Soha nem kérdeztem meg. Nem érdekelnek azok az emberek, akik képesek napokig ábrándozni olyan dolgokról, amelyek soha nem válhatnak valóra.

– Elég hihetetlennek tűnik, hogy ti ketten barátok voltatok Mathilde-dal – jegyezte meg Atalanta. – Elvégre úgy hangzik, mintha teljesen más emberek lettetek volna.

Louise elpirult.

– Nem voltunk közeli barátok, de egészen jól megvoltunk. Nem mintha magyarázkodnom kellene. Biztos vagyok benne, hogy ha a mama megérkezik, lesz egy-két kérdése hozzád. – Közelebb hajolt Atalantához, és azt sziszegte: – Hogy kiderítse, a családnak pontosan melyik ágához tartozol.

Atalanta gerincén hűvös borzongás futott végig a gondolattól, hogy faggatni kezdi az asszony, és elbukik a vizsgán. Talán meg kellett volna ragadnia az alkalmat, hogy elmehessen.

De a Párizsba tartó autó már hosszú mérföldekre járt Bellevue-től, és ő még mindig ott volt. Eltökélte, hogy kideríti, hol a helye, ki ő, és a nagyapja belé vetett bizalma igazolást nyer-e, vagy tévedésnek bizonyul.

Rezzenéstelenül a nőre mosolygott.

– Alig várom, hogy megismerhessem az édesanyádat.

TIZENKETTEDIK FEJEZET

Amikor Atalanta megérkezett a vacsorához, egyedül Madame Lanier-t találta az étkezőben. Az asszony egy tengeri tájképet ábrázoló, hatalmas festményt nézegetett a falon, és az utolsó pillanatban fordult meg.

– Ó, megijesztett! – Tiszta kék szemével alaposan végigmérte Atalantát. – Azt hiszem, még nem találkoztunk.

– Atalanta Frontenac. Engedje meg, hogy részvétemet fejezzem ki a lánya balesete miatt. Tudom, hogy már egy éve történt, de én csak nemrégiben szereztem tudomást róla, és... szinte hihetetlennek tűnik, hogy egy ilyen gyönyörű helyen valaki ilyen sajnálatosan veszítse életét.

Madame Lanier felsóhajtott.

– Amikor megtudtam, mi történt, én sem voltam képes felfogni. Biztos voltam benne, hogy valami tévedés történt. Az én bájos kislányom nem halhatott meg. Akkor, amikor olyan boldog volt, amikor végül megtalálta a helyét, és békére lelt.

– Békére? Itt Bellevue-ben?

– Igen. Imádta ezt a házat meg a kerteket, és az erdőt a kagylókkal kirakott barlanggal. Képes volt órákig bolyongani a birtokon. Úgy érezte, itt megtalálta azt a nyugalmat, amit mindig is keresett. A saját világát, amelyben elrejtőzhetett. Megírta nekem, mennyire boldog volt, amikor egy erdei patak mellett ácsorgott, és nézte, ahogy csobog a víz. – Madame Lanier megrázta a fejét. – Meglepett, hogy valóban boldog. Voltak fenntartásaim, amikor elfogadta Gilbert ajánlatát.

Tudtam, hogy a gróf nem társasági ember. Teljesen elégedett azzal, ha a birtokán töltheti az időt, és Olaszországba utazgathat, hogy felkutasson olyan festményeket, amelyeket aztán eladhat. Nem járt volna Mathilde-dal bálokra vagy az operába. Márpedig a lányom imádta az ilyesmit. Rajongott a táncért és a zenéért. Ő maga is remekül zongorázott. És fuvolázott is. El sem tudtam képzelni egy ehhez hasonló elhagyatott, vidéki házban, ahol egyetlen partin sem vehet részt. Arra számítottam, hogy hamarosan lelohad a kezdeti lelkesedése.

Lehetséges, hogy így történt? Talán Mathilde megkérte Gilbert-t, hogy térjenek vissza Párizsba? Esetleg vitatkoztak is emiatt? Tényleg hihetetlennek tűnt, hogy soha nem veszekedtek. Hogy mindig mindenben egyetértettek. *A tökéletes házasság. Létezik egyáltalán ilyesmi?*

– Ideges voltam, hogy vajon működni fog-e. De működött. A levelei túláradóan vidámak voltak. Sok mindent tervezett. Hogy átformálja a kerteket, sőt, még egy koncertet is akart tartani a grottóban. – Az asszony szeme megtelt könnyekkel. – Olyan életvidám volt, és aztán... egyetlen esés... Az egyedüli vigaszom, hogy legalább gyorsan meghalt. Hogy valószínűleg nem szenvedett.

– Rettenetesen sajnálom. – Atalanta az idős hölgy kezére fektette a tenyerét. – Bizonyára szörnyen nehezére esik visszajönni ide, és látni a szobákat, amelyekben élt.

– Egyáltalán nem rossz érzés. Hiszen a lányom boldog volt itt. Miközben sétálok a folyosókon, hallom a hangját, és szinte úgy érzem, bármelyik pillanatban betoppanthat, hogy kellemesen elbeszélgethessen velünk. – Madame Lanier pislogni kezdett, hogy gátat szabjon a könnyáradatnak. – Nem fogok úgy tenni, mintha nem élt, vagy nem halt volna meg. Szomorú, de emlékeznünk kell rá. – Tördelni kezdte a kezét, és eltökélten megismételte: – Emlékeznünk kell rá.

Talán Madame Lanier attól félt, hogy a lánya emléke feledésbe merül? Most, hogy az új ara nemsokára elfoglalja az őt megillető helyet...

A többiek is megérkeztek, köszönések hangzottak el, és mindenki elfoglalta a helyét.

– Kérlek, bocsássatok meg a menyasszonyomnak! Fáj a feje, ezért nem tud részt venni a vacsorán – mondta a vendégeknek a gróf.

– Nem kell hazudnod a kedvemért – közölte Yvette. Kihúzta magát, és a szeme dühödten megvillant. – Én okoztam Eugénie fejfájását. Megütöttem egy fürdőkefével.

Madame Lanier-nek elkerekedett a szeme.

– De miért?

– Tönkre akarta tenni a Mathilde-ról készült fényképeket.

Súlyos csend ereszkedett a helyiségre. Atalanta rezzenéstelenül ült. Azt feltételezte, hogy az album, amit Yvette olyan ádázul védelmezett, a családja fényképeit tartalmazza. Az elhunyt édesanyjáét. Ám ezek szerint Mathilde is szerepelt benne?

Ez nagy csapás lehetett a lesújtott anya számára.

Madame Lanier ránézett Gilbert-re. Sipító hangon azt kérdezte:

– Te ebbe beleegyeztél? Engedélyt adtál a menyasszonyodnak arra, hogy ilyesmit tegyen?

– Természetesen nem. És nem nagyon értem, miért akarna Eugénie ilyesmit tenni. Soha nem érezte úgy, hogy... – Ám Gilbert nem fejezte be a mondatot.

Madame Lanier felállt az asztaltól.

– Bocsássanak meg, de nem érzem jól magam. Inkább lefekszem. – Azzal az ajtó felé botorkált.

Gilbert felpattant.

– Segíthetek valamiben?

– Nem, ne fáradj! – A hangja hűvös volt. Az ajtó becsapódott a háta mögött.

Gilbert odafordult Yvette-hez, szinte izzott a tekintete.

– Miért mondtad ezt?

– Mert ez az igazság. Eugénie megpróbálta a tönkretenni a Mathilde-ról és rólam készült fényképeket. Féltékeny. Egy ronda, féltékeny szörnyeteg.

Louise szeme diadalittasan felcsillant. Victor láthatóan kellemetlenül érezte magát, miközben Raoul buzgón rendezgette az ölében a szalvétát.

Atalanta megköszörülte a torkát.

– Azért nem ez a teljes igazság. Eugénie dühös volt, mert valaki lócitromra cserélte a levendulát a vászonzacskójában.

Victor furcsa hangot hallatott, mintha megpróbálta volna elfojtani a nevetését.

Atalanta folytatta:

– Eugénie azt hitte, Yvette volt az, és berohant a szobájába, hogy kérdőre vonja. Amikor belépett, ott találta Yvette-et a fénykép-albummal. Ösztönösen kikapta a kezéből, és fenyegetésből a víz alá tartotta, hogy tönkretegye az albumot. Én úgy hiszem, csak a harag vitte. Nem állt szándékában... Kétlem, hogy egyáltalán tudta, kinek a fényképei vannak benne.

– Pontosan tudta. – Yvette kihúzta magát a széken. – Korábban megmutattam neki. Szándékosan jött a szobámba, hogy tönkretegye. Meg is mondta, hogy Mathilde-nak nyoma sem maradhat ebben a házban.

– Én nem hallottam, hogy ilyesmit mondott volna – tiltakozott Atalanta. *Mégis mit művel ez a lány?*

A szíve hevesen kalapált. *Talán azért hazudik, hogy együttérzést váltson ki a nagybátyjából, és elkerülje, hogy megbüntessék azért, amit tett? Vagy előre megfontolt szándékból?*

Hogy manipulálja a többieket. Gonoszságból?

Rápillantott Raoulra. A férfi a tányérjára szegezte a tekintetét, semmi sem árulkodott arról, hogy a legkevésbé is érdekelné a téma.

Louise Atalanta segítségére sietett.

– Én sem hallottam, hogy ilyet mondott volna. – Lesújtó pillantást vetett Yvette-re. – Csak kitaláltad, hogy érdekesebbnek tűnj. Te szánalmas kis hazudozó!

Yvette megragadta a poharát, és Louise arcába löttyintette a tartalmát. Beszennyezte a damaszt asztalterítőt, mintha vérfolt lett volna. Louise felkiáltott.

– Yvette! – Gilbert halálra vált arccal meredt az unokahúgára. – Azonnal kérj bocsánatot!

– Nem. Ugyanolyan szörnyeteg, mint a húga. Te nem látod, kicsodák valójában. – Yvette felállt. – Nem vagyok hajlandó együtt vacsorázni velük.

– Akkor egyáltalán nem vacsorázol. Megmondom a személyzetnek, hogy ne adjanak neked semmit. Hallottad? – Az utolsó szót a gróf már úgy kiáltotta a lány után, aki az ajtó felé rohant.

Louise az arcát törölgette, és méltatlankodott.

– Micsoda jelenet! Képtelen fékezni az indulatait. Szerezned kell egy pszichiátert, hogy megnézze, Gilbert. Ez nem normális.

– Egyetértek – vetette közbe Victor. – Ha tényleg kárt tett Eugénie-ben azzal a fürdőkefével, akkor veszélyes lehet. Nem védelmezheted tovább.

Gilbert intett az inasnak, aki az egész jelenet alatt rezzenéstelen arccal állt az ajtóban.

– Kérem, szervírozza a levest! – Aztán gyors pillantást vetett Louise-ra. – Az az album nagyon sokat jelent Yvette-nek. Csak ez maradt neki az édesanyjából.

Atalanta lelki szeme előtt újra megjelent a hitelezők mohó keze, ahogy elragadják az édesanyja ékszereit az ágy melletti dobozból. Gyakran álmodott arról, hogy harcba száll velük, megdobálja őket bármivel, ami a keze ügyébe kerül, hogy elmenjenek.

– Eugénie-nek nem lett volna szabad hozzányúlnia ahhoz a fényképalbumhoz – mondta a gróf.

Louise úgy festett, mint aki tiltakozni akar, de Gilbert folytatta:

– Mindannyian úgy viselkedtek, mint a gyerekek. Mutassatok némi méltóságot!

Miközben ezt mondta, megszólalt a csengő. A gróf elejtette a kanalát, ami csörömpölve a tányérra esett.

Louise felszisszent, és a nyakához kapott.

– Ez a folyamatos feszültség tönkreteszi az idegeimet.

Ebben a pillanatban kinyílt az ajtó, és a komornyik bejelentette:

– Monsieur Joubert látni kívánja önt.

Egyenruhás rendőr nyomakodott be mellette, és mereven közölte:

– Elnézést kérek, hogy megzavarom vacsora közben, uram, de szükségem van az azonnali engedélyére, hogy átkutathassam a birtokát és a grottót. Magammal hoztam néhány falubelit, hogy segítsenek. Úgy gondoljuk, hogy DuPont, az orvvadász ott halt meg.

Atalanta dermedten ült. *Tudtam. Van kapcsolat DuPont halála és Bellevue között.*

Gilbert felállt.

– Az én földemen? – mennydörögte, mintha ez már önmagában is bűncselekmény lenne.

– Igen. Egy kagylót találtunk a zsebében. Úgy gondoljuk, hogy a grottóból származik. Bizonyára odament, hogy találkozzon valakivel. A börtönbüntetése alatt is folyamatosan fenyegette az ön vadőre, Guillaume Sargant.

A gróf kissé megnyugodott.

– Ó, igen – mondta. – A folyamatos viszály DuPont és Sargant között. Gondolja, hogy végül ilyen tragikus véget ért?

– Nem lepne meg – felelte a rendőr, aki azonnal felbátorodott a gróf jóval készségesebb hangja hallatán. – Ha találunk bármi nyomot, ami arra utal, hogy Sargant ott volt a helyszínen, letartóztathatjuk, és vád alá helyezhetjük.

– Nincs semmi szokatlan abban, ha ott járt, hiszen szabadon jöhet-mehet a birtokomon. De tegyék, amit tenniük kell! Csak bennünket ne zavarjanak! Holnapután megnősülök.

– Tudom, gróf úr. – A rendőr lesütötte a szemét. – Nagyon diszkrétek leszünk. – Azzal sietve elhagyta a helyiséget.

– Diszkrétek – zsörtölődött Gilbert. – Azt sem tudja, mit jelent ez a szó. De jobb lesz, ha túlesünk rajta. Sargant és DuPont évek óta harcban álltak egymással. Sargant igen komolyan veszi a vadőri kötelességeit, és nem viseli el, ha akár csak egy vadnyulat vagy egy fácánt is elejtenek az én területemen. De DuPont-nak gyakran sikerült túljárnia az eszén, aztán jót nevetett rajta a falusiakkal. Sargant tajtékzott a dühtől, és megfenyegette, hogy bosszút áll. Az egyiküknek előbb-utóbb végeznie kellett a másikkal. – A gróf megrázta a fejét. – Ez elkerülhetetlen volt.

– Nem éppen Mathilde halálának a napján tartóztatták le DuPont-t orvvadászatért? – kérdezte Raoul.

Micsoda? Atalanta döbbenten meredt a férfira. Tudta ezt, és esze ágában sem volt megemlíteni neki? Talán nem olvasta az újságokat, nem volt számára furcsa, hogy leszúrnak egy orvvadászt?

– De igen – erősítette meg a gróf. – Soha nem kapták volna el, ha nem lett volna a baleset, és nem mászkál annyi ember a rengetegben, hogy megtalálja az elszökött lovat. – Gilbert felemelte a kanalát. – Balszerencséje volt.

Atalanta ette a levesét, és kavarogtak a gondolatai, miközben igyekezett a lehető legélénkebben elképzelni a jelenetet. Mathilde balesete miatt nyüzsögtek az erdőben az emberek, akik a menekülő lovát keresték, és így tetten érték az orvvadászt. DuPont általában elég okos volt ahhoz, hogy ne bukjon le, de végül a helyzet áldozata lett. Ez logikusan hangzott.

Ám úgy tűnt, egy nagyon lényeges részlet senkinek sem tűnt fel. Ha az öreg a közelben bóklászott, amikor Mathilde balesete történt, talán láthatott valamit. Az is lehet, hogy szemtanúja volt az eseményeknek.

És most meghalt. Leszúrta az ősi ellensége, a vadőr?

Vagy...

Lehetséges, hogy azért végeztek vele, mert gondoskodni akartak róla, hogy soha ne beszéljen arról, amit aznap látott? A szabadon bocsátása előtt biztonságban volt a börtönben, senki számára nem jelentett veszélyt. De amikor kiengedték, eljárhatott a szája...

Atalanta alig érezte az étel ízét, annyira gondolkodott az elméletén, és azon, hogyan tudná azt igazolni. Amint valami használható ürügyet talált arra, hogy kimentse magát, a konyhába sietett, és megkérdezte, hol a komornyik. A férfi a kamrából bukkant elő, újabb borospalackokkal a kezében.

– *Mademoiselle?*

– Beszélhetnék önnel egy pillanatra négyszemközt?

– Természetesen. – A férfi letette a bort az asztalra, és követte Atalantát, az arca semmit sem árult el arról, hogy mit gondol a szokatlan kérésről.

– Aznap, amikor Mademoiselle Eugénie és én megérkeztünk ide, Bellevue-be, nem volt a grófnak egy látogatója? Egy idősebb férfi, kicsit szakadtabb ruházatú.

A komornyik szinte alig láthatóan felvonta a szemöldökét.

– A grófnak nem szokása „kicsit szakadtabb", idős férfiakat fogadni.

– Ez nagyon fontos. Vissza tud emlékezni? Nem csengetett az ajtónál? Vagy jött hátra a személyzeti bejárathoz? Nem ólálkodott a kertben?

– Tényleg nem tudom megmondani, *mademoiselle.*

– Meg tudná kérdezni a személyzet többi tagját, hogy aztán tájékoztasson?

– Természetesen igen, de...

– Biztosítom, hogy csakis a gróf érdekeit tartom szem előtt. Tudja... – Atalanta egy pillanatig habozott. – Rendőrségi vizsgálat zajlik egy orvvadász halálának ügyében. Úgy tűnik, itt járt a halála előtt. Csak meg akarok róla győződni, hogy nem volt itt, a házban, így a gróf nem keveredik bele az ügybe, és az esküvő rendben végigmehet, anélkül hogy bármiféle árnyék vetülne rá. Őszintén a legjobbakat kívánom a grófnak és Mademoiselle Eugénie-nek.

– Biztosíthatom, hogy ha a rendőrség megkérdez bennünket, elmondjuk, amit tudunk. – A komornyik hangja azt sugallta, hogy a rendőrség nagy valószínűséggel nem kérdez semmit, és Atalanta bölcsen tenné, ha követné a példájukat.

A lány bólintott, rájött, hogy ennél többre nem juthat ezzel az emberrel. Hoznia kellett volna magával valakit, aki össze tud barátkozni a személyzettel, ahogyan Renard javasolta. *Az én hibám.*

Úgy tűnik, többet akarok kisajtolni belőlük, mint amennyire lehetőségem van.

A keze hideg és nyirkos volt. Hogyan is bátoríthatná Eugénie-t erre az esküvőre, amikor olyan sok a tisztázatlan dolog?

Atalanta visszament a hallba, majd fel az emeletre, hogy megnézze, hogy van az ügyfele. A fürdőkefe inkább csak súrolta a nő halántékát, de a fejsérülések alattomosak lehetnek. Talán ezúttal valóban eltökélte, hogy örökre elhagyja Bellevue-t?

Ahogy az ügyfele ajtajához közeledett, érzelmekkel fűtött beszélgetésre lett figyelmes odabentről. Az ajtó résnyire nyitva állt, és amikor Atalanta közelebb lépett, hallotta, hogy Eugénie azt mondja:

– Biztosíthatom, hogy az a kis hazug kifacsarja az egész történetet. Soha nem állt szándékomban tönkretenni a lányáról készült fényképeket. Csak meg akartam neki mutatni, hogy nem bánthat következmények nélkül.

– Sajnálattal látom – szólalt meg Madame Lanier mérsékelt hangja –, hogy a lányom helyét olyasvalaki foglalja el, aki ennyire nem hasonlít rá. Mathilde kedves és együttérző volt. Úgy szerette azt a lányt, mint a kishúgát. Ön azonban folyamatosan becsmérli, és megpróbálja Gilbert ellen fordítani. Ez gonosz tett egy ártatlan gyermekkel szemben.

– Ártatlan gyermek? – tajtékzott Eugénie. – Jobb lesz, ha tudja, hogy Yvette közelről sem ártatlan. Rávetette magát Raoul Lemont-ra. Javasolni fogom Gilbert-nek, hogy küldje el, mielőtt olyan botrányba keveredünk, amit nem tudunk már irányítani.

– Micsoda? – kérdezett vissza Madame Lanier. – Biztos vagyok benne, hogy Gilbert soha nem válna meg Yvette-től. És ha mégis felmerülne benne bármiféle ezzel kapcsolatos gondolat, én majd meggyőzöm, hogy azonnal verje ki a fejéből.

– Nem kell hallgatnia magára. Hiszen semmiféle kapcsolat nem fűzi Gilbert-hez. Visszakapta a pénzét. Mit akar itt egyáltalán?

Nyomasztó csend következett.

– Hogy érti azt, hogy visszakaptam a pénzemet? – kérdezte Madame Lanier csalóka nyugalommal.

– A házassági szerződés úgy szólt, hogy Mathilde hozománya a gyerekeire száll, és ha nem születik utódja, visszakerül a családjához. Gilbert egyetlen frankot sem kapott tőle. Nem tartozik magának semmivel.

Madame Lanier élesen felszisszent, mintha pofon vágták volna. Atalanta összerezzent. Így nem lehetett beszélni egy olyan nő anyjával, aki tragikus halált halt ezen a helyen, és aki nyilvánvalóan még mindig kötődik a házhoz és a korábbi vejéhez.

És ha Eugénie tudott Mathilde hozományának a sorsáról, akkor miért mondta Atalantának, amikor eljött hozzá segítséget kérni, hogy attól fél, Gilbert a pénzéért ölte meg az első feleségét?

Úgy tűnt, az ügyfele hangjából sugárzó véglegesség a beszélgetés végét jelezte. Atalanta sietősen hátralépett, hiszen a sértett hölgy nagy eséllyel távozik, és ha ott ácsorog, bizonyára meglátja majd. Körülnézett valami rejtekhely után kutatva, ám egyet sem talált. Kinyílt az ajtó, és kilépett Madame Lanier. Amikor észrevette Atalantát, megállt, és kérdő pillantást vetett rá. Atalanta mosolyt varázsolt az arcára.

– Feljöttem megnézni, hogy van Eugénie. Javult a sérülése?

– Nem vagyok benne biztos. A viselkedéséből ítélve lehet, hogy még nincs teljesen magánál. – Madame Lanier felszegte az állát, és elvonult.

Atalanta bekopogott az ajtón.

– Nem! Nem akarok többet hallani! – kiáltotta dühödten Eugénie.

Atalanta belépett, és becsukta az ajtót.

– Csak én vagyok az. Meg akartam nézni, hogy van. Nagyon fáj a homloka? – Nehéz volt lepleznie a rosszallását, de az együttérzés több válaszhoz segíthette, mint a szemrehányás.

Eugénie arcáról azonnal elpárolgott a méreg, és ernyedt kezével megérintette a halántékát, majd elhúzta a száját, és azonnal el is kapta a kezét.

– Szörnyen szúr. Bárcsak ráhajítottam volna a tűzre azt a fényképalbumot! De a nyár közepén nem ég a tűz a szobákban, és... – Eugénie elfordította a fejét, és valami zokogásfélét hallatott.

Atalanta vett egy mély lélegzetet, és azt mondta:

– Egyszerűen nem tudom elhinni, hogy Yvette meghamisította a történteket, hogy rossz színben tüntesse fel. – Aljas dolog volt így tálalni a dolgot, de el kellett nyernie Eugénie bizalmát, hogy többet megtudhasson. – Tudja, mit mondott a vacsoránál? Van bőr a képén...

– Sajnálatos módon már szembesültem a gonosz hazugságaival. Itt járt Madame Lanier, hogy közölje, nem vagyok méltó rá, hogy elfoglaljam a lánya helyét. Úgy tűnik, Mathilde egy szent volt – méltatlankodott Eugénie.

Erről van szó? Úgy érzi, folyamatosan harcolnia kell egy árnyékkal? Még Victor is megjelenített a rajzán egy beazonosíthatatlan árnyat a társaság szélén, amikor a tónál piknikeztek.

Atalanta leült az ágy szélére.

– Nem hibáztathatja, amiért hiányzik neki a lánya. Az emberek gyakran idealizálják azt, aki már nincs köztük.

Eugénie odafordult hozzá.

– Megértem. Nem vagyok teljesen bolond. És soha nem viselkednék ilyen érzéketlenül egy gyászoló édesanyával, ha nem Yvette-ről lenne szó. Egyszerűen kikészít. Soha nem hagyja, hogy békésen együtt töltsük az időt. Szerintem tönkre akarja tenni az esküvőt.

Atalanta nem tagadhatta, hogy Yvette viselkedése valóban azt eredményezte, hogy mindenki egymás torkának esett. Lehetséges, hogy Eugénie manipulálta az embereket, de Yvette is. A hazugsága, hogy Eugénie azt állította, el akarja törölni Mathilde minden nyomát, rájátszott Madame Lanier legrosszabb félelmeire. Ebből a szempontból Eugénie és Yvette nagyon is hasonlított egymásra.

– Bocsánatot kérhet Madame Lanier-től – javasolta Atalanta gyengéden. – Ha megmagyarázza neki, hogy...

– Nem, nem fogok! – Eugénie-nek dacosan megvillant a szeme. – Yvette-nek kellene bocsánatot kérnie. Neki kellene megmagyaráznia, hogy hazudott a fényképalbumról. Én nem akartam tönkretenni a Mathilde-ról készült képeket. Miért is próbálkoznék ilyesmivel? Hiszen Gilbert csodálta azt a nőt. Tisztában vagyok vele, hogy szereti őt, és mindig is szeretni fogja. De meg kell nősülnie, és...

– Ha most már meg van róla győződve, hogy a gróf még mindig szereti Mathilde-ot, akkor bizonyára nem gyanakszik, hogy megpróbálhatott kárt tenni benne – vetette közbe Atalanta. Szerette volna szóba hozni a hozományt, de képtelen lett volna megmagyarázni, honnan tud róla, anélkül hogy elárulná, hogy az ajtónál hallgatózott.

– Így igaz. – Eugénie határozottan bólintott. – A levélnek valóban az volt a célja, hogy figyelmeztessen, Mathilde-ot megölte valaki, de nem Gilbert volt az. Azt hiszem, Yvette tette.

– Micsoda? – Atalanta döbbenten meredt az ügyfelére. – Hogy Yvette ölte volna meg Mathilde-ot? Hiszen én úgy hallottam, a legjobb barátnők voltak.

– Madame Lanier azt állítja, mert képtelen elfogadni, hogy a lánya nem volt tökéletes. Én azonban úgy gondolom, hogy Yvette már nem akart Mathilde-dal osztozni Gilbert-en, ahogyan velem sem akar.

Atalantának összeszorult a torka. Hiszen nem éppen maga Yvette mondott valami hasonlót? Hogy Mathilde halála után minden jobb lett, mert a nagybátyjának legalább már volt rá ideje?

– Lehetséges, hogy Yvette nem szándékosan tette – folytatta Eugénie. – Talán csak egy rosszul időzített csíny volt. Előugrott egy bokor mögül, hogy megrémissze a lovat. Egyáltalán nem gondolja végig a tettei következményeit. – Eugénie újra megérintette a vöröslő halántékát, és összerezzent. – De Mathilde miatta halt meg. Ezt ő is tudja, és bűntudata van emiatt, ezért olyan szeszélyes.

Sajnos ez egyáltalán nem volt olyan légből kapott elmélet, mint ahogyan Atalanta szerette volna. Valóban elképzelhetőnek tűnt, hogy Yvette olyasmit tett, amivel megijesztette a lovat. És a bűntudat képes volt felemészteni az embereket, amíg végül már csak az árnyékai voltak az egykori önmaguknak.

– Raoul említette, hogy Mathilde az egyik barátjával lovagolt ki aznap, amikor meghalt. Tudja, hogy ki volt az?

– Raoul? Mikor beszélgettek Mathilde-ról?

Ám Atalanta leintette az ügyfelét.

– Az nem számít. Tudja, ki volt az?

– Igen. Angélique Broneur. De nem volt vele, amikor a baleset történt. Más úton mentek, mert Angélique úgy gondolta, hogy az ösvény túl hepehupás és kockázatos. Mathilde egyedül folytatta az utat. Angélique már visszatért a házba, amikor a baleset híre eljutott hozzá.

– Értem. És ki fedezte fel a balesetet? – kérdezte Atalanta.

– Azt hiszem, egy földműves vagy egy kereskedő, aki meglátta a magányos lovat. Beszámolt róla. Aztán az emberek átkutatták az erdőt Mathilde után. Még aznap megtalálták.

– Értem. És aznap tartóztatták le az orvvadászt is.

– Milyen orvvadászt? – ráncolta a homlokát Eugénie, aztán felszisszent, amikor megfájdult a halántéka.

– A rendőrség jelenleg is a birtokon tartózkodik, hogy megtalálja a nyomát a két ember között zajló küzdelemnek, ami egy orvvadász halálához vezetett. Emlékszik, hogy a Rolls-Royce-nak ki kellett kerülnie egy szekeret, amikor megérkeztünk ide? Hogy kiemeltek egy férfit az árokból? Nem részeg volt. Halott.

– Ó, milyen borzalmas! – Eugénie felült, és Atalantára meredt. – És a rendőrség most a birtokon keresi a gyilkost?

– Úgy gondolják, hogy talán a birtokon ölték meg, mert igen ellenséges kapcsolatban állt a gróf vadőrével. Úgy tűnik, a két férfi ki nem állhatta egymást, és a vadőr megfenyegette a vadorzót, amíg ő a börtönben ült.

– Értem. Mindenesetre ez a parasztok dolga. – Eugénie megborzongott. – Nekünk nem kell aggódnunk miatta.

Atalanta a körmeit tanulmányozta. Elárulja az ügyfelének, hogy DuPont errefelé ólálkodott aznap, amikor Mathilde meghalt?

Vagy várjon még néhány órát? A rendőrség ebben a pillanatban már biztosan a grottónál nyomozott, és bármikor találhattak valami bizonyítékot Sargant bűnösségére. Esetleg a gyilkos fegyver segítségével? Logikusnak tűnt, hogy egy vadőr hord magánál kést.

Így aztán inkább csak annyit mondott:

– Talán az lesz a legjobb, ha inkább az esküvőre összpontosítunk. Már közeleg a nagy nap. Szeretne belevágni? – A lelke mélyén azt szerette volna, ha Eugénie nemmel válaszol. Ha ugyanis úgy dönt, hogy elhagyja Bellevue-t, Atalanta megbízása is véget ér.

– Ha nem akarja megtenni, a lehető leghamarabb meg kell mondania a grófnak – magyarázta. – Nem dönthet az esküvő napján.

– Azt én is tudom – csattant fel Eugénie ingerülten. – Már elhatároztam, hogy belevágok, mielőtt Yvette hozzám vágta volna azt a kefét. De nem akarok egy házban élni egy erőszakos eszelőssel.

Kopogtak az ajtón, és Louise bedugta a fejét.

– Megérkezett a mama.

Eugénie-nek azonnal megváltozott az arca.

– Mama? Azonnal vezesd ide!

Atalanta szeretett volna gyorsan távozni, mielőtt Eugénie anyja megérkezik, de úgy tűnt, az asszony az idősebb lánya sarkában lehetett, mert alig húzta Louise vissza a fejét, az ajtó kinyílt, és belépett egy vörösben pompázó hölgy. Szélesre tárta a karját, és azt kiáltotta:

– *Ma fille,* drága lányom! Hogy vagy? Mi történt?

Aztán lehajolt, és alaposan szemügyre vette Eugénie sérülését.

– *Ma pauvre fille!* Szegénykém! Pihenned kell. Csak nyugalom! Ó, drágaságom! – Csettintett egyet, és megkerülte az ágyat. – Az esküvődön gyönyörűnek kell lenned. Olyan régóta várok már erre a napra!

Atalanta az ajtó felé hátrált.

– Hozok egy kis teát.

Azzal kilépett a folyosóra, és becsukta maga mögött az ajtót.

Ám Louise ott várt rá.

– Úgy tűnik, nagyon közel kerültél a húgomhoz – közölte egy jeges pillantás kíséretében. – És ezelőtt még soha nem hallottam rólad.

– Nem tartottuk a kapcsolatot, miután apám Svájcba költözött. – Atalanta mosolyt varázsolt az arcára. – Megígértem, hogy hozok teát.

Személyesen ment le a konyhába, hogy gondoskodjon róla, az újonnan érkezőnek a legjobbat kínálják. Tea, torta, kalács és *macaron*ok. Éppen azt magyarázta, hogy milyen bonbonok kerüljenek még a tálcára, amikor egy szobalány megérintette a karját.

– Elnézést, kisasszony, beszélhetnék magával? Csak egy pillanat az egész. – Körülnézett, és félrehúzta Atalantát. – Jól hallottam, hogy Marcelről kérdezősködött?

– Marcelről? – Eltartott egy pillanatig, amíg Atalanta rájött, kiről van szó. – Ó, DuPont-ra, az orvvadászra gondol?

– Igen. Azt kérdezte, Marcel járt-e a házban a halála előtt. Azt sajnos nem tudom. De tudok valami mást.

– Igen? – bátorította Atalanta. Talán a személyzettől kideríthetett valami hasznosat úgy is, hogy nem volt beépített embere.

– Amikor elfogták az úrnő halálának a napján, Marcel nagy felhajtást csapott. Azt mondta, beszélni akar a gróffal. Azt hitték, azt akarja bizonyítani, hogy volt engedélye nyulat fogni a birtokon. De az öreg Marcel azt mondta, azért akar találkozni a gróffal, mert tud valami nagyon fontosat. – A lány kék szeme elkerekedett. – Mindig kíváncsi voltam, mi lehetett az.

Én is.

– És a gróf elment, hogy beszéljen vele?

– Ó, nem! Máson járt az esze. Szervezte az úrnőm temetését. Olyan szomorú volt, hogy mindannyian azt hittük, megszakad a szíve. Hogy hamarosan követi a sírba a feleségét. Hetekig ki sem mozdult itthonról, aztán újra elutazott Olaszországba. Nem hiszem, hogy valaha is beszélt volna Marcellel. Hiszen őt elítélték és börtönbe zárták... Amíg ezen a héten ki nem engedték.

– Értem. – És Marcel azonnal visszatért Bellevue-be. A hírrel, amiről be akart számolni a grófnak.

Már letöltötte a büntetését, ezért nem valószínű, hogy azt akarta volna bizonygatni, hogy joga volt vadászni a területen. Akkor vajon mit tudhatott?

És vajon ez vezetett a halálához?

– A szabadulása után látta őt a ház közelében? És ha nem, hallott valakiről, aki látta?

– A kertész azt mondja, mintha látta volna. Legalábbis észrevett egy alakot, aki errefelé ólálkodott. De a kertész előszeretettel talál ki meséket; és amint kiderül valami, mindig azt mondja, ő már tudott róla. – A szobalány széttárta a kezét. – Többet nem mondhatok. Remélem, ez nem teszi tönkre az esküvőt. Már mindannyian alig várjuk. Olyan kihalt volt a ház, amikor a gróf úr Olaszországba utazott, aztán Párizsban töltötte a tavaszt. Attól féltünk, hogy a grófné halála miatt örökre megutálja ezt a birtokot, és soha többé nem akar majd itt lakni. De most visszajött, és maradni akar. A kápolnát feldíszítettük virágokkal, és a ház tele van vendégekkel. Végre visszatér az élet Bellevue-be!

Igen, visszatért az élet. De ezzel együtt a halál is.

És Atalantát elfogta a hűvös borzongás, amikor arra gondolt, hogy a kés, amely Marcel DuPont testébe hatolt, talán olyasvalakié, akit ismer.

TIZENHARMADIK FEJEZET

Amikor Atalanta a szobalány kíséretében visszatért a finomságokkal, az ajtó mögül nevetés hangja szűrődött ki. Eugénie az ágyon ült, kipirult az arca jókedvében, és egy csillogó kövekkel kirakott nyakláncot tartott a kezében. A szobalány eltátotta a száját az ámulattól a kezében a tálcával, és Atalanta sietve átvette tőle, nehogy megbotoljon, és elejtse.

– *Merci!* – mondta, hogy elküldje a lányt, aki még vetett egy utolsó, sóvárgó pillantást a ragyogó ékszerre, majd eltűnt.

– Tölthetek? – kérdezte Atalanta.

Madame Frontenac megrázta a fejét.

– Gyere az ablakhoz, gyermekem! – adta ki az utasítást.

Amikor Atalanta habozott, magához intette a gyűrűktől roskadozó kezével.

– Gyere csak! Hadd nézzelek meg!

Atalanta vonakodva odasétált hozzá. *Mégis mit akar látni?*

Madame Frontenac megragadta a lány vállát, majd elfordította mindkét irányba, hogy alaposan szemügyre vehesse az arcát. Közben gondterhelten ráncolta a homlokát.

Atalantának hevesen kalapált a szíve. Ha Madame Frontenac valami családi vonást próbált felfedezni rajta, akkor aligha járhat sikerrel. Hiszen egy csepp Frontenac-vér sem csörgedezik az ereiben.

Mi lesz, ha lelepleződik?

Vajon Eugénie képes lenne meggyőzni az anyját, hogy a nyomozás érdekében tartsa titokban az igazságot? Mindaz, amit Atalanta megtudott DuPont-ról, megerősítette abban, hogy a férfi valami lényeges információ birtokában volt. Hogy azért kellett meghalnia, mert ezt meg akarta osztani Gilbert-rel.

– Igen – szólalt meg végül az asszony –, tényleg van néhány Frontenac-vonásod. Az orrod, a fülkagylód...

Atalantát elárasztotta a megkönnyebbülés, de igyekezett udvarias mosollyal leplezni.

Aztán Madame Frontenac a homlokát ráncolva hozzátette:

– De tényleg nagyon távoli rokon lehetsz. Még soha nem hallottam rólad, márpedig én mindenkit ismerek.

Tessék, helyben vagyunk. Most kérdéseket tesz fel, én pedig nem tudok majd kielégítő válaszokat adni. Atalantának rémülten cikáztak a gondolatai, hogy észben tartsa az információkat, amelyeket Eugénie a rendelkezésére bocsátott. *Apám keresztneve Guillaume. Anyámé... Már nem emlékszem.*

És hány fivérem is van? Három vagy négy?

Ez kész katasztrófa!

Ám Madame Frontenac elengedte, és visszament az ágyhoz.

– Kérlek, töltsd ki a teát! És azok mik? Aprócska nyalánkságok?

Éppen csak sikerült egérutat nyernem...

– Igen, arra gondoltam, biztosan jólesne egy kis frissítő a hosszú utazás után. Bízom benne, hogy kellemesen telt.

Atalanta sietősen kiosztotta a teát és a süteményeket, miközben Eugénie még egyszer megmutatta a nyakláncát.

– Igazi gyémántok. Papa küldte, a szíve minden szeretetével – magyarázta. – Sajnos nem lehet itt az esküvőn. Valami halaszthatatlan elintéznivalója akadt.

De a párizsi Frontenac-házban azt mondta a szakácsnő, felkereste őket egy szabó, hogy ráigazítsa Monsieur Frontenacra az esküvői öltönyét. Ezek szerint itt akart lenni.

– Nagyon lefoglalják az üzleti ügyei – tette hozzá Eugénie, és lebiggyesztette a száját, de a szeme elárulta, hogy a nyaklánc sok mindenért kárpótolja. – Biztos vagyok benne, hogy később meglátogat majd. – A mellkasához tartotta a nyakláncot, és lenézett, hogy lássa, hogy fest. – Hogy tetszik, mama? Nem túl hivalkodó?

– Éppen az a cél, hogy hivalkodó legyen – jelentette ki az asszony. – A grófnak van címe *bien sûr**, de nekünk több a pénzünk, mint amennyi neki valaha is lesz, és szeretném, ha ezt ő is tudná. Ezek a nemesek mind úgy el vannak telve maguktól meg a családfájuktól. De annyit mondhatok, fűzhetnek akármilyen rokoni szálak a leghíresebb arisztokratákhoz, ha nincs pénzed, hogy kenyeret vegyél... – Madame Frontenac lemondóan csettintett a nyelvével.

– Ha szabad megjegyeznem, Surmonne grófjának azért van pénze kenyérre – vetette közbe Atalanta, és a tálcán pompázó édességekre mutatott.

Madame Frontenac felnevetett.

– Persze hogy van! Még véletlenül sem adnám hozzá a lányomat egy olyan férfihoz, aki eladósodott. Csak azt akartam mondani, bár kétségkívül neki is van mit ajánlania, mi sem vagyunk senkik, akik a nagylelkűségétől függünk. Megengedhetjük magunknak, hogy luxuskörülmények között éljünk, és ezt meg is fogjuk mutatni. Holnap fel kell próbálnod a ruhát, drágaságom, úgy festesz majd benne, mint egy álom, egy ábrándkép. – Madame Frontenac elégedetten megcsókolta Eugénie ujjai hegyét. – Gyönyörűbb jelenség leszel, mint bármi, amit valaha is láttak errefelé!

Atalanta elindult az ajtó felé.

– Magukra hagyom önöket, hogy meg tudják beszélni, mi minden történt. Örömmel látom, hogy már sokkal jobban vagy, Eugénie.

De úgy tűnt, az ügyfele szinte alig hallja, amit mond. Révülten simogatta az ékszert, és hagyta, hogy az anyja egy konyakos bonbont nyomjon a szájába.

Atalanta kilépett a folyosóra, és felsóhajtott. Bár örült, hogy a feszültség némiképpen enyhült az asszony érkezésével, ez sem enyhített a terhen, amely a vállára nehezedett, miután felfedezte, mi történt Mathilde halá-

* természetesen *(francia)*

lának a napján. És aznap, amikor Marcel DuPont-t kiengedték a börtönből, hogy mindössze néhány órával később úgy emeljék ki egy gödörből: holtan. Ha valóban volt szemtanúja a „balesetnek”... *Vajon beszélhetnék a rendőrtiszttel diszkréten, hogy kiderítsem, mégis mi az, amit keresnek? Nem valószínű. Biztosan azt gondolná, hogy nem rám tartozik, különösen, hogy nő vagyok.*

Ingerülten felsóhajtott. Fogadok, ha a nagyapám lenne itt, és kimenne a kertbe, hogy körülszaglásszon egy kicsit, biztosan sikerülne beszédbe elegyednie és kiderítenie valamit.

DuPont mégis nagyon fontos volt, és Atalantának tennie kellett valamit, hogy még többet megtudhasson. Fogytán volt az idő.

Bement a szobájába, elővette a bőröndjéből a távcsövet, és kiállt az erkélyre, hogy elnézzen az erdőbe, a grottó irányába. Vajon így láthatja majd a rendőröket? És ha igen, a cselekedeteikből rájöhet, hogy mit keresnek?

És ha látja őket távozni, vajon meg tudja ítélni, hogy sikerrel jártak-e, vagy sem?

Sokáig ácsorgott ott, nekidőlt az erkély kőpárkányának, és a távcsövével az erdőt pásztázta. De nem látott semmit néhány repülő madáron és egy élelemért kutató szarvason kívül. Végül annyira besötétedett, hogy értelmetlen lett volna folytatni a nézelődést, így megfordult, hogy bemenjen.

Ismét kudarcot vallottam.

A lába elzsibbadt, és a térde alig mozgott, ezért megmasszírozta, mielőtt az ajtóhoz botorkált, hogy visszamenjen a szobájába. Be kellett csuknia, nehogy bemenjenek a legyek, de amikor le akarta nyomni a kilincset, az ajtó nem nyílt ki.

Mi ez? Újra megpróbálkozott, és teljes erejével nekifeszült, de semmi nem történt. Valaki bezárta belülről.

Körülfogta a sötétség, a távolból kísérteties bagolyhuhogás hallatszott. Libabőrös lett a karja. Ki tehette ezt, és miért? Talán valaki rájött, hogy érdeklődik az ügy iránt?

Raoul Lemont számtalanszor kérdőre vonta. De ha ő bármit is sejtett volna, biztosan nem árulja el.

Mindenesetre, gondolta magában Atalanta, *nem fogok sírva fakadni és segítségért kiáltani, mint valami idióta. Biztosan találok valami kiutat ebből a szorult helyzetből.*

Az erkély bal oldalán nem volt semmit, de jobbra egy másik erkély csatlakozott az övéhez. Nem tudta biztosan, kinek a szobájához tartozik, de fény szűrődött ki a félig elhúzott függönyökön át, így Atalanta átmászhatott, és bekopogtathatott az ajtón, hogy beengedjék. A svájci Alpokban tett hosszú séták megtanították arra, hogy keskeny párkányokon egyensúlyozzon, és ne féljen a magasban – még maga Raoul is egy hegyi kecskéhez hasonlította.

Összeszorította a száját, megkapaszkodott a kőkorlátban, és felhúzta magát. *Ne nézz le! Összpontosíts a célra!*

Lélegzet-visszafojtva átlépett a két erkély közötti légüres téren, hogy elérje a másik korlátot. Elveszítette az egyensúlyát, és felszisszent, de ösztönösen ránehezedett a jobb lábára, és sikerült megragadnia a korlátot. *Most már óvatosan!*

Leereszkedett a masszív kőpadlóra, és megkönnyebbülten kifújta a levegőt. Eltartott néhány percig, amíg lesimította a ruháját, és a légzése is lecsillapodott, máskülönben csak reménytelen sipításra lett volna képes, ha megszólal.

Aztán belesett a szobába. Raoul az ajtónál állt, és nekidőlt. Atalanta csak az arcát látta, és azt, hogy egy nő áll előtte, akitől a férfi nem láthatta őt. A hölgy elegáns, fehér ruhát viselt, és éppen abban a pillanatban vette le a fekete hajáról a kis kalapot. Hirtelen az ágyra hajította, és megölelte Raoult.

Atalanta visszafojtotta a lélegzetét, és azon tűnődött, vajon a férfi hogyan válaszol. Raoul kitért a nő karja elől, hátralépett, és mondott valamit, miközben a fejét csóválta. Aztán becsukta az ajtót.

A nő mozdulatlanul állt, a karja megdermedt a levegőben. Aztán ökölbe szorította a kezét, és rácsapott az ajtóra. Még az erkélyen is hallani lehetett a dörrenést. Majd továbbra is ökölbe szorított kézzel megfordult, a gyönyörű arca eltorzult haragjában. A tekintete eszelősen pásztázta a szobát, mintha keresne valamit, amit földhöz vághatna.

Atalantának nem sikerült elég gyorsan félrelépnie. A nő észrevette. Az újdonsült nyomozónő összeszorította a fogát, velőtrázó sikoltásra számított, amire mindenki odacsődül, hogy megnézze, ezúttal kit támadtak meg. A gyenge próbálkozása, hogy senki ne szerezzen tudomást a kínos helyzetéről, igencsak balul sült el.

Ám a hölgy egyáltalán nem sikított. Odajött az ajtóhoz, kinyitotta, és azt kérdezte:

– Mégis miért leskelődik az erkélyemen? Csak nem szegény Raoul menyasszonya? El sem tudom képzelni, hogy különben miért ne akart volna megcsókolni. – Aztán valamivel mélyebb hangon hozzátette: – Azelőtt úgy élvezte.

Atalanta elpirult az őszinte vallomás hallatán. Biztos volt benne, hogy Raoul azt csábít el, akit csak akar, de szemtől szemben állni egy olyan nővel, aki közel áll hozzá, egészen másnak bizonyult. Új és meglehetősen fájdalmas élménynek.

A nő felnevetett.

– Fáradjon be! Most, hogy lement a nap, kezd hűvös lenni. – Hogy alátámassza a meghívását, intett a karjával. A szoba illatozott a rózsaillatú parfümétől.

Atalanta észrevette, hogy elefántcsont fogantyús, elegáns bőröndök sorakoznak az ajtónál.

– Angélique Broneur – mutatkozott be a nő, majd felvette az ágyról a kalapját, és letette a fésülködőasztalra.

A barát, aki együtt volt Mathilde-dal a halála előtt. Pontosan az az ember, akire szükségem van.

– Atalanta Frontenac. A zongoristája.

– Valóban? És ezért kopogtatott az ajtómon sötétedés után? Hogy próbáljunk egyet? – Angélique felnevetett, lágy hang volt, a torka mélyéről. – Itt nincs zongorám. És a hangom képes betörni az ablakokat, ha kiengedem. Felébreszteném az összes vendéget.

– Kizártak a szobámból – vallotta be Atalanta. Nem tehetett róla, kedvelte a nő merészségét. És egy kis bizalmasság segíthetett megteremteni egy olyan légkört, amelyben kérdezősködhetett. – Miközben kint voltam az erkélyen, hogy élvezzem a nyári estét, valaki bezárta az erkélyajtót.

– Nekem van egy ötletem, hogy ki lehetett az. – Angélique forgatta a szemét. – Nem szabad hagynia, hogy Yvette önre akaszkodjon, Mademoiselle Frontenac. Amíg figyel rá, nem szabadulhat meg tőle. Ha képes levegőnek nézni, és úgy tenni, mintha észre sem venné, akkor békén hagyja.

Egy pillanatig elgondolkodva ráncolta a homlokát.

– Remélem, idővel érettebb lesz. Vagy fogalmazzak inkább úgy, hogy más dolgok érdeklik majd? – Rákacsintott Atalantára. – Sajnálatos módon, lehet, hogy ezzel már egy kicsit elkésett. Bár ez egyáltalán nem csoda, tekintettel arra, hogy itt ragadt. Több kilométeres körzetben semmi érdekes sincs, ami elterelhetné az ember figyelmét. – Angélique leült, és keresztbe tette a lábát. – Szeretné megnézni, hogy bejut-e a szobájába az ajtaján át? Vagy beszélgessünk még egy kicsit? Keverhetek egy koktélt is. – A csomagjaira mutatott. – Mindig magammal hozom a saját bárkészletemet.

– Egy koktél valóban jólesne. – Atalanta eltökélte, hogy hasznot húz a különös helyzetből, és a lehető legtöbbet deríti ki erről a nőről. Úgy tűnt, Renard meglehetősen gyanúsnak találta, amikor elmondott Atalantának mindent a grófhoz fűződő kapcsolatáról.

Együtt kell töltenem vele egy kis időt, természetesen kizárólag az ügy érdekében, és egyáltalán nem azért, mert megpróbálta megcsókolni Raoult.

Az, hogy Raoul visszautasította a nő érdeklődését, titokban elégedettséggel töltötte el Atalantát, de ezt inkább nem firtatta. Tényleg nem rá tartozott, hogy a férfi mit tesz, és mit nem.

– Íme! – Angélique kinyitott egy kisebb táskát, amelyben különféle italok meg egy koktélkészítő lapult, aztán munkához látott. – Ez az én specialitásom: a csábítás koktélja. – Rávigyorgott Atalantára. – Persze csak ha ki meri próbálni.

– Ön a legmegfelelőbb pillanatban érkezett – jelentette ki Atalanta magabiztos hangon. – Már kezdtem belefáradni ebbe a sok tettetésbe.

– Miféle tettetésbe? – kérdezte Angélique.

– Ó, mindenki úgy viselkedik, mintha valami színdarabban szerepelne. Az újranősülő özvegy, a makacs lány, aki megpróbálja megkeseríteni az új ara életét, maga a menyasszony, aki folyton elsírja magát boldogságában…

– Eugénie valóban boldog? – Angélique felvonta a tökéletesen ívelt szemöldökét. – Azt hittem, pusztán mohó. – Átnyújtott Atalantának egy élénk narancssárga folyadékkal teli poharat. – Egészségére!

Atalanta belekortyolt az italba. *Gyümölcsös, jó adag alkohollal. Jobb lesz, ha vigyázok, különben a fejembe száll.*

– Mennyei. Hogy érti azt, hogy mohó? Az anyja biztosított róla, hogy a Frontenac családnak több pénze van, mint amennyi a grófnak valaha is lesz. Nem nyernek semmit ezzel a friggyel.

– Dehogynem! – Angélique rászegezte a mutatóujját, mintha egy lassú felfogású diákot javítana ki. – Lehet, hogy van pénzük, de nincs bejárásuk a legfelsőbb körökbe. Azzal, hogy Eugénie-t hozzáadják egy grófhoz, fellépnek az ő szintjére. El tudom képzelni, hogy Madame Frontenac máris látja maga előtt, ahogy a nemesi birtokokon teázgat. Igen hiú nő, de művelt, és képes elvegyülni. Szerintem nagyon jól elboldogul majd.

– És mi a helyzet Eugénie-vel? Ő is jól *elboldogul?*

– Kétlem, hogy élvezné a vidéki életet. Nem úgy, mint Mathilde. – Angélique leült a saját koktéljával, és a zöld italba meredt. – Ő iszonyú lelkesedéssel vetette bele magát mindenbe. Azt tervezte, hogy megváltoztatja a kertet, lovakat akart tenyészteni. Egyáltalán nem sóvárgott Párizs után. Szerintem Eugénie nem bírja tovább itt úgy... három hónapnál. Aztán vissza akar majd menni, különben megőrül.

– És a gróf tudja ezt? – Atalanta a poharát szorongatta. Miért volt hajlandó mindenki asszisztálni egy olyan esküvőhöz, amely mindkét felet teljes boldogtalanságba taszítja?

– Kétlem, hogy érdekelné. Sokat utazik, és azt feltételezem, hogy a felesége bármikor meglátogathatja a barátait a fővárosban, ha Gilbert távol van. Telente tényleg nem sok mindent lehet itt csinálni. – A függönnyel keretezett ajtó felé mutatott. – Most minden olyan tökéletesnek tűnik a virágzó levendulamezőkkel, a napraforgókkal és a terményekkel megrakott kosarakat cipelő parasztokkal. Mint azokon a festményeken a galériákban, amilyeneket mindenki előszeretettel vásárol magának a szalonjába. Az idilli vidék. Fogalmuk sincs róla, milyen itt a tél. Minden szürke, fakó, az eső veri az ablakokat. – Angélique megborzongott. – Nem szívesen lennék Eugénie helyében.

Ennyit az elméletről, hogy Angélique Broneur arra számított, hogy a gróf talán elveszi feleségül.

Persze eltekintve attól, ha hazudik.

De miért tenné? Hiszen nem tudja, ki vagyok.

Aztán Angélique rákacsintott Atalantára, és hozzátette:

– Nem mintha valaha is az a veszély fenyegetett volna, hogy az ő helyébe kerülök. Gilbert túl jól ismer ahhoz, hogy feleségül akarjon venni.

Atalanta ránézett, és felkiáltott.

– Ön szerepel azon a fényképen! A gróf, Raoul Lemont és más fiatalemberek. Fogadok, hogy nem mostanában készülhetett. – Nem Mathilde volt az, hanem Angélique, kiállítva mindenki szeme elé.

– Még mindig megvan az a kép? Akkor még nagyon fiatalok voltunk. Egy művészeti képzésen készült Olaszországban, Firenzében. – Angélique ábrándosan nézett maga elé. – Csodásan éreztük magunkat. Gilbert felfedezte, hogy szerelmes a reneszánsz festőkbe, Raoul meg én pedig... Nos, felfedeztük a szerelmet.

– Ez valóban csodásan hangzik. – Atalanta ügyet sem vetett a mellkasába nyilalló, finom szúrásra, és belekortyolt a koktéljába.

– Természetesen szó sem lehetett arról, hogy feleségül vegyen. Ahhoz mindketten túl függetlenek voltunk. Ha férjes asszony lettem volna, az emberek ferde szemmel néznek rám, amiért utazgatok és énekelek. Most is ferde szemmel néznek rám, de legalább a magam ura vagyok. Ő pedig... Nem mondhatnám, hogy élvezettel nézem, ahogy kockára teszi az életét a Maseratijában.

– Van egy Maseratija? – kiáltotta Atalanta.

– Csak a sport kedvéért vezeti. Versenyez. Valóban nem sokat beszélgethetett vele, ha még nem szerzett tudomást a legnagyobb szenvedélyéről.

Atalanta meglepve pislogott. Tudta, hogy egyre népszerűbbek az olyan versenyek, ahol a férfiak gyors autókba ülnek, és kockára teszik az életüket, hogy elsőként hajtsanak át a célvonalon. Az autóversenyzést a jövő sportjának tartották. Már ha a versenyzőknek sikerül addig életben maradniuk.

– Meglepettnek tűnik – folytatta Angélique. – Felteszem, csendes élethez szokott mint zenetanár vagy valami hasonló. Vagy elő is ad? Kérem, bocsásson meg, de még soha nem hallottam játszani, így nem tudom megítélni, mennyire jó. De biztos vagyok benne, hogy az előadásunk emlékezetes lesz az ifjú pár számára.

Atalantának nehezére esett kiverni a fejéből a képet, ahogy Raoul az életét kockáztatja az autóversenyeken, és igyekezett visszaterelni a beszélgetést arra az ösvényre, amely neki kedvezett. *Mathilde halálához.*

– Szóval miután részt vettek azon a művészeti képzésen Olaszországban, kapcsolatban maradt a gróffal?

– Ó, igen! Meghívott az esküvőjére is. Itt voltam Mathilde-dal akkor is, amikor... – Angélique kiürítette a poharát, és felállt, hogy keverjen magának egy újabb italt. – Meg kellett volna akadályoznom, hogy felüljön arra a nyavalyás lóra. Azt hiszem, Cyranónak hívták.

Egy fekete fenevad volt, egy elszabadult tigris természetével. Nem fogadott szót semmilyen parancsnak. De Mathilde soha nem hallgatott a jótanácsokra. Még nevettem is rajta. Azt mondtam, Gilbert megfojtja, amiért nem fogad szót neki. – Megrázta a fejét. – De nem volt rá lehetősége. Mathilde kitörte a nyakát.

Ivott egyet az új – ezúttal rózsaszín – koktélból, majd folytatta:

– Nem voltam ott vele. Vissza kellett jönnöm ide. Csúszós volt az út az eső után, és még kidőlt fák is akadályozták a közlekedést. Mathilde azt mondta, majd átugratunk rajtuk, de én feleolyan jó lovas sem voltam, mint ő, ezért nemet mondtam. Magára hagytam.

A két szóból sugárzott a megbánás. Vagy akár a szégyen?

– Biztos vagyok benne, hogy bölcs döntést hozott. Valóban veszélyes lehetett.

– Igen, de aztán szembe kellett néznem Gilbert kérdéseivel, hogy miért hagytam Mathilde-ot egyedül. Hogy hol voltam. – Angélique lecsapta a poharát az asztalra. – Ő sem volt ott, mégis... engem hibáztatott.

– Biztos vagyok benne, hogy nem hibáztatja önt. Mi másért kérte volna meg, hogy jöjjön el, és énekeljen az esküvőjén? Természetes, ha az emberek fel vannak dúlva, és hasonló dolgokat mondanak egy ilyen döbbenetes esemény után. Nem gondolta komolyan.

Úgy tűnt, Angélique visszanyerte a lelki nyugalmát.

– Igen, tudom. Én csak... elfáradtam az utazásban.

– Akkor nem is tartom fel tovább. Jobb lesz, ha visszamegyek a szobámba. – Angélique kikísérte, és figyelte, ahogy megpróbál bejutni.

– Nyitva – suttogta Atalanta.

Angélique bólintott, és azt tátogta:

– Jó éjt!

Atalanta úgy érezte, mintha két diáklány lennének, akik elköszönnek egymástól egy titkos összejövetel után. Mosolyognia kellett. Angélique olyan energikus személyiség volt, akivel valóban képes lett volna összebarátkozni, miután debütál Párizsban.

Szélesre tárta az ajtót, és belépett. Különös érzés kerítette hatalmába. Mintha nem lenne egyedül. Valaki járt a szobában. Vajon pusztán azért, hogy kizárja az erkélyre, vagy valami mást is akart?

Várt egy percet, mélyen beszívta a levegőt. Talán Yvette újra a lócitromhoz folyamodott, hogy üzenetet hagyjon? Ám semmiféle furcsa szagot nem érzett.

Libabőrös lett a karja, miközben megpróbált rájönni, mi a különös a szobában. Remegő ujjakkal felkapcsolta a villanyt, és ránézett az ágyára. Semmi. Az éjjeliszekrényen a szokásos tárgyak sorakoztak: egy pohár víz, egy könyv és egy kis üvegcse a krémmel, amivel be szokta kenni a kezét lefekvés előtt.

Benézett az ágy alá, és átvizsgálta a szekrényeket. Semmi rendhagyót nem vett észre. A nyugtalansága kezdett elpárologni, és kis híján felnevetett, amiért így felzaklatta a puszta gondolat, hogy valaki járhatott a szobájában.

Végül odaért az éjjeliszekrényhez, és egyesével kihúzogatta a fiókokat. Valaki átlapozgatta az újságkivágásokkal és egzotikus helyszíneket ábrázoló képeslapokkal teli albumokat? Tökéletesen ártalmatlannak gondolta, hogy magával hozza őket, hiszen egy zongorista is álmodozhat arról, hogy ellátogat majd efféle helyekre előadni.

Kis híján megállt a szíve.

A *Görög mitológia* kötetét kivették, és rossz helyre tették vissza. Gyorsan előkereste, és ellenőrizte a jegyzeteit, amelyeket az ügyről készített. Megbolygatták, mintha valaki átlapozta volna őket. Megpróbálták gondosan visszarendezni, de az egyik lap széle összegyűrődött.

Atalanta zihálni kezdett. Tisztában volt vele, hogy akárki járt is ott, a cirill betűkkel és a betűáthelyezéses módszerével aligha találhatott értelmet a jegyzeteiben, de akkor is zavaró volt a tudat, hogy valaki szándékosan keresett nála valamit. Hogy kiderítse, miért is jött ide?

Talán a gyilkos járt a nyomában?

Ugyan már! Még azt sem tudod, van-e egyáltalán gyilkos, gondolta, miközben igyekezett megnyugtatni magát. *Lehetett akár egy kíváncsi szobalány, aki bezárta az ajtót, mert nem vette észre, hogy odakint vagy.*

De aki a szobában járt, könnyedén megláthatta őt az erkélyen. Az ajtót szándékosan zárták be. Ráadásul, a lelke mélyén tudta, hogy ha Mathilde halála baleset volt is, Marcel DuPont-t bizonyított, hogy meggyilkolták.

Márpedig a férfi azt állította, hogy tud valami fontosat arról a napról, amikor Mathilde meghalt.

TIZENNEGYEDIK FEJEZET

Reggel Atalanta ideges bizsergésre ébredt. Másnap tartották az esküvőt, és az óra kérlelhetetlenül ketyegett a felé a perc felé, amely után már nem volt visszaút. Az ügyfele azt kérte, derítse ki, hogy a vőlegényének van-e valami köze az első felesége halálához, és bár Atalanta nem talált egyértelmű bizonyítékot arra, hogy lenne, egyelőre arról sem győződött meg, hogy valaki másnak lehetett-e, vagy valóban baleset történt-e.

Miközben öltözködött, azon gondolkodott, vajon kijelenthetne-e egyáltalán ilyesmit bárki is teljes bizonyossággal. Aztán megállt a keze a levegőben, és maga elé bámult. Hát persze! Hogy lehet, hogy ez eddig nem jutott eszébe? Beszélnie kell az orvossal, aki megvizsgálta Mathilde holttestét, miután leesett a lóról. Ő biztosan tudta, hogy néztek ki a nő sérülései, és ez elegendő volt-e ahhoz, hogy meggyőzze, valóban azért halt meg Mathilde, mert levetette a hátáról a ló.

Atalanta lesietett reggelizni, de még senkit nem talált az étkezőben, ezért gyorsan ivott egy kávét, és magához vett egy brióst, majd elindult a közeli faluba, hogy megkeresse az orvost. Azelőtt sokat sétált, így nem esett nehezére a gyaloglás, inkább örömteli érzéssel töltötte el, hiszen már nagyon hiányzott neki. A testmozgás egyszerűen csodákra képes. Megszabadítja az embert az aggasztó gondolatoktól, és megerősíti a magába vetett hitét. Csak arra kellett figyelnie, hogy egyszerre egy lépést tegyen meg, és ne gondolkodjon túlságosan előre.

A falu szélén egy férfi a disznóit etette, és a főtéren a helyi fogadó tulajdonosa éppen átvett egy kosár tojást egy karcsú, idősebb nőtől. Atalanta mindenkit vidám *Bonjour!*-ral köszöntött, és megkérdezte a fogadóst, hol találja az orvos házát. Kiderült, hogy ugyanazon a téren van egy kis házipatikával együtt, ahol gyógyszereket árultak. Az ablaktáblán lévő felirat megcsillant a reggeli fényben.

A patika már nyitva volt, és Atalanta belépett a gyógynövények és fűszerek kellemes illatfelhőjébe. Egy hatalmas kezű, idősebb nő pirulákat rakosgatott üvegcsékbe, és szinte fel sem nézett, amikor a lány megjelent a helyiségben.

– Igazán varázslatos hely! – lelkendezett Atalanta. – Mindig csodáltam a természet gyógyító hatalmát. Saját maga készíti a gyógyszereket?

A nő ekkor végigmérte.

– Van, amelyiket igen – erősítette meg. – Másokat a városból kapunk.

– Ó, és az orvos itt van?

– Nem, már elindult a szokásos körútjára. Néhány influenzás eset meg egy totyogó, aki talán elkapta a kanyarót. Miért van szüksége orvosra?

– Van valamilyen levendulakészítményük, hogy jobban tudjak aludni? Meglehetősen megviseltek az idegeim. Az unokatestvérem, egyben legjobb barátnőm, hamarosan férjhez megy. Surmonne grófjához.

Erre az asszony azonnal abbahagyta a gyógyszerekkel való foglalatoskodást, és úgy tűnt, máris csupa fül.

– Surmonne grófjához? Ön az egyik vendég?

– Igen. Én zongorázok az esküvői mulatságon. És nagyon izgatott vagyok. Vagyis azt hiszem, inkább ideges. Elvégre, sok fontos ember lesz jelen.

– Olvastam róla az újságban. – A nő csettintett a nyelvével. – Szegény gróf! Úgy le volt sújtva, amikor meghalt az első felesége. Tudta, hogy meghalt?

– Természetesen. – Atalanta igyekezett úrrá lenni az izgatottságán, amiért a nő ilyen készségesen ráharapott a csalira, és komor arckifejezést öltött. – Nagy csapás lehetett a falu számára is. Úgy hallottam, Mathilde nagyon szeretett itt lenni.

– Ritkán láttuk – közölte a nő szenvtelenül. – Nagyon el volt foglalva a birtokon, szórakoztatta a barátait, és sok mindent megváltoztatott. Nem mindenki örült neki.

– Értem. És mégis miket változtatott meg?

A nő megvonta a vállát.

– A ház és a kert nemzedékek óta ugyanúgy nézett ki. Ahogyan ez lenni szokott. Hagyomány. A fiatalasszony változtatni akart, és... Az emberek errefelé nem nagyon szeretik a változásokat.

Atalanta bólintott.

– A ház és a kert gyönyörű, különösen a kagylómozaikos barlang. – A nő semmi látható jelét nem adta annak, hogy a grottó különös jelentéssel bírna a számára. *Akkor miért ment oda Marcel DuPont?* Atalanta vidáman folytatta: – És leesni egy lóról... igazán kegyetlen vég, ha valaki kitöri a nyakát! – Atalanta megborzongott.

– Pontosabban a fejét. – A nő a pultra támasztotta a hatalmas tenyerét. – A fejét törte be.

– A fejét? Ezt nem tudtam. Azt hittem, a nyakát törte ki az esés következtében. – Eugénie ezt mondta neki még a legelején, majd Angélique és Raoul is megerősítette. Hogy lehetséges, hogy ez nem igaz?

– Beütötte a fejét valamibe. Talán egy fába. A doktor azt mondta, berepedt a koponyája. Tisztán emlékszem. Nem gyakran történik errefelé hasonló baleset.

– Azt el tudom képzelni. Betört a koponyája... ez borzalmas. Lehetséges, hogy megrúgta a ló, miután leesett?

– Azt hiszem, igen. A doktor azt mondta, valamilyen kemény tárgy okozhatta a sérülést.

Vajon valaki megütötte Mathildét, amíg a földön feküdt? Ám Atalanta nem tehetett fel több kérdést ezzel kapcsolatban, mert az már túlment volna a hétköznapi kíváncsiság határán.

– És most meghalt az az orvvadász is. Mi is volt a neve? Marcel DuPont? Az ő feje is betört?

– Nem, őt leszúrták. Nem csoda, ha az ember ilyen életet él. Folyton ivott, és kereste a bajt. Nem helyes azt mondani, hogy valaki megérdemli a halált, de DuPont szinte elébe ment. Éppen csak kiengedték a börtönből, és máris újra veszekedni kezdett. – A nő megrázta a fejét. – Tegnap letartóztatták Guillamue Sargant-t. A gróf vadőrét. De azt állítja, nem ő tette.

– Ó, hadilábon álltak egymással, ugye? – Atalanta elgondolkodva ráncolta a homlokát. – Persze mi, vendégek nem ismerjük a helyi viszonyokat, de láttuk, hogy a rendőrség bizonyítékokat keres a birtokon, és a gróf említette, hogy a vadőr jó ideje viszálykodik már ezzel az orvvadásszal. Azt hiszem… nem számítottam rá, hogy ennyi halálesettel kell szembesülnöm ezen a barátságos helyen.

– Nos, egyszer mindannyian meghalunk – jegyezte meg a nő filozofikus hangon. – Szeretne levendulacseppeket, hogy segítsenek aludni?

Atalanta bólintott, és vett egy keveset a helyi különlegességgel együtt: kávéízű cukorkákat, amelyeket úgy kellett elszopogatni. Amikor egy szem elolvadt a nyelvén, elindult a patikából a kis templom és temető felé. Egy ideig csak sétálgatott, nézegette a sírköveket, és azon tűnődött, vajon Mathilde-ot is ide temették-e el. A legtöbb sírt rendszeresen gondozták, apró virágcsokrokkal díszítették. Atalanta hosszú évek óta nem látta már a szülei sírját. Inkább arra költötte a pénzét, hogy kifizesse az apja adósságait, mintsem hogy Angliába utazzon. De most, hogy megengedhette magának, elhatározta, hogy hamarosan elmegy Londonba, és felkeresi a csendes temetőt, ahol a szülei a halálukban újra egyesülve nyugodtak.

Hová temethették Mathilde-ot?

És vajon a sír árulkodhat-e valamiről? Talán a kőbe vésett szavak vagy az emlékezés szeretetteljes jelképei a síron mondanak valamit?

Ám úgy tűnt, a legtöbb sírban hétköznapi emberek nyugodtak, nem a nemesség tagjai. Lehet, hogy Mathilde nyughelye a templomban van?

Atalanta már éppen távozni készült, amikor megpillantott egy idős alakot, talán a gondnokot, aki talpig feketébe öltözve lépett be a temetőbe, és egy gereblyével a kezében elkezdte takarítani az ösvényt. Atalanta odament hozzá, és megkérdezte, hol találja Mathilde, Surmonne grófné sírját.

– Őt nem itt temették el – magyarázta a férfi. – A gróf családjának van egy sírboltja a birtokon. – A gondnok alaposan szemügyre vette Atalantát. – Talán a rokona?

– Nem, a holnapi esküvőre érkeztem.

– Mindannyian sejtettük, hogy a gróf újra fog nősülni. Kénytelen. Szüksége van egy örökösre.

– Kizárólag az örökös miatt nősülne meg? Nem gondolja, hogy szereti is az új menyasszonyát?

A férfi rekedt hangon felnevetett, de aztán észrevette magát, és szinte bűntudatosan körülnézett.

– Kétlem, hogy egy olyan ember, mint ő, bárkit is szeretne saját magán kívül. Van pénze és hatalma; nem kell elnyernie az emberek rokonszenvét. Nekünk, egyszerű falusiaknak nem szabad kiesnünk a kegyeiből, de neki…

– Ez nem úgy hangzik, mintha kedvelné. – Atalanta igyekezett tényszerűen beszélni, nem úgy, mintha ítélkezne.

A gondnok rosszallóan felhorkant.

– A régi időkben a falu is a gróf tulajdonában állt, ezért úgy kellett táncolnunk, ahogy ő fütyült. Ám még most is úgy érzi, mintha fölöttünk állna, és alig ereszkedik le közénk. Azt mondják, mindig Olaszországban van, hogy megvásárolja azokat a festményeket, amelyeket azután elad a párizsi galériáknak.

Ez az „azt mondják" felkeltette Atalanta érdeklődését.

– Talán ön nem úgy gondolja, hogy ezzel keresi a kenyerét?

– Én nem tudhatom, *mademoiselle,* de még soha nem láttunk egyetlen ilyen festményt sem.

– A grófnak nagyon szép gyűjteménye van a házában.

A gondnok kihúzta magát, mintha rendre igazították volna.

– Én azt nem tudhatom, *mademoiselle.* Nem valószínű, hogy meghívnak oda. És ha most megbocsát, dolgom van. – Azzal elsétált, húzta maga után a gereblyéjét is.

Atalanta elgondolkodva bámult utána. A gondnok felvetett egy érdekes kérdést. Az összes műalkotás közül, amit a házban látott, egyetlen sem volt reneszánsz kori. Persze, lehet, hogy a gróf azonnal eladta őket, de…

Atalanta maga mögött hagyta a temetőt, vett két almát a zöldségesnél, majd elindult vissza, Bellevue-be. Az almák lédúsak és zamatosak voltak, a nap melengette az arcát, és a feszültség, hogy meg kell oldania az ügyet, már nem is tűnt olyan nyomasztónak. Amióta megérkezett, most először engedte meg magának, hogy élvezze is az új helyzetét. A szabadságot, az örömet, hogy végre elutazhatott valahová, és megcsodálhatja az ismeretlen tájat. Elvégre a tény, hogy ezen az ügyön dolgozik, nem kell, hogy megakadályozza abban, hogy kellemesen eltöltse az időt. Az igazat megvallva, talán kissé még túlzásba is vitte, hiszen egyáltalán nem engedett meg magának egy percnyi pihenést sem. Természetesen az ügyfele tőle függött, de igazán nem lehet az említett ügyfél hasznára, ha nem őrzi meg az erejét.

Patadobogás hangzott fel mögötte, és amikor hátrapillantott a válla fölött, megállapította, hogy Raoul közeledik felé egy pompás, gesztenyeszínű ló hátán. Az állatnak duzzadtak az izmai a csillogó szőr alatt, és a hosszú sörénye lebegett a szélben.

Atalantának eszébe jutott, mikor látta Raoult utoljára – kis híján Angélique Broneur karjaiban –, elpirult, és igyekezett valami menekülési útvonalat találni. Miért kellett a felbukkanásával elrontania a férfinak a magányos séta örömét?

Ám mivel egyenes úton ment, amelyet mindkét oldalról levendulamezők szegélyeztek, nem kanyarodhatott el semerre.

– Jó reggelt! – kiáltotta Raoul. – Ön nem lovagol?

– Soha nem volt lehetőségem megtanulni – vallotta be Atalanta. Voltak ugyan halvány emlékei arról, hogy egy póni hátán ül, miközben az anyja mellette áll, de mindössze ennyit tudott felmutatni. Az apja nem engedhette meg magának, hogy lovakat tartson, és nem mutatott semmiféle érdeklődést az iránt, hogy megtanítsa a lányát lovagolni.

– Bizonyára fárasztó lehet mindent gyalogosan elintézni. Egy örökkévalóságig tart. – Raoul lépésre fogta a lovat, aki méltatlankodva prüszkölni kezdett, és megrántotta a gyeplőt, hogy gyorsabban mehessen.

– Szerintem ez a legjobb módja, hogy az ember megismerhesse a környezetét. Van idő mindent részletesen megfigyelni, és élvezhetjük is, amit látunk. Fogadok, hogy ön csak rohan, és észre sem veszi, ami az orra előtt hever.

– Mint például? – kérdezte Raoul, a sötét szeme pajkosan megcsillant.

– Például ezt a követ. – Atalanta egy ütött-kopott kőre mutatott a fűben. Szürke volt, úgy kéttenyérnyi magas, és számokat véstek bele. – Vajon mit jelenthetnek rajta ezek a számok?

– Valószínűleg a régi határkövek egyike lehet – válaszolta Raoul. – Biztosan különböző helyszínek közötti távolságokkal vagy a földbirtokosokkal kapcsolatban árul el valamit. – Aztán ironikusan hozzátette: – Gilbert biztosan nem örül, hogy errefelé nincs semmije. A ló felnyerített, és a nyakát nyújtogatta, láthatóan újra vágtázni szeretett volna. De Raoul megveregette a nyakát, és lecsillapította. Aztán lecsúszott az állat hátáról, megfogta a kantárt, és sétálni kezdett Atalanta mellett.

A lánynak összeszorult a gyomra idegességében. Hiszen a férfi épp az imént vallotta be, hogy utál gyalogolni, mert túl lassúnak tartja. Biztosan volt valami hátsó szándéka, ha csatlakozott hozzá.

– Miért ment be a faluba? – kérdezte. – Talán nyomasztja a házban uralkodó feszültség?

– Miért ment el lovagolni? – kérdezett vissza Atalanta.

– El akartam menekülni Madame Frontenac kérdései elől.

Atalantának eszébe jutott, ahogy az asszony méregetve forgatta maga előtt, hogy megítélje, igazi Frontenac-e, és elpirult. – Nem hinném, hogy már ébren van.

– Ó, ha ez szolgálja az érdekeit, szeret korán kelni. Egyáltalán nem szerettem volna a társaságában reggelizni. Az eltökélten mogorva Françoise társaságában pedig végképp nem.

– Megérkezett Eugénie másik nővére is? – kérdezte Atalanta. – Nem is találkoztam vele az este.

– Talán elfáradt az utazástól. Mindig fáradt. – Raoul forgatta a szemét. – El sem tudom képzelni, hogy lehet egy fiatal hölgynek ilyen kevés energiája. De mint mondtam, az anyjának van elég lendülete mindkettejük helyett.

– Csak futólag láttam. Hozott egy pompás nyakláncot Eugénie-nek.

– Lekenyerezés – jegyezte meg Raoul színpadiasan.

– Tessék?

– Ez csak lekenyerezés. Hogy Eugénie hozzámenjen Gilbert-hez. Hiszen nem is szereti.

Az állítás csendes meggyőződése egy pillanatnyi hallgatásra késztette Atalantát.

– Talán Victort szereti?

Raoul halkan felnevetett.

– Victor örülne, ha így lenne. Előszeretettel játszadozik a nőkkel. Úgy kezeli őket, mintha könnyedén lecserélhető gyerekjátékok lennének. De nem hiszem, hogy Eugénie valaha is szerette Victort. Kétlem, hogy tudja egyáltalán, mi a szerelem.

– Ön szerint mi a szerelem? – Atalanta félig filozofikus kérdésnek szánta, nem feltétlenül számított rá, hogy Raoul válaszol. És ha mégis, nem biztos, hogy örömmel hallgatta volna a válaszát.

Raoul lassan lépdelt, rugdosta a kavicsokat.

– Azt hiszem, valami önzetlen és szerény dolog. Amely fontosabbá teszi a másik felet.

Atalantának tátva maradt a szája. Lehetséges, hogy a férfi valóban így érez?

De Raoul már folytatta is:

– Nem mindenki képes ilyen nemes érzésekre. – Halkan felnevetett. – És ne higgye, hogy hibáztatom Eugénie-t, amiért ő nem képes rá. Én magam is ilyen vagyok.

Atalantának összeszorult a szíve. Raoul megtagadta magától a leggyönyörűbb dolgot a világon: a szerelmet, a kapcsolódást. Azt, hogy a részese legyen valaminek. Hogy legyen családja.

De talán csak úgy gondolta, hogy ez összeegyeztethetetlen az életstílusával, azzal, hogy kockára teszi az életét, valahányszor beül a Maseratijába?

– Nem is tudtam, hogy ön autóversenyző, amíg tegnap este tudomást nem szereztem róla.

– Kitől? – érdeklődött Raoul.

– Angélique Broneur-tól. – Atalanta Raoulra szegezte a tekintetét, amikor kimondta a nevet. Vajon a férfi arca arról árulkodik majd, hogy megbánta, hogy a kapcsolatuk véget ért?

A férfi maga elé meredt. Az arcát mintha márványból faragták volna, hűvös és rezzenéstelen maradt, semmit sem árult el.

– Ezek szerint, beszélt vele az este? Angélique mindig olyan volt, akár egy szorgos kis méhecske – mondta Raoul bánatosan.

– Meglepett, hogy így kockára teszi az életét.

– Tessék?

– El sem tudom képzelni, hogy képes beülni egy autóba, iszonyatos sebességgel száguldani, és remélni, hogy nem hal meg. – Atalantának összeszorult a gyomra, ha arra gondolt, hogy Raoul milyen nagy rizikót vállal. Vajon miért? Mit akar elérni?

Raoul megkönnyebbülten felsóhajtott.

– Amikor az autómban ülök, és versenyzek, a halál az utolsó dolog, ami eszembe jut. Az életre gondolok. Akkor érzem igazán, hogy élek. – Az arca megenyhült, a szeme szenvedélyesen csillogott. – Soha nem érzek úgy, mint a verseny hevében, amikor az autó teljesíti minden kívánságomat, és majdnem olyan, mintha repülnék.

Olyan szenvedéllyel beszélt, hogy a szavai megpendítettek egy húrt Atalanta szívében.

– De mi van a veszéllyel? – kérdezte.

Raoul megvonta a vállát.

– Attól csak még jobb. Mit ér az élet, ha soha nem vállalunk kockázatot. – Raoul arca elkomolyodott. – Gondoljon csak Mathilde-ra! Ő a biztonságot választotta. Egyszerű életet élt vidéken. Mégis meghalt. Egy ostoba baleset miatt. Egyszerűen megbokrosodott egy ló. – Raoul megrázta a fejét. – Nem. Én nem vagyok hajlandó hátradőlni és attól rettegni, hátha valami balul sül el. Nem ringatom magam abba a hitbe, hogy bármilyen módon meghosszabbíthatom az életem fonalát, ha óvatos vagyok. Én hiszek a sorsban. Ha eljön az idő, menni kell. Akárhol is van az ember.

Tényleg ilyen egyszerű lenne?

– De mindig a sors keze van a dologban? Nem lehet másféle tényező? – tűnődött Atalanta.

Raoul rászegezte a tekintetét.

– Mit akar ezzel mondani? Azt, hogy Mathilde nem balesetben halt meg?

– Azonnal rájött, mire gondoltam. – Atalanta belenézett a férfi szemébe. – Bizonyára már ön is töprengett ezen.

Raoul elhallgatott. Az állkapcsa megfeszült, mintha elfogná a méreg. Atalanta egy pillanatig azt hitte, nyeregbe pattan, és otthagyja egy hatalmas porfelhőben. De aztán azt mondta:

– Egy évvel ezelőtt, amikor meghalt, ez meg sem fordult a fejemben. Még akkor sem, amikor néhány napja megérkeztem az esküvőre. De amikor leszúrták azt az orvvadászt…

– Igen? – Atalanta összeszorította a száját, miközben várta, hogy Raoul kimondja ugyanazokat a dolgokat, amelyeket ő gondolt.

– Tudom, hogy a helyi rendőrség azt hiszi, a DuPont és a vadőr közötti ostoba viszály áll a gyilkosság hátterében, esetleg két rivális vadorzó ellenségeskedéséről lehet szó. Lehet, hogy az, aki magáénak nyilvánította a területet, amíg DuPont a börtönben ült, most gondoskodni akart róla, hogy ez így is maradjon. De hogy lehetne valaki olyan ostoba, hogy embert öl, ha ő az első, akire ráterelődik a gyanú? Most lecsukták Sargant-t, és talán soha nem kerül ki onnan. Ennek nincs semmi értelme.

– Az emberek sokszor csak indulatból cselekednek. Nem kell, hogy logikus magyarázatuk legyen.

– Talán nem. De úgy hallottam, DuPont azt állította, tud valamit arról a napról, amikor Mathilde meghalt. – Raoul egy pillanatig elgondolkodott, majd hozzátette: – Hadd fogalmazzam meg kicsit másképpen! Amikor letartóztatták, azt kérte, hadd találkozzon a gróffal. Az emberek azt feltételezték, hogy az ártatlanságát akarja bizonygatni, vagy azt állítja, hogy engedéllyel vadászott Gilbert területén. De mi van, ha a szabadon bocsátása fejében el akarta árulni neki, amit Mathilde balesetéről tud?

– Erre már én is gondoltam – vallotta be Atalanta. – Mit gondol, mit jelenthet ez?

– Mit jelenthet? – kérdezett vissza Raoul.

– Igen. Talán azt, hogy Mathilde nem volt egyedül a baleset megtörténtekor? Ön korábban azt mondta, egy barátjával ment lovagolni. Most már tudom, hogy Angélique Broneur volt az. Lehetséges, hogy valamiképpen Angélique okozta a balesetet?

Atalanta le sem vette a szemét Raoulról, hogy lássa, hogyan fogadja a férfi a felvetését. Vajon azért aggasztotta ennyire a gyilkosság lehetősége, mert félt, hogy a korábbi szerelme is érintett a dologban?

– Angélique akkor azt állította, hogy visszament a házba, mert a lovaglás túl nehéznek bizonyult a számára.

Amilyen szenvedélyesen beszélt korábban, Raoul most olyan gondosan válogatta meg a szavait. Talán rejtegetett valamit?

– Igen, ezt mondta. – Atalanta várta, hogy a férfi folytassa.

Raoul elgondolkodva fűzte hozzá:

– Ez meglepett. Angélique nem az az alkat, aki az első akadálytól meghátrál. És nagyon jól lovagol.

– Nekem azt mondta, hogy nem.

Raoul felvonta a szemöldökét.

– Valóban? Nos, akkor pontosabban fogalmazok. Évekkel ezelőtt még kiváló lovas volt.

– Amikor együtt voltak Olaszországban?

– Ezt is megosztotta önnel? Igen beszédes kedvében lehetett – tette hozzá Raoul kissé fanyarul. – Igen, Olaszországban gyakran lovagoltunk együtt a szőlőbirtokokon. Általában előttem járt, és nagyokat nevetett, amikor átugratott az alacsonyabb falakon. Nem is értem, hogy egy erdei túra mégis miért rémisztette volna meg.

– Szóval úgy gondolja, hogy hazudott arról, ami aznap történt? – Atalanta összerezzent a saját szóhasználatától, de muszáj volt mélyebbre ásnia, és kiderítenie, mi rejtőzhet a háttérben.

– Nem tudom. – Raoul gyötrelmes arcot vágott. – Korábban ez fel sem merült bennem.

– De most, hogy DuPont-nal végeztek, kénytelenek vagyunk erre is gondolni.

– *Vagyunk?* – kérdezte Raoul, a szeme kíváncsian fürkészte Atalanta arcát. – Mit jelent az a „vagyunk”, *mademoiselle?* Miért olyan fontos ez az ön számára?

Egy pillanatra Atalanta azt kívánta, bárcsak egyszerűen elmondhatná neki, hogy azért van itt, mert egy ügyön dolgozik, és akkor a segítségét kérhetné. Úgy tűnt, a férfi számtalan dolgot tud, ami a hasznára lehetne a nyomozásban.

De az őszinteség túl kockázatos lett volna. Nem felejthette el, hogy Raoul is lehet gyanúsított. Hogy talán csak próbára teszi, mert ki akarja deríteni, mit tud.

– Eugénie a rokonom. Azt szeretném, ha boldog lenne. És remélem, hogy ez a házasság elégedetté teszi majd. De úgy tűnik, itt nem könnyű megtalálni a boldogságot. Legalábbis Mathilde-nak nem sikerült.

– Megtalálta, de aztán elragadták tőle. Azt hittem, a sors. De aztán...

– Azon tűnődött, hogy valami sokkal emberibb tényező játszhatott közre?

Raoul halkan felnevetett.

– A számba adja a szavakat. De még nem vontam le semmiféle következtetést. És ez nem is rám tartozik. Eugénie mindenképp férjhez megy Gilbert-hez. Az elejétől kezdve eltökélte. És ha mégis kétségei támadnának, mondjuk Yvette miatt, az anyja majd meggyőzi. Azt akarja, hogy a lánya grófné legyen, nem kevesebb.

Igen, Madame Frontenac valóban olyan erő, akivel számolni kell.

Atalanta csendben lépkedett. Nem árulhatta el Raoulnak, hogy Eugénie kapott egy figyelmeztető levelet, ami felébresztette a félelmét. Az ügyfele megbízott benne, és neki esze ágában sem volt eljátszani a bizalmát. Másrészt viszont, muszáj volt többet kiszednie Raoulból. Hiszen a férfi a család barátja volt, és valószínűleg lényeges dolgokat tudott. Atalantának egyszerűen meg kellett próbálnia, és remélte, a férfi elfogadja, hogy az állítólagos családi kötelék, amely Eugénie-hez fűzi, elegendő magyarázat, miért aggódik ennyire a nőért.

– Látta már valamelyik festményt azok közül, amelyeket Gilbert árul? A reneszánsz képeket, amelyeket Olaszországban vásárolt? – kérdezte.

Úgy tűnt, Raoul meglepődött a hirtelen témaváltástól.

– Miért kérdezi? Talán szeretne egyet?

– Ismerek olyanokat, akiket esetleg érdekelhet – hazudta Atalanta.

– Tulajdonképpen még egyiket sem láttam. De Gilbert nagyon lelkes. Néhány hetente elutazik Olaszországba, és napokat tölt olyan városokban, mint Róma vagy Velence. Új gyöngyszemek után kutat, amelyeket aztán eladhat a párizsi galériáknak. Igazi kincsvadász.

Kincsvadászat... Mathilde is ezt mondta Yvette-nek.

– És hol tartja a gróf a festményeket, mielőtt eladja őket? A házban vannak?

– Úgy hiszem, nem. Egyenesen Párizsba küldi őket. Van ott egy páncélterme. Nem lenne biztonságos itt tartani. Még a végén valaki ellopná őket. Elvégre hetekig nincs is itthon. Persze a személyzet itt van, de... az nem ugyanaz.

– Értem.

Raoul rápillantott.

– Ha tényleg tud valakit, akit érdekelnének, meg kell mondania Gilbert-nek. Mindig hálás az új ügyfelekért. – A férfi megállította a lovát, és felpattant a nyeregbe. – Megyek, megmozgatom szegény párát. Szép napot! – Azzal belevájta a sarkát a ló oldalába, és mozgásba lendült. Ló és lovasa hamarosan beleveszett a távolba.

A lány az ajkába harapott. Raoul Lemont meglepte, valahányszor együtt voltak. Annyival több rejlett benne, mint amit első látásra hitt róla az ember! Atalantát izgalommal töltötte el, hogy a férfi is gondolkodott már Marcel DuPont halálán, mert ez felvetette, hogy esetleg együtt is dolgozhatnak a megoldáson. De nem felejthette el, hogy talán Raoul is érintett az ügyben. Nem vehetett készpénznek semmit, amit mondott. A nagyapja figyelmeztette, hogy mindig ellenőrizze az információkat.

Például okáért, vajon Raoul csak azért mondta, hogy Angélique Broneur sokkal jobban tud lovagolni, mint ahogyan állította, mert gyanúba akarta keverni a nőt?

Ha nem áll szándékában felmelegíteni a kapcsolatukat, még az is lehet, hogy ártani akar a nőnek.

Atalanta nehéz szívvel folytatta az útját a ház felé.

TIZENÖTÖDIK FEJEZET

Atalanta kellemesen elidőzött a könyvtárban, körbesétálgatott, és elolvasta a kötetek címét. A legfelső polctól a legalsóig bőrkötéses könyvek sorakoztak, hívogató, ám kissé letaglózó egészet alkotva. Tényleg arra számított, hogy talál valami fontosat egy helytörténeti könyvben?

Mégis, egy kagylóra bukkantak a halott férfi zsebében. Az ő halálának a grottó volt a kulcsa. Vajon Mathilde tragédiájának is?

Odament a sarokba, és lenyitotta az ott álló íróasztal tetejét. A fedél így írófelületként szolgált, míg a szekrényszerű belsejében apró fiókok és a levelek tárolására szolgáló nyílások sorakoztak. Végigsimított az elefántcsont berakáson. Igazi kifinomult mestermű volt. Meglehetősen nőies. Vajon Mathilde-é lehetett?

Atalanta kihúzogatta a fiókokat. Íróeszközöket talált bennük: tollakat, tintás üvegcséket, itatóspapírt és egy zsebkést. Meg néhány firkalapot, amit arra használtak, hogy kipróbálják rajta a különféle betűtípusokat.

Aztán az egyik fiók mélyén, néhány üres lap alatt talált egy vázlatot a kertről; az egyes pontokat jegyzetekkel látták el. A tónál ez állt: „Áttenni máshová." Más részeket keresztekkel és nevekkel jelöltek meg: Perszephoné, Héra, Minerva.

Atalantának eszébe jutott, hogy a Minerva-szobor alatt kuporogva talált rá Yvette-re. *Mindegyik kereszt egy szobrot jelöl? Csak egy módon deríthetem ki.*

Magával vitte a papírt, és kiment a kertbe. Megtalálta a szobrokat a keresztek helyén, és megállapította, hogy Mathilde-nak nem maradt ideje megvalósítani a terveit. A tó ugyanott volt, ahol megjelölte. És a rózsakert helyére sem került arborétum.

Mindössze egyetlen dolog volt a papíron, amit Atalanta nem tudott elhelyezni. Egy név. Krőzus.

Krőzus egy mitológiai alak volt, tehetős király. Olyasvalaki, akinek a nevével a gazdagságra utalhattak.

Vagy akár kincsekre? Miért tettek volna mögé egy kérdőjelet? Más nevek után nem állt ilyesmi.

A legérdekesebb részlet az volt, hogy Krőzus neve a kertnek azon a részén szerepelt, ahol a grottó is állt.

Atalanta elnézett abba az irányba. A rendőrség átvizsgálta és lezárta a barlangot. Senki sem mehetett oda. Aligha tehetett volna ő is valamilyen törvénytelen dolgot.

Összehajtotta a papírt, elrejtette a zsebébe, majd visszament a házba. Beszélnie kellett az ügyfelével, megtudni, hogy érzi magát egy nappal az esküvője előtt.

Atalanta súlyosnak érezte a lépteit, amikor rájött, hogy semmilyen jelentőségteljes dologról nem tud beszámolni. Hogyan is biztosíthatná a megbízóját, hogy minden rendben lesz? Vagy aggaszthatná még tovább azzal, hogy közli, a gyanúja szerint Mathilde halála nem baleset volt? Az a nő a patikában megemlítette, hogy a fej megsérült, a koponya betört. Talán valaki fejbe vágta a szerencsétlen asszonyt, amíg a földön feküdt az esés után?

Ám mindez csak feltevés volt, nem tény.

Van joga egyáltalán megzavarni az esküvőt, miközben a grófnak talán semmi köze nincs az egészhez, bármi is történt azon a végzetes napon?

Gilbert nem akar mást, csak visszacsempészni egy kis boldogságot a házába és a szívébe.

És nemcsak magáért, hanem az unokahúga kedvéért is.

Ám Yvette ki nem állhatta Eugénie-t, és talán soha nem lett volna képes boldog lenni a társaságában. Akármit is mond Atalanta az ügyfelének, az elmozdíthatja akár ebbe, akár abba az irányba, ami nagy hatással lehet mind az ő, mind mások életére. Hogyan is bánhatna Atalanta bölcsen ilyen nagy befolyással?

Ó, nagyapa! Bárcsak itt lennél, és megmondanád, mit tegyek!

Amikor megérkezett Eugénie szobájához, rádöbbent, hogy a lehető legrosszabb pillanatot választotta. A nő éppen a menyasszonyi ruháját próbálta, miközben az anyja meg a két nővére körülötte sürgölődött, igazgatták az ujjat és a fejdíszt.

Atalanta azonnal mentegetőzni kezdett, és azt mondta, majd később visszajön, de Eugénie behívta, és idegesen nekiszegezte a kérdést:

– Hogy nézek ki?

– Már mondtuk, hogy *merveilleuse** – vetette közbe Françoise túlzó lelkesedéssel, de Eugénie csak legyintett.

– Egy pártatlan véleményt akarok hallani – közölte. – Te akkor is azt mondanád, hogy bájos, ha egy krumpliszsákot húznék magamra.

Françoise sértett arcot vágott, és ránézett az anyjára.

– Hallottad ezt, *maman?* Miért kell Eugénie-nek folyton bántania?

Madame Frontenac azonban mintha észre sem vette volna a legidősebb lányát, mert elragadtatottan gyönyörködött a legfiatalabban. Összekulcsolta a kezét a mellkasa előtt:

– Édes kicsikém! – suttogta. Eugénie intett Atalantának, hogy lépjen közelebb.

– Mit gondolsz? – Körbefordult, a szoknyarész lágyan meglibbent. – Elég szép egy grófnénak?

– Igazán lenyűgöző – mondta Atalanta, miután megcsodálta a madarakat és virágokat formázó hímzésekkel díszített felsőrészt. – Szorgos kezek hosszú órákig dolgozhattak ezen a kézimunkán.

* csodálatosan *(francia)*

– Igen, és éppen ezért szóba sem kerülhet, hogy elhalasszuk az esküvőt. – Madame Frontenac Eugénie-re szegezte a mutatóujját. – A halántékod nem olyan rémes, hogy ne tudnál az oltárhoz sétálni.

– De *maman!* – szólt közbe Louise. – Ha nem érzi jól magát... – A szeme buzgón csillogott. – Várhatnánk még egy hetet.

– Már érkeznek a vendégek, és holnap ünnepelünk.

Az anyja magabiztos szavai hallatán Eugénie arcáról lehervadt a boldog mosoly, és leroskadt az ágyra.

– Még gondolkodom... – Esdeklő pillantást vetett Atalantára.

Atalantának kiszáradt a torka. Nem tudta teljesíteni a megbízatást. Semmi biztosat nem mondhatott az ügyfelének.

– Ne butáskodj, kislányom! – szólalt meg Madame Frontenac. – Egy igen magas rangú férfihoz készülsz hozzámenni. – Odasietett a lányához, és megérintette az ifjú menyasszony nyakában lógó gyémánt nyakéket, amit a minap hozott magával. – Édesapáddal nagyon elégedettek vagyunk.

– A papa nem jön el – vetette közbe Louise diadalittas hangon.

Atalantának ismét eszébe jutott a ruhapróba. Martin Frontenac azt tervezte, hogy részt vesz az esküvőn, és most mégsem jön el. Vajon ez mit jelenthetett? És mi a helyzet a szabósegéd állításával, miszerint az eljegyzési gyűrű, amit Eugénie visel, valójában hamisítvány?

– Üzleti ügyben marad távol. – Az anyja dühödt pillantást vetett Louise-ra. – Ha nem tudod magad hasznossá tenni, akár el is mehetsz.

– De *maman*...

– Most!

Louise egy tapodtat sem mozdult.

– Én vagyok az egyik koszorúslány. Itt kell lennem, amikor a menyasszony felpróbálja a ruhát.

– Csak féltékeny vagy – fröcsögte Eugénie. – Te akartál hozzámenni Gilbert-hez.

Louise arca mélyvörös árnyalatot öltött.

– Ez nem igaz – vágott vissza elhaló hangon. – Én hoztam össze Mathilde-dal.

– Igen, de aztán rájöttél, hogy hibát követtél el. Örültél, amikor Mathilde meghalt, mert úgy gondoltad, most eljött a te időd.

Louise-nak már lángolt az arca.

– Ez nem igaz! – Nem hangzott túl meggyőzőnek. Eugénie kihúzta magát az ágyon.

– Te küldted azt a levelet? Te rejtetted a kosárba a zöldségek közé?

Louise szólásra nyitotta, majd újra összezárta a száját.

– Miféle levél? Milyen zöldség? – kérdezte Madame Frontenac.

– A levél azután is belekerülhetett a kosárba, miután a szakácsnő hazaért. A szobalányok az emeleten voltak. A komornyik pedig kimenőn.

– Honnan tudod ezt? – kérdezte Louise, de aztán elhallgatott.

Eugénie odarohant hozzá, és nekiesett.

– Te voltál! Te szánalmas, féltékeny kis…

Louise hátralépett, hogy elkerülje a húga ütéseit.

– *Maman!* Mondj valamit!

Madame Frontenac hadonászni kezdett.

– Vigyázzatok a ruhára, lányok! Egy vagyonba került. Milyen levélről beszél? – kérdezte, aztán odafordult Atalantához. – Milyen levélről beszéltek?

Eugénie azonban átvette a szót.

– Szörnyen ideges voltam idefelé jövet, és elmeséltem Atalantának, hogy kaptam egy levelet, amelyben az áll, hogy Mathilde halála nem baleset volt, és én leszek a következő áldozat.

Madame Frontenac döbbenten meredt rá.

Atalanta arra számított, hogy az asszony felszisszen, megtántorodik, talán kis híján elájul. Ám Madame Frontenac mindössze enynyit mondott:

– Te megőrültél, kislányom? Az efféle leveleket mindig rosszindulatból küldik, és… nem jelentenek semmit. Ilyen gyáva vagy?

Aztán odafordult Louise-hoz.

– Te írtad? Jobban teszed, ha most megmondod az igazat, mert később úgyis rájövök.

Louise úgy festett, mint aki legszívesebben elsüllyedne szégyenében.

– Én, ööö...

– Tudni akarom az igazat, most azonnal! – csattant fel az asszony, és dühösen toppantott, hogy aláhúzza a mondandóját.

– Igen, én küldtem. – Louise lehorgasztotta a fejét. – Csak mérges voltam rá, amiért folyamatosan az orrom alá dörgölte, hogy ő férjhez megy, én meg nem. Nagyon rosszulesett.

– Szóval te írtad azt a levelet? – kérdezte meg újra Madame Frontenac.

– Igen. Most mondtam, nem?

– És mi állt benne? – vetette közbe Atalanta. – Hogyan írták?

Louise ránézett.

– Ezt meg miért kell megmondanom?

– Nagyon fontos, hogy biztosan tudjuk, valóban te voltál. Mert akkor semmi nem fenyegeti Eugénie boldogságát, és nyugodtan férjhez mehet holnap.

Madame Frontenacnak kisimult az arca.

– Persze. Nagyon bölcs vagy, lányom. – Aztán odafordult Louise-hoz. – Mondd el, amit tudni akar!

Louise továbbra is vonakodott, de amikor az anyja odalépett mellé, és az oldalába bökött, végül megszólalt:

– Élénkvörös tintával írták. Az áll benne: „Az első felesége nem balesetben halt meg. Légy óvatos! Jobban teszed, ha félsz."

Szó szerint. Ki tudhatta volna a levél íróján kívül?

Madame Frontenac meghökkenve nézett a lányára, majd felhorkant.

– Micsoda ostobaság! Túl sok olcsó regényt olvasol, kislányom. Ki kell találnom neked valami megfelelő büntetést ezért. Így megrémiszteni a húgodat! – Azzal Eugénie-hez fordult, és azt búgta: – De most már minden rendben, édesem. Ez a levél csak egy trükk volt. Nem jelentett semmit. Holnap nyugodtan férjhez mehetsz, és boldog lehetsz. –

Megcsípte a lánya arcát. – Mosolyogj, kislányom, mosolyogj! – Eugénie bizonytalanul elhúzta a száját, de a tekintetével Atalantát kereste.

Az ügyfele nyilvánvalóan megerősítést várt, hogy az anyja helyes következtetésre jutott, és végül minden megoldódott. Ám a lelke mélyén Atalanta egyáltalán nem volt biztos ebben. Az, hogy Louise tudott a levélről, annak ellenére, hogy Eugénie nem osztotta meg vele, valóban azt bizonyította, hogy ő írta. De a nagy kérdés továbbra is megmaradt: miért tett volna ilyet, ha nem hiszi azt, hogy valami nem volt rendben Mathilde halála körül?

Atalanta csendesen Louise-hoz fordult.

– Beszélhetnénk kint, a folyosón?

Louise hitetlenkedve meredt rá.

– Miért akarnék veled beszélgetni?

– Kérlek, gyere, hallgass meg!

Louise vetett egy pillantást az anyjára, aki újra a ruhával babrált, majd felsóhajtott, és követte Atalantát.

– Úgy gondolod, hogy Gilbert, Surmonne grófja megölte az első feleségét, Mathilde-ot?

Louise elhűlve meredt rá.

– Dehogy! Én tisztelem Gilbert-t, az egyik legkedvesebb barátom.

– Akkor miért kockáztattad meg, hogy írsz egy levelet, amely gyanúba keverheti? Hogy fájdalmat okozz a húgodnak? Ennek semmi értelme. Nem éri meg.

– Nem gondoltam, hogy Eugénie bárkinek is elárulja. Ha tudnád, hogy milyen rosszulesne Gilbert-nek!

– Az is rosszulesne neki, ha Eugénie felbontaná az eljegyzésüket a levél miatt.

– Olyat úgysem tenne. Ahhoz túl hiú. Grófné akar lenni.

– De akkor mi volt a levél célja? Pusztán az, hogy megrémiszd?

– Ennyire nem gondoltam végig. – Louise karba tette a kezét. – Csak egy kicsit szórakozni akartam az ő kontójára. A komornyiknak kimenője volt; tökéletes alkalom kínálkozott.

– Persze... – helyeselt Atalanta szórakozottan. – A levélben nem az szerepel, hogy Gilbert megölte a feleségét. Valaki mással kapcsolatban is figyelmeztethetted Eugénie-t. Ki járt a fejedben?

Louise-nak megvillant a szeme. Atalanta nem tudta eldönteni, hogy őszintén gondol valakire, vagy gyorsan megpróbál előállni egy gyanúsítottal, akit besározhat.

– Őszintén szólva Yvette-re gondoltam – szólalt meg végül. – Mindig kiszámíthatatlan volt. – Vett egy mély levegőt, és hozzátette: – Volt idő, amikor úgy gondoltam, szerelmes vagyok Gilbert-be. Azt hittem, ő is szerelmes belém. De azon igyekeztem, hogy ez ne ölthessen testet, méghozzá Yvette miatt. Tudom, hogy Gilbert felelősséget vállalt a felneveléséért, és... nos, őszintén nem láttam magam, ahogy egy fedél alatt élek vele. Láttad, mire képes. Folyamatosan zűrzavart kelt. Ha a közelben van, senkinek nem lehet nyugalma. Ezért bemutattam Gilbert-t Mathilde-nak. Neki nem volt baja a zűrzavarral. Az igazat megvallva, kedvelte Yvette-et. Úgy éreztem, illenek egymáshoz.

– Igen, hallottam, hogy Yvette rokonszenvesnek találta, és sok időt töltöttek együtt. De akkor miért bántotta volna Mathilde-ot?

– Mert az ember soha nem tudhatja, mi játszódik le annak a lánynak a fejében. Szándékosan ilyen kiszámíthatatlan. Különösen, ha úgy érzi, valaki megsérti az érzéseit.

Atalanta maga elé meredt. Valahányszor azt hitte, végül összeállt a kép, valaki elmozdította a kirakós egy darabját, és a helyére illesztett egy másikat. Soha nem sikerül befejeznie. Visszafordult Louise-hoz.

– Te öntöttél sarat Eugénie-re a grottónál?

– Én tartózkodom az efféle gyerekes csínyektől. Biztosan Yvette volt. Vagy Victor.

– Victor? – kérdezett vissza Atalanta.

– Igen. Elég dühös volt, amikor Eugénie úgy döntött, hogy elfogadja Gilbert házassági ajánlatát. Azt remélte, hogy megszerzi magának. Természetesen a pénzért, mert az apja kitagadta.

– És most neked udvarol?

– Csak barátok vagyunk. – Louise hátralépett. – Nagyon kíváncsi vagy. Talán túlságosan is kíváncsi. – A szoba felé bökött. – Visszamehetek? – kérdezte kihívó hangon.

– Természetesen. – Atalanta rámosolygott. – Jól tetted, hogy elmondtad az igazat a levéllel kapcsolatban. Most Eugénie sokkal jobban fogja érezni magát.

– Így is meg fogja bánni, hogy hozzámegy Gilbert-hez. – Louise hangja elégedettségről árulkodott. – Gilbert jó ember, és ez a tulajdonsága arra vezeti, hogy elviselje Yvette-et, amikor már rég meg kellett volna szabadulnia tőle. Egy nap az a lány lesz a veszte.

Azzal visszament a szobába, és becsapta az ajtót Atalanta orra előtt.

Jobb is így. Atalantának nem volt semmi oka jelen lenni a ruhapróbán. A levél kérdése tisztázódott, ám más részletek továbbra is homályosak maradtak. Ki támadta meg Eugénie-t a grottónál?

Victor? Atalantának még nem volt lehetősége beszélgetni vele.

Egy szobalány sietett végig a folyosón, és felragyogott az arca, amikor megpillantotta Atalantát.

– Telefonhívása van, *mademoiselle.* A hallban találja a készüléket.

Atalanta lesietett, és a füléhez emelte a kagylót.

– Halló?

– Renard vagyok. Van néhány információm az ön számára. Ne mondjon semmi árulkodót! Lehet, hogy valaki hallgatózik.

– Rendben, köszönöm. – Atalanta körülnézett. De aztán rájött, hogy ha nem is lát senkit a közelben, hallgatózni akkor is lehet, hiszen nyilvánvalóan érteni lehet minden szavát. Például, ha az illető a feje fölött helyezkedik el.

– Érdeklődött Yvette-ről, a gróf gyámoltjáról. A néhai fivérének a lánya. A szülei halála után a lány tekintélyes összeget örökölt bemutatóra szóló kötvényekben, amit akkor kap meg, ha betölti a tizennyolcat, nyilvánvalóan azért, hogy kárpótolják, amiért a család teljes vagyona az öccsére szállt. Ami őt illeti, nemrégiben rúgták ki egy bentlakásos iskolából, amiért fegyvert fogott egy diáktársára, akit nem kedvelt.

Atalanta felszisszent.

Renard folytatta:

– Korábban is volt már egy incidense, amikor egy nyíllal rálőtt a zenetanárára. A férfinak megsérült a válla, és soha többé nem tudott hegedülni.

Még belegondolni is borzalmas volt, hogy az ember egyszer csak képtelen lesz játszani a hangszeren, amit imád, és amivel a kenyerét keresi.

– A család kifizette – magyarázta Renard. – Úgy tűnik, a fiatalember hajlamos az erőszakra.

És talán nem ő az egyetlen. Lehetséges, hogy Yvette ugyanilyen volt: buzgón igyekezett megbüntetni azokat, akik megbántották, vagy akár végleg eltávolítani őket az életéből. Ám úgy tűnt, amíg az öccse meglehetősen átlátszó módszereket alkalmaz, hiszen a cselekedetei azonnal visszavezethetők hozzá, Yvette sokkal okosabb... Már ha valóban volt valami köze Mathilde halálához. Hiszen most már fel sem merül a kérdés, hogy nem baleset történt.

Fájdalmas volt kivetni a hálót Yvette-re, de tartozott az ügyfelének annyival, hogy megállapítsa, milyen veszélyes lehet valójában.

Renard folytatta.

– Raoul Lemont-ról is kérdezett. Francia apa és spanyol anya gyermeke. Különféle egyetemeken tanult, aztán elkezdett autóversenyezni. Jelenleg az egyik legünnepeltebb sofőr az olasz és német versenypályákon. Úgy tűnik, nem nagyon érdekli, hogy él-e, vagy hal.

Renard egy pillanatra elhallgatott, majd hozzátette:

– Számtalan nővel kapcsolatban felmerült a neve, még egy férjezett bárónő is szóba került, de nem sikerült kiderítenem, volt-e viszonya Mathilde Lanier-vel.

Atalanta szeretett volna kérdezni Angélique Broneur-ról, de nem akart nevet mondani.

– Rendben – nyugtázta ismét.

– Hallottam valami nagyon érdekeset Mathilde családjáról – folytatta Renard. – Az apja meghalt, amikor ő még csak tízéves volt, és mindig nagyon közeli kapcsolat fűzte az édesanyjához. Madame Lanier teljesen összetört a lánya halála után, és az egészsége is kárt szenvedett. Sok időt töltött külföldön, gyógyulást ígérő forrásokat és egyéb helyeket keresett fel, de nemrégiben visszatért, miután megtudta, hogy mindössze néhány hónapja maradt hátra.

Egy nő, akinek nincs mit veszítenie.

Atalanta megszorította a telefonkagylót. Miért kellett részt vennie a lánya özvegyének esküvőjén? *Talán van valamilyen terve, amit véghez akar vinni?*

Vagy egyszerűen csak szeretné lezárni a múltat, mielőtt meghal? Megbékélni a lánya halálával, mielőtt eljön az ő ideje?

– Nagyon óvatosnak kell lennie, mert zavaros vizekre evezett.

– Az leszek, *merci.* Hívjon újra, ha megtud még valamit! – Atalanta felakasztotta a kagylót. Felnézett, és megpillantotta Gilbert-t, aki a lépcsőn állt. Atalanta zavarba jött, amiért éppen róla beszélt, miközben azt próbálta kideríteni, nem felel-e egy gyilkosságért, ezért elpirult. – Próbálok megszervezni egy koncertet – hazudta. – Az egyik barátom helyszínt és zenészeket keres. – Remegett a hangja, és attól tartott, hogy a gróf azonnal átlát a szitán.

– Értem. – A gróf lesietett a lépcsőn. – Feltétlenül értesítenie kell bennünket a részletekről. Biztos vagyok benne, hogy Eugénie-vel örömmel elmennénk.

Atalanta úgy érezte, mintha már skarlátvörösen lángolna az arca, de rámosolygott Gilbert-re.

– Úgy lesz. Ön túl kedves hozzám.

– Éppen ellenkezőleg, túl sok minden jár a fejemben, és nem fordítok elegendő figyelmet a vendégeimre. De szándékomban áll változtatni ezen. Kérem, engedje meg, hogy megmutassam a kápolnát, ahol holnap sor kerül az esküvőre! A személyzet éppen most díszíti.

– Igazán nagy örömömre szolgálna. – Atalanta örült, hogy elterelik a figyelmét, és követte a grófot a folyosón egy kis faajtó felé, amely a ház hátsó felében nyílott. Onnan egy újabb ajtón át lehetett bejutni a kápolnába, ahol a központi folyosó két oldalán fa padsorok húzódtak, elöl pedig egy kis emelvény kapott helyet, ahol a pap állhatott majd.

Faliszőnyegek borították a falakat, és aranylevelekkel díszített, gazdag kékekben és vörösekben pompázó szentek festményei uralták az oltárképet. A szolgálók hófehér rózsákkal díszítették a padsorok végét.

– Nem hervadnak el, mielőtt elkezdődne az esküvő? – érdeklődött Atalanta.

– Vízzel teli vázákban vannak, amelyeket aztán fehér vászonnal és csipkével a padokhoz rögzítenek. Minden apró részletet kidolgoztunk. – Gilbert elmosolyodott. – Remélem, tetszik.

Atalanta viszonozta a mosolyát.

– Nagyon. És gyönyörűek az ablakok. – Felmutatott a festett ablaküvegre, amely egy férfit és egy nőt ábrázolt, akik fogják egymás kezét.

– Az összes elődöm itt kelt egybe – mesélte Gilbert.

– És ide is temetkeztek? – kérdezte Atalanta. – Hallottam valamit egy családi sírboltról.

– Igen. – Gilbert egy négyzet alakú nyílásra mutatott az emelvény mellett, ahonnan lépcsők vezettek lefelé. – Nem gyakran megyek le oda. Sötét és nyirkos, sivár hely.

Miközben beszélt, valami megmozdult a nyílás sötétjében. Egy feketébe öltözött alak bukkant elő.

Gilbert hátrahőkölt, és egy szempillantás alatt elsápadt.

Atalantának is nagyot dobbant a szíve, de a karcsú alak ismerősnek tűnt.

– Madame Lanier az – súgta oda Gilbert-nek.

A gróf szemmel láthatóan igyekezett visszanyerni az önuralmát, és előrelépett.

– Madame Lanier! Nem érzi jól magát?

– Csak meglátogattam Mathilde-ot. – Madame Lanier-nek vöröslött a szeme. – Elmondtam neki, hogy újra megnősülsz.

Mindenki elhallgatott, és Atalanta félig arra számított, hogy az idős hölgy megosztja velük, mit gondol Mathilde erről a kérdésről. Úgy beszélt a lányáról, mintha még élne.

– Azt mondta, újra kell nősülnöm, ha vele történne valami, mielőtt gyermekünk születik – szólalt meg végül Gilbert. – Megértette, hogy egy grófnak kötelezettségei vannak a birtoka és az emberei felé.

Madame Lanier éles pillantást vetett rá.

– Miért gondolta volna Mathilde, hogy valami történik vele?

– Ugyan, tudja, milyen volt. Sokszor megsérült már. Leszögezte, hogy nem változtat a szokásain, és nem lesz óvatosabb csak azért, mert már férjnél van, ráadásul grófné. – A férfi lágyan elmosolyodott. – Azt mondtam, a világért se kérném tőle, hogy változzon meg, mert olyannak szeretem, amilyen. – A szeme elsötétült a fájdalomtól. – Olyan boldogok lehettünk volna!

Madame Lanier a karjára tette a kezét.

– Nem kell aggódnod. Ő is boldog volt. Megírta, milyen elégedett. Azt mondta, nem is kívánhatna többet. Hogy tudja, helyén a szíved, és valódi kincsre lelt benned. Ó, hogy mennyire tudunk ragaszkodni azokhoz a dolgokhoz, amelyeket szeretünk, közel tartani őket a szívünkhöz! De aztán kihullanak a kezünkből, akár a porszemek.

Magányos könnycsepp csordogált lefelé az arcán, majd végigsietett a folyosón: komor, törékeny alak, a fekete ruhája éles kontrasztot vont a ragyogó fehér rózsákkal.

– Nem lett volna szabad idejönnie – jegyezte meg Gilbert. – Túl sokat vár magától.

Csendesen ácsorogtak, a kedélyes légkör egy csapásra szertefoszlott. Még a levegőben lebegő, édes virágillat is illetlenségnek hatott.

Gilbert Atalantára nézett, és elcsukló hangon azt kérdezte:

– Ön szerint rosszul teszem, hogy újra megnősülök? – Úgy tűnt, elkeseredetten vágyik a nemleges válaszra, ám ezzel együtt beletörődne az ítéletbe.

– Nem. Nem sóvároghat valaki után, aki sosem tér vissza – szögezte le Atalanta, aztán rövid hallgatás után hozzátette: – De a választása még bajt okozhat. Eugénie nem jön ki jól Yvette-tel. Megértem, hogy ön felel érte, amíg be nem tölti a tizennyolcat. De az még két év. – *Én még csak két napja vagyok itt, de el sem tudom képzelni, hogy ebben a folyamatos feszültségben mennyi időnek tűnne két év!*

– Úgy gondolja, várnom kellett volna, amíg hivatalosan felnőtt lesz, mielőtt új feleséget keresek magamnak? Ez volt a szándékom, de találkoztam Eugénie-vel, és... újra fényt hozott az életembe. Önzőség lenne vágyni a boldogságra? Talán az. – Azzal elfordult tőle, és faképnél hagyta, ügyet sem vetett az egyik szolgálólányra, aki kérdezni akart valamit a díszítésről.

Atalanta rámosolygott a döbbent lányra, elmondta, hogy minden lélegzetelállítóan fest, és a menyasszony nagyon elégedett lesz. Erre az bizonytalanul elmosolyodott.

Ám Atalanta hangulatát nem lehetett ilyen könnyen jobbá varázsolni. A nyugtalanság valósággal kavargott benne, ki kellett jutnia a házból.

Szükségem van egy kis friss levegőre. Gondolkodnom kell.

TIZENHATODIK FEJEZET

Bár a rendőrség azt mondta, a grottóba tilos a belépés, Atalantát ellenállhatatlanul csalogatta a barlang. A térkép, amit Mathilde készített a kertről, feltüntette a kagylóval kirakott építményt, méghozzá azzal a csábító nyommal, hogy „Krőzus". Talán valami rejtett kincs lehet? Egy relikvia?

Louise meglehetősen becsmérlően említette, hogy Mathilde és Yvette kincsekre vadászott, és hogy ez csak valami mesebeli ostobaság, amibe beleképzelték magukat. De mi van, ha valamiképpen mégis a valóságra utalt? Olyasvalamire, amit Matilde felfedezett, miközben tervezgette az új kertet?

Atalanta elhessegette a lelkiismeret-furdalását, miközben átbújt a vastag kötél alatt, amely a tiszafák között feszült, hogy elzárja a grottóhoz vezető ösvényt. Belépett a barlangba, és magába szívta a nyirkos levegőt.

Hűvös érzés kúszott felfelé a nyakán. Mi van, ha valaki itt ólálkodik, és csak rá vár? Ha kárt akar tenni benne?

A falnak vetette a hátát, nézte a fényt, hogy ellenőrizze, nem lát-e valami hirtelen megrebbenő árnyékot, de semmi sem moccant. Végül lecsillapodott a szívverése, és rávette magát, hogy észszerűen gondolkodjon. Hogy tudná a legjobban kideríteni, hogy a grottó valóban rejteget-e valamiféle titkot?

Valamit, amiért érdemes ölni?

A kagylóval kirakott falra irányította a figyelmét, a mozaik sok apró részletére, amelyek boldog nimfákat és a vadászkopók által üldözött szarvast ábrázolták. Marcel DuPont-nak egy kagylót találtak a zsebében.

Leszedte a falról? Vagy felvette a földről?

Egyáltalán mit kereshetett itt?

Találkozott Sargant-nal? Megpróbálta elmondani neki, amit megtudott Mathilde haláláról, és pénzt kérni a hallgatásáért?

De Sargant az esküdt ellensége volt.

Ennek nincs semmi értelme.

Talán DuPont tudott valamit erről a grottóról? Vajon, amikor letartóztatták vadorzásért, és azt kérte, hogy beszélhessen a gróffal, azt akarta elmondani Gilbert-nek, amit itt talált?

Vagy inkább olyasvalamit, amit Mathilde fedezett fel a halála előtt? A patikában dolgozó nő említette, hogy Mathilde fejsérülést szenvedett, betört a koponyája. Lehetséges, hogy a barlangban kutakodott, és valaki rádobott valamit a nyíláson át? Vagy mögé lopakodott, és fejbe csapta? Aztán egy ösvényre húzta a holttestet, és megsarkantyúzta a lovat, hogy úgy tűnjön, mintha baleset történt volna?

A gondolattól, hogy valami végzetes dolog történt ebben a barlangban, hevesebben vert Atalanta szíve. Figyelmesen hallgatta a zajokat, amelyek beszűrődtek a nyíláson. Aztán vett egy mély lélegzetet, és odalépett a kagylófalhoz. Megérintette a kagylókat, először a nagyobbakat, és megpróbálta benyomni vagy elforgatni őket. Talán rejtőzött valahol egy fogantyú, amivel be lehetett jutni egy eldugott fülkébe? Egy titkos rejtekhely, amire Mathilde rátalált?

Krőzus…

Leguggolt a mélyebben sorakozó kagylókhoz, megpróbált felfedezni valamiféle mintát, de semmi sem mozdult a kutakodó ujjai alatt. Talán őrültség volt azt gondolni, hogy valamiféle rejtekhely lapulhat a sziklás felszín mögött? Lehetséges, hogy nem tömör?

De Mathilde vajon miért jelölte meg ezt a helyszínt? És mit keresett itt Marcel DuPont?

– Talán elveszítette az egyik fülbevalóját? – kérdezte egy gúnyos hang.

Atalanta felpattant, és lehorzsolta a vállát a sziklás falon.

– Au! – Felemelte a kezét, hogy megdörzsölje a sajgó részt.

– A rendőrség azt mondta, ne jöjjünk ide – jegyezte meg Raoul, miközben cinikusan méregette.

– Akkor ön mégis mit keres itt? – kérdezte Atalanta.

– Követtem magát.

Atalanta csak pislogni tudott a döbbenettől. Egy ilyen egyszerű vallomásra a legkevésbé sem számított.

– Követett? És miért?

– Mert nem volt jobb dolgom? Mert úgy tűnik, hogy folyton valami kalamajkába keveredik?

– Kalamajkába? – kérdezett vissza Atalanta rosszallóan. – Felnőtt nő vagyok, nem valami diáklány, akit meg kell mentenie.

Valami megvillant a férfi szemében. Ingerültség?

– Azon tűnődöm, vajon mit keres egyáltalán itt, Bellevue-ben, Mademoiselle Frontenac? – Raoul rászegezte a tekintetét. – A többieket talán átejtheti a történetével, hogy zongorázni fog az esküvőn, de engem nem.

Atalantának kalapált a szíve a mellkasában.

– Menjen, kérdezze csak meg Eugénie-t! Ő hívott meg ide.

– Igen, ő hívta meg, ebben biztos vagyok. De mi a valódi oka annak, hogy itt van?

– Fogalmam sincs, miről beszél.

– Akkor mit csinált itt?

– Érdekel a mitológia.

– Ó, igen! Atalanta… – Lassan mondta ki a nevét. – Felteszem, a szülei csöpögtették önbe a mitológia iránti érdeklődést azzal, hogy egy legendás nőről nevezték el.

– Valóban. Anyám még gyerekkoromban a kezembe adott egy könyvet, ami a görög mitológiáról szól.

– Nem biztos, hogy kislánynak való történetek.

– Anyám imádta őket, rendszeresen felolvasott nekem a könyvből. Kihagyta azokat a részeket, amelyek túl rémisztőek voltak. – Atalanta elmosolyodott. A legédesebb emlékei azokról a délutánokról maradtak, amikor az anyja olvasott neki.

– Atalanta. Aki képes volt felvenni a versenyt bármelyik férfival. Ráadásul igazi vadász. Azon tűnődöm… – Raoul közelebb hajolt Atalantához. – Vajon ön mire vadászik itt?

A férfi közelségétől még hevesebben zakatolt Atalanta szíve. Raoul számtalan szempontból jelentett veszélyt a küldetésére. Idegesen felnevetett.

– Szerettem volna közelről látni a kagylók mintázatát, felfedezni, hogy készült a mozaik.

– És minden további nélkül figyelmen kívül hagyta a rendőrségi utasítást, hogy senki nem jöhet a közelbe? Vagy a tényt, hogy Eugénie-t itt támadták meg? Ugyan már! Önnek sokkal több esze van ennél. Valóban egy mintázatot keres, de nem olyat, ami kagylókból készült. Az események közötti mintázatot.

A férfi olyan közel állt Atalantához, hogy a helyzet már-már kezdett zavarba ejtő lenni.

– Valószínűleg Yvette támadta meg, és csak egy gyerekes csíny volt az egész. Ebben nincs semmi rejtélyes. Hiszen nem éppen a legjobb barátnők. – Atalanta vett egy mély lélegzetet. Égett a lehorzsolt válla, de eltökélte, hogy nem mutatja ki a fájdalmát. El kellett terelnie Raoul figyelmét arról, hogy mi vezérli a cselekedeteit. Méghozzá azonnal. – Jobban tenné, ha több időt töltene Angélique Broneur-val. Úgy tűnik, buzgón igyekszik feléleszteni, ami kettejük között volt Olaszországban.

– Honnan tud erről?

– Ő mondta. – Ez csak félig volt igaz, de azt nem vallhatta be, hogy látta, amikor a nő meg akarta csókolni, ám Raoul visszautasította.

– Az olaszországi napok már rég elmúltak. Akkor még más ember voltam. Ő pedig egy ártatlan kislány, és nem ez a színpadias díva, aki most – magyarázta Raoul sóvárgó hangon. – Mégis miért árult volna el önnek egy ilyen személyes jellegű dolgot?

– Nem tudom. Meglehetősen nyitottnak tűnik, túláradó személyiségnek.

Raoul ábrándosan elmosolyodott, ami azt súgta, hogy Angélique még most sem hagyja teljesen hidegen.

– Az biztos. Jó, hogy eljött.

– Látja? Minden rendben. – Atalanta visszafordult a kagylómintázathoz, és végigpásztázta a tekintetével. A szeme megakadt egy helyen, ahonnan hiányzott egy kagyló. Lehajolt, és bedugta a kisujját az üregbe. Vajon innen vette Marcel DuPont azt a darabot, amit a zsebében találtak? És ha igen, miért?

Megpróbálta mélyebbre dugni az ujját, de úgy tűnt, szilárd falba ütközik.

– Nehogy tönkretegye! – figyelmeztette Raoul. – Nagyon régi, és Gilbert szörnyen védi az értékeit.

Atalanta azon tűnődött, vajon nem maga a gróf írta-e azt az üzenetet Eugénie-nek, azt sugallva, hogy Victor vár rá itt, és azért öntötte a sarat a nyakába, hogy megbüntesse. Ha úgy óvta, ami az övé, bizonyára nem nézte jó szemmel, hogy a szőke férfi még mindig képes felkelteni a menyasszonya figyelmét.

De a sofőr azt mondta, a gróf az egész délelőttöt a kávézóban töltötte, mert találkozója volt valakivel. Nem térhetett vissza a birtokra.

Furcsa hangra lettek figyelmesek, halk kaparászásra, mintha valaki mozogna a fejük fölött.

Atalanta felemelte a fejét, és felnézett a nyílásra. Csak nem egy árnyékot látott ott?

Raoul is felkapta a fejét.

– Valaki figyel bennünket – mondta visszafojtott lélegzettel. Aztán kirohant. Atalanta követte, majd megállt mellette, és mindketten felnéztek a sziklára. Egy feketerigó röppent fel, majd foglalt helyet az egyik közeli fán, felháborodottan rikoltozva.

Raoul megrázta a fejét.

– Lassan elharapódzik rajtunk az üldözési mánia. Ez csak egy madár volt, aki rovarokat keresett a mohában, ami a sziklát fedi. – Kinyújtotta a kezét, és megragadta Atalantáét. – Elég ebből a zord, kísérteties helyből! Élveznünk kellene a verőfényes napsütést. – A karjába fűzte Atalantáét, és elindultak. – Nem szólok semmit Gilbert-nek a kis kiruccanásáról.

– Kétlem, hogy bánná – közölte Atalanta sokkal magabiztosabban, mint ahogy érezte.

Raoul lelassította a lépteit, és a szabad kezével intett a levegőben.

– Nézze csak ezt a kilátást! A levendulamezőket és a távoli földeket. És hallgassa csak!

Atalanta feszülten hallgatózni kezdett.

– Nem hallok semmit. Csak madárcsicsergést.

– Pontosan. Csend van. Olyasvalami, amit azok a vidékimádók olyan elbűvölőnek találnak.

– Talán ön nem?

Raoul felnevetett.

– Én városi ember vagyok. Alig várom, hogy elszabadulhassak innen, és visszatérjek Rómába.

– Egy újabb versenyre? – Atalantának összeszorult a szíve, ha arra gondolt, hogy Raoul az életét kockáztatja. De ő nem így érzett. Őt boldoggá tette a versenyzés. Úgy érezte, hogy él. – Ha nem szereti a vidéki békét, miért jött ide? Megértem, hogy évekkel ezelőtt jó barátok voltak a gróffal, de... könnyedén találhatott volna valami kifogást. Hiszen még Monsieur Frontenac, az örömapa sincs jelen.

– Aggódtam, hogy pontosan annak fog tűnni, egy kifogásnak, hogy ne kelljen eljönnöm. És kinek van szüksége kifogásokra? Azoknak, akik rejtegetnek valamit. – Raoul még lassabbra fogta, a tekintete a távolba veszett. – Nem titok, hogy szárnyra kaptak olyan híresztelések, miszerint szerelmes voltam Mathilde-ba. Úgy tűnik, az emberek azt hiszik, minden nőbe beleszeretek, akivel megismerkedem.

– Talán minden *más* nőbe? – élcelődött Atalanta.

Raoul belenézett a szemébe.

– És ön melyik kategóriába esne, Mademoiselle Atalanta? Abba, akibe beleszerettem, vagy abba, akin nem akadt meg a szemem?

Majdnem úgy hangzott, mint egy sértés.

– Ennek igazán semmi jelentősége, *monsieur* – válaszolta Atalanta –, hiszen én nem kívánok semmiféle személyes jellegű kapcsolatba bonyolódni. Szóval, ha nem érdeklem, annál jobb. Lehetünk csak barátok.

– Barátok? – kérdezett vissza Raoul. – A barátok megbíznak a másikban, és nagyra értékelik egymást. Attól tartok, ön nem kedvel engem. A bizalomról nem is beszélve.

Most csapdába estem. Ha azt mondja, kedveli, a férfi elégedetten elvigyorodik. Ha azt mondja, nem kedveli, illedelmesen válaszol, de nem a valódi érzéseit fejezi ki.

Másrészt viszont Raoul a bizalmat is említette. Márpedig Atalanta egyáltalán nem bízott meg benne. És ez volt az egészben a legrosszabb.

– Végül sikerült elnémítanom? – kérdezte a férfi vigyorogva.

– Nem bízom meg az emberekben attól a pillanattól, hogy megismerem őket. Ahhoz idő kell.

– De ösztönösen érzi, hogy megbízhatóak-e, vagy sem. Velem mi a helyzet? – Úgy tűnt, nem tágít, amíg Atalanta színt nem vall.

– Soha nem tudom, hogy komolyan beszél-e, vagy sem. És ez nem könnyíti meg a helyzetet.

Raoul hátravetette a fejét, és kacagni kezdett.

– Komolyan? Miért akarják a nők mindig azt, hogy mindent olyan komolyan vegyünk?

– Mert kiszolgáltatott helyzetben vagyunk a férfiakhoz képest. A jó hírnevünk könnyebben csorbát szenvedhet. Ha ön flörtöl valakivel, azt elbűvölőnek tartják. Ha én flörtölök, rólam azt gondolják...

– Hogy ledér? – Raoul felvonta a szemöldökét. – Engem nagyon érdekelne, hogyan flörtölne, Mademoiselle Atalanta. Mélyen belenézne egy férfi szemébe? Játszadozna a cigarettájával? Ó, bocsásson meg, valószínűleg nem is dohányzik. Szerintem pénzkidobásnak tartja, hogy dohányt vegyen.

– Ön élcelődik velem.

– Egy kicsit. Ön olyan szörnyen illedelmes, hogy képtelen vagyok ellenállni. – Egy pillanatra elgondolkodott, majd hozzátette: – Nem, az „illedelmes" jelző nem egészen találó. Nem gondolom úgy, hogy ön szemérmes és illedelmes. Valójában úgy vélem, hogy vad ábrándokkal szórakoztatja magát arról, hogy milyen lenne az élete, ha lenne pénze és lehetőségei.

Már megint rajtakapott. Atalanta elpirult. Úgy tűnt, ez a férfi olyasmiket gondol róla, amelyeket nem, vagyis nem lett volna szabad tudnia róla.

Vajon ő járt Atalanta szobájában? Ő kutatta át a fiókjait és lapozta át az utazási terveiről szóló albumokat?

És az ügyről készült jegyzeteimet. És ha igen, vajon mire jutott velük? Talán ismeri a cirill ábécét?

Lehet, hogy a versenyzéssel eljutott Oroszországba is?

– Miért gondolja ezt? – kérdezte remegő hangon.

Ám Raoul ügyet sem vetett a kérdésére, és folytatta:

– Lehet, hogy nem illedelmes, de józan személyiség. Igen, ez sokkal találóbb jelző. Az ábrándok nem ragadják magukkal, mert a valóságérzékével kordában tartja őket. Nem felejti el, kicsoda, és miért van itt.

Atalanta mindent elkövetett, hogy ne árulja el a nyugtalanságát, amiért a férfi olyan közel járt az igazsághoz. Még ha ismerte is a cirill betűket, a kódolt írás gondoskodott róla, hogy képtelen legyen elolvasni a jegyzeteket. Nem utalhatott az ügyre. Sokkal inkább a helyzetére mint távoli rokon, olyasvalaki, aki nem egészen ugyanabban a csapatban játszik. Olyasvalaki, akinek nem szabad elfelejtenie, hol a helye, és átadnia magát bizonyos férfiak érdeklődésének.

Hiszen különben sem volt őszinte az érdeklődés a férfi részéről. Csak játék.

Vagy akár a nagy jellemek diadala? Próbára tette Atalantát, hogy kiderítse, elárul-e valamit?

– Ugye nem sértettem meg azzal, hogy a „józan" szóval jellemeztem? – kérdezte Raoul. – Ismerek olyan hölgyeket, akik hevesen tiltakoznának a kifejezés ellen.

– Nem értem, miért. A józanság azt jelenti, hogy az embernek megvan a magához való esze. Remélem, hogy ez jellemző rám. De igaza van. Vannak álmaim is. Szeretném látni az összes nagyobb várost a világon.

– És úgy gondolja, hogy a zenélés majd segít megvalósítani ezt az álmot. Először egy koncert Párizsban, aztán Nizzában, Monacóban. Talán Rómában?

Atalanta szerette volna megkérdezni, hogy Raoul eljönne-e meghallgatni, ha valóban eljutna Rómába, de valójában nem volt előadóművész, és Raoullal sem találkozik többé, ha ez az ügy véget ér.

Sajnos.

– Ha Rómában járna, megtiszteltetés lenne a számomra, ha megmutathatnám a várost – mondta Raoul, és pajkosan fejet hajtott.

Atalanta felhorkant.

– Most könnyen ígérget, de mi van, ha két évig is eltart, amíg eljutok az Örök Városba? Emlékezne egyáltalán a nevemre?

– Nem olyan név, amit az ember könnyen elfelejt – vágta rá Raoul, és belenézett Atalanta szemébe.

Úgy tűnt, mintha a világ elmosódna körülöttük, és az aranyló barna szempár mélyén nem maradt volna más, csak őszinteség. Ám Atalanta résen volt, és egy gyanakvó hang megállás nélkül azt suttogta a fülébe, hogy ne adja át magát a bizalmas légkörnek, amit a férfi megpróbál megteremteni kettejük között.

– Majd ha egyszer eljutok Rómába, küldök magának egy üzenetet – mondta könnyed hangon. – Van ott valami állandó tartózkodási helye?

– Nincs, de ha a Hotel Benvenutóba címzi a levelét, onnan majd továbbítják nekem. Nem hiszek abban, hogy az embernek helyekhez kellene kötnie magát.

– De lennie kell egy helynek, amit az ember az otthonának hív – tiltakozott Atalanta.

– Valóban? Ki szerint? – Raoul az arcát fürkészte. – És hol van az ön otthona, *mademoiselle*? Milyen párizsi címre írhatnék, ha szeretném önnel felvenni a kapcsolatot?

Atalanta kétségbeesetten kutatott a fejében egy valamirevaló válasz után. Nem adhatta meg a valódi címét. És fogalma sem volt, hol laknak az állítólagos szülei. Igazán sajnálatosan alakult, hogy a férfi efféle érdeklődést mutat iránta. Ezzel együtt a lelke mélyén mégis izgatott boldogság fogta el.

– Ön igazán rejtélyes nő, Mademoiselle Atalanta. Józan és rejtélyes nő. Milyen ellentmondásos tulajdonságok! Olyasvalami, amit szívesen megfejtenék.

– Nyugodtan írjon Frontenacék címére! Biztos vagyok benne, hogy minden levelet továbbítanak.

– Miután felbontották és elolvasták? Madame Frontenac kielégíthetetlenül kíváncsi. Én inkább nem táplálnám a mohóságát az ügyeimmel vagy akár az önéivel. Lehet, hogy azt gondolná, hogy egy ilyen… *barátság* összességében mégsem illendő dolog.

Atalanta ismét elpirult, ahogy a saját felvetése arról, hogy legyenek csak barátok, így visszaütött.

– Ám Gilbert említette, hogy beszélt telefonon egy barátjával egy koncertről, amit szervez. Talán a koncertterem címére küldöm majd a levelemet. Küldhetek virágokat is? – Raoul elengedte a karját, odalépett egy virágágyáshoz, és leszakított egy lila dáliát. Aztán színpadiasan átnyújtotta neki. – Ez egy kis előleg, hogy biztosítsam, betartom az ígéretemet.

Atalanta elvette a virágot. Olyan hevesen dobogott a szíve, hogy alig kapott levegőt.

Raoul biccentett, és elsietett. Elhaladt Françoise mellett, aki feléjük tartott. A nő kíváncsi pillantásokat vetett Atalantára és a virágra a kezében.

– Elnézést kérek, ha megzavartam egy... személyes jellegű pillanatot.

Nyilvánvalóan hamis volt a mosolya, a szeme kutakodva méregette Atalantát.

– Nem is tudtam, hogy Raoul máris másra összpontosította a figyelmét. A múlt héten még, amikor velünk volt Párizsban, le sem tudta venni a szemét egy német hercegnőről, aki ott nyaralt. Szinte megbűvölte a hölgy gyémánt fülbevalója. Ügyesen kell nősülnie, hogy folytathassa a pazarló életmódját. Azt mondják, keres pénzt az autóversenyekkel, és van egy értékmegőrzője egy bankban, tele a néhai anyja ékszereivel, amelyeket zálogba adhat, de a bankok nem adnak hozzáférést az értékmegőrzőkhöz, és az alkalmazottaik sem nézhetnek beléjük. Csak a tulajdonos férhet hozzájuk, ezért Raoul bármikor elmehet abba a bankba, mintha kifogyhatatlan készletekkel rendelkezne, de ezt senki sem hiszi el neki. – Hirtelen elhallgatott. – Ó, nem lenne szabad ennyit pletykálnom. *Maman* rácsapna a kezemre. Meghívhatom egy teára? Befejeztük a ruhapróbát. Eugénie tiszta izgalom.

Atalanta elmosolyodott a szerencsétlen nő szánalmas alakításán, aki természetesen szándékosan osztott meg vele mindent, amit akart. Egyértelművé tette, hogy Raoulnak nincs pénze, ezért valami tehetős feleség után kell néznie, aki támogathatja. Az efféle frigy nem számított ritkának, és ha mindkét félnek megfelelt, egészen kényelmes is lehetett.

Atalanta önkéntelenül is tiltakozott az elképzelés ellen, hogy Raoul, aki olyan szenvedélyesen független személyiségnek tűnt, bármikor is képes lenne elkötelezni magát valaki mellett pusztán a vagyonáért, de talán félreismerte. A férfi azt mondta, a házasság nem jelent neki semmit, de lehet, hogy mindennek ellenére úgy gondolja, ez is egy tisztességes módja annak, hogy az ember pénzhez jusson.

Atalanta követte Françoise-t, és kitalált néhány kérdést, amit feltehet a menyasszonynak a ruháról és a nagy nap előkészületeiről.

Meglehetősen valószínűtlennek tűnt, hogy bármi is megakadályozhatná az esküvőt most, hogy Louise bevallotta, hogy ő írta a levelet, és Atalanta nyomozása a grottóban szintén kudarccal végződött. Tudta, hogy rossz irányból közelíti meg a dolgot.

De fogalma sem volt, hogyan válthatna nézőpontot.

TIZENHETEDIK FEJEZET

Az esküvő napja egy ragyogó narancs és arany napfelkelte teljes pompájával köszöntött Bellevue-re. Atalanta a nyitott erkélyajtóban állt, és vegyes érzésekkel csodálta a látványt. Amióta Madame Frontenac megérkezett, és erélyesen kézbe vette a dolgokat, az oltárhoz vezető út akadálytalannak bizonyult, de Atalanta továbbra sem tudta kiverni a fejéből a vadorzó meggyilkolását. Vajon a szabadon engedése után miért sietett Bellevue-be, és éppen a grottóba?

Krőzus, súgta egy hang a fülébe. *Krőzus a kulcs.*

Kopogtattak az ajtón, ami azt jelentette, hogy megérkezett a szobalány a meleg vízzel, hogy megmosakodhasson. A szárnyban lévő fürdőszobát a menyasszony közeli rokonai számára tartották fenn, míg a másik szárnyban lévőt Eugénie használhatta kedve szerint.

A szobalány pukedlizett.

– Milyen gyönyörű nap, *mademoiselle!* Alig várom, hogy láthassam a menyasszonyt a ruhájában. Az édesanyja azt mondta, lélegzetelállítóan fest. Ön látta már? Biztosan. És a virágok... A gazdám elküldte értük a kertészt. A többi virág pedig már a kápolnában van. Láttam, amikor leszedték őket. Csupa fehér rózsa. Az úr tavasz óta neveli őket. Bizonyára nagyon szereti a *mademoiselle*-t. Hát nem romantikus? – A lány elpirult. – Kérem, bocsásson meg! Túl sokat beszélek.

– Nem, igazán hálás vagyok, hogy beszélgethetek valakivel. Hiszen mindenki más olyan elfoglalt. Régóta dolgozik itt?

– Tavaly szeptember óta, *mademoiselle*. A szobalány, aki a gazdám első feleségét szolgálta, visszament a családjához közvetlenül a baleset után, és később úgy gondolták, több segítő kézre lenne szükség.

– Még akkor is, ha az úr gyakran van távol? – kérdezte Atalanta.

– Ez egy nagy ház, és az úr nem szereti, ha belepi a por a műtárgyait. Szörnyen odafigyel rájuk. Még a közelükbe menni is félek. A legjobb darabokat a dolgozószobájában tartja, és saját maga takarítja. Én ennek nagyon örülök. Félnék, hogy leejtem őket. Olyan értékesek, hogy egy életen át tartana, amíg visszafizetném az árukat.

A lány egy pillanatig elgondolkodott azon, hogy vajon az mennyi időt jelent, aztán megborzongott.

– Nem maradok itt örökre. Csak addig, amíg megkeresem a pénzt a saját esküvői ruhámra, és félreteszek a kis házra, amit Giles meg akar venni.

– Giles a vőlegénye?

– Igen. Az istállóban dolgozik.

– És itt vásárolnának egy kis házat, a birtokon?

– Nem, *mademoiselle*. Egy közeli faluban. Giles beállna a helyi kovács mellé. Még néhány hónapot kell itt dolgoznunk, és aztán elköltözhetünk.

– Értem. Minden jót kívánok hozzá!

– Nekem nem lesz olyan nagy esküvőm, mint ez a mai, de akkor is nagyon különleges lesz.

– Abban biztos vagyok. – Atalanta elköszönt, és a lány elment. Megmosakodott, felöltözködött, felvette az ékszereit, és minden oldalról ellenőrizte magát a tükörben, mielőtt elhagyta a szobáját. Odalent pazar esküvői reggeli várta helyi különlegességekkel és pezsgővel, mielőtt lement volna a kápolnába a szertartásra. Raoul koccintott vele, amint belépett.

– Szabad megjegyeznem, milyen elbűvölően néz ki? – Intett az egyik inasnak, levett egy poharat a tálcájáról, és átnyújtotta Atalantának. – Az emlékezetes napra!

Atalanta az övéhez koccintotta a poharát.

– Egészségünkre!

– Én is kaphatok egyet? – szólalt meg Angélique, aki megjelent mellettük a szemkápráztató, kék ruhájában, amelynek arany pávatollminták díszítették az ujját. – Porzik a torkom.

– Elképzelni sem tudom, miért. Azt hittem, már az ágyban felhajtottál néhány koktélt – jegyezte meg Raoul könnyed hangon, de kissé rosszallóan. Angélique felnevetett. Atalanta úgy érezte, mintha a nőnek valóban kissé alkoholszagú lenne a lehelete.

– Tikkasztó nap vár ránk, az embernek sokat kell innia – jegyezte meg Angélique.

– Vizet, és nem pezsgőt – vetette fel Raoul. Enyhén ráncolta a homlokát, ami aggodalomról árulkodott, mintha attól tartott volna, hogy az énekesnő túl sokat iszik, és jelenetet rendez.

Atalanta ellépett mellőlük, hogy üdvözölje a menyasszonyt, az édesanyját meg a nővéreit és a többi vendéget. Lágy duruzsolás töltötte be a kápolnát, ahogy a vendégek történeteket meséltek egymásnak más esküvőkről, hogy elüssék az időt, amíg megérkezik a pap.

Amint bejelentették, hogy az atya már a kápolnában van, mindenki kivonult a helyiségből.

Atalanta megállapította, hogy egész reggel nem látta Madame Lanier karcsú alakját. Közelebb hajolt Françoise-hoz, aki mellette lépdelt, és megkérdezte, hol lehet a korábbi anyós.

Françoise megvonta a vállát, és beszélgetésbe kezdett egy helyi asszonnyal. Az összes vendég megérkezett a kápolnába. Csak Atalanta maradt hátra, várta, hogy Madame Lanier megjelenjen. Talán szüksége lehetett egy kis támogatásra ezen a napon, amely kétségkívül nehéz lehetett a számára?

Atalanta sikoltást hallott fentről, és azonnal a lépcső felé kapta a fejét. Eugénie rohant lefelé, tajtékzott a dühtől.

– Hol van Yvette? Elvitte a fátylamat. Vissza akarom kapni most azonnal! Elegem van a kis trükkjeiből. Ha valami történik vele, ha a legkisebb foltot is felfedezem rajta, én megfojtom. A saját két kezemmel.

– Nyugodj meg! – csitítgatta Atalanta. – A fátyol nincs a szobádban?

– Nincs, különben nem keresném, nem igaz? – Eugénie megvető pillantást vetett rá. – Az a kis boszorkány biztosan ellopta, amíg a fürdőszobában voltam. Tudta, hogy reggeli után visszamegyek, hogy felvegyem. Mérges rám, mert meggyőztem Gilbert-t, hogy egy kutyának nincs helye egy esküvőn. Ő pedig utasította a személyzetet, hogy tartsák a konyhában a mocskos dögöt egész nap, így nem tud tönkretenni semmit.

Jaj, ne! Pompom az egész világot jelentette Yvette számára.

– Bosszút akart állni, és elvitte a fátylamat. Tudni akarom, hol van. Most!

Madame Frontenac bukkant fel a konyha irányából, a könyökénél fogva rángatta Yvette-et. A lány visított a valódi vagy eltúlzott fájdalomtól.

– Ne bántsa! – kérte Atalanta.

– Én fogom csak igazán bántani, ha nem adja vissza azonnal a fátylamat. – Eugénie rámeredt a lányra. – Hol van?

Yvette felsóhajtott, és a mennyezetre szegezte a szemét. Eugénie felcsattant:

– Azzal, ha tönkreteszed a fátylamat, még nem éred el, hogy Gilbert vagy én megengedjük, hogy az a harapós szörnyeteg ott lehessen az esküvőnkön. Mondd meg, hol van! Most!

– Ha tényleg tudni akarod, ráadtam egy másik menyasszonyra.

– Egy másik menyasszonyra? – hebegte Eugénie. Rápillantott az anyjára, majd Atalantára. Nem értette. – Kire? Hol?

Yvette a kápolna bejáratára mutatott.

– Ott van a fátylad. A föld alatti kriptában. Ráadtam Mathilde-ra.

– Mathilde-ra? – Eugénie elsápadt. – Ezt meg hogy érted?

– A sírköve az ő alakját formázza márványból. Mintha csak ott feküdne és aludna. Ráadtam a fátylat.

– Gonosz vagy! – csattant fel Eugénie. – Gyűlöllek. Te szörnyeteg! Menj, és hozd ide! Hozd ide most azonnal!

Úgy tűnt, Yvette megrettent a menyasszony dühétől, és kirántotta a karját Madame Frontenac szorításából.

– Nem hozom ide neked. Miért tenném? Nem akarom, hogy itt legyél. Mindent tönkreteszel. – Azzal elrohant felfelé a lépcsőn. Eugénie visítani kezdett. – Nem vagyok hajlandó lemenni valami sötét kriptába, hogy visszaszerezzem a fátylamat. – Eltorzult az arca, és Atalanta attól tartott, hogy a küszöbönálló könnyáradat tönkreteszi a sminkjét.

– Majd én idehozom – ajánlotta sietve. – Csak meg kell várnod.

Beviharzott a kápolnába, majd végig, a folyosón. A vendégek már elfoglalták a helyüket, beszélgettek és nevetgéltek, rá se hederítettek.

Atalanta megtorpant a kriptába vezető lépcső tetején, vett egy mély lélegzetet, és elindult lefelé. Sötét volt odalent. *Hoznom kellett volna egy gyertyát.*

A cipője sarka megcsúszott valamin. Felszisszent, és sikerült visszanyernie az egyensúlyát. Egy pillanatig habozott, hogy visszamenjen-e valami fényforrásért, vagy elboldogul.

Jobb lesz, ha sietek. Eugénie tombolt dühében, és minden további késlekedés csak még inkább felzaklatta.

Atalanta eltökélten továbbindult. A lába valami szilárd dologba ütközött, ami eltorlaszolta az utat. Lehajolt, hogy kitapogassa, mi az. Egy váll. Haj. Nem hideg márvány, hanem puha, sima emberi haj.

Atalanta felsikoltott. Mindig úgy képzelte, hogy ha valaha ilyen hátborzongató felfedezést tesz, hidegvérrel kezeli majd a helyzetet, de az agyának nem volt ideje működésbe lépni. A sikoly kitört belőle, mielőtt bármit végiggondolhatott volna. Elfordult, és felrohant a lépcsőn, ahol kíváncsi arcok tűntek fel, és azt kérdezték, mi a baj.

A pap ott állt Gilbert mellett.

– O-o-odalent van e-e-egy holttest.

– Az igazat megvallva, nem is egy. A felmenőim. De már jó ideje halottak – mondta Gilbert.

Ám senki sem értékelte a tréfát. Raoul megragadta Atalanta karját.

– Nem látod, hogy komolyan beszél? Valaki gyújtson meg egy gyertyát!

A lelkész nem habozott, elvett egy meggyújtott gyertyát az emelvényéről, és Raoul elindult vele lefelé a lépcsőn. Néhány pillanatnyi, kínzó csend után azt kiáltotta:

– Valaki leesett a lépcsőn, és meghalt. Madame Lanier az.

Atalanta a szájához kapta a kezét. A gyászoló anya, aki még egy kis időt akart tölteni a halott lányával a szertartás előtt?

A kimerültségtől vagy az érzésektől elgyengült lábbal.

Talán elvakítva a könnyektől?

Egy sajnálatos félrelépés, egy esés, egy súlyos becsapódás a könyörtelen márványpadlón.

Vajon volt ideje felfogni, hogy mi történt, vagy egy szempillantás alatt meghalt?

– Nem tudom elhinni – motyogta Gilbert. – Nem lehet már megint egy baleset. Az esküvőm napján.

– Ma nem lesz esküvő – szögezte le Raoul. – Szükségünk van egy orvosra, és talán értesítenünk kell Monsieur Joubert-t, hogy hivatalosan is megállapítsa a halál okát. Nem akarjuk, hogy később csúnya dolgokat mondjanak az esetről.

– Joubert-t? A rendőrséget? De miért?

Raoul megérintette a karját.

– Hogy megvédjük a hírnevedet, *mon ami.* Ne félj! Hamarosan minden elrendeződik. – Azzal ránézett Atalantára. – Miért ment le oda?

– Eugénie a fátylát akarta.

– A fátylát? – kérdezett vissza Raoul zavartan. – És ott van lent? A kriptában?

– Yvette vitte le. Hogy bosszút álljon Eugénie-n, amiért meggyőzte Gilbert-t, hogy a kutyáját tiltsa ki az esküvőről.

Gilbert felemelte az egyik kezét, és eltakarta a szemét.

– Nem tudom elhinni, hogy soha nem képes használni az eszét.

Raoulnak dühösen megvillant a szeme.

– Tényleg abba kellene ezt hagynia. Ez a lány… – Elharapta a mondatot, az állkapcsa megfeszült. – Talán Madame Lanier rajtakapta, amíg odalent volt? Talán…

Atalanta tudta, hogyan folytatódik a gondolat: az idős és gyenge nő rákiáltott, mire Yvette megrémült, felsietett a lépcsőn, és meglökte Madame Lanier-t. A nő leesett, és meghalt.

– Meg kell őt védenünk – suttogta Gilbert. – Valami más történetet kell mondanunk a rendőrségnek. Valamit, bármit. – Elkerekedett a szeme a rémülettől.

Raoul átkarolta a barátját.

– Jobb lesz, ha most bemegyünk a könyvtárba. Szükséged van egy kis szíverősítőre. – Aztán Atalantához fordult. – Menjen, szóljon a menyasszonynak, hogy nem lesz esküvő! De kíméletesen!

Atalanta önkéntelenül bólintott, de a lelke mélyén továbbra is sikoltozott. Hozzáért egy holttesthez. És mégis hogy mondhatná ezt el Eugénie-nek kíméletesen? Lehetetlennek tűnt enyhíteni a csapáson. Az esküvője kudarcba fulladt.

A menyasszony továbbra is a folyosón várt az anyjával és a két nővérével.

– Nos? – kérdezték egyszerre, követelő hangon.

Madame Frontenac Atalanta üres kezére nézett.

– Nem találtad meg?

– Fogadok, hogy Yvette eltépte vagy összekoszolta – nyavalygott Eugénie. – Megölöm.

– Valami más kellemetlenség történt. – Atalanta igyekezett nyugodtnak hangzani. Raoul rábízta, hogy segítsen neki fenntartani a rendet. – Madame Lanier lement, hogy megnézze Mathilde sírját, és leesett a kriptába vezető lépcsőn. Sajnálom, hogy ezt kell mondanom, de meghalt.

Döbbent csend következett. Eugénie pislogott, mintha nem tudta volna követni a hallottakat, míg Louise az ajkába harapott. Hogy elfojtson egy rémült kiáltást? Vagy hogy elrejtse a mosolyát?

Aztán Madame Frontenac azt mondta:

– És? Itt sem kellett volna lennie. Már semmi köze Bellevue-höz vagy Gilbert-hez. Most feleségül veszi Eugénie-t...

– Mama! Hogy mondhatsz ilyet? – szakította félbe Françoise. – Az a szegény nő meghalt. Ez rémes! – Tördelte a kezét, a gyűrűi a húsába mélyedtek.

– És mi a helyzet a fátyollal? – érdeklődött Madame Frontenac. – Megszerezted?

Folytatni akarja az esküvőt, mintha mi sem történt volna.

– Még nem néztem meg. De most nincs is szükségünk rá. El kell jönnie az orvosnak. – Egyelőre nem akarta megemlíteni Monsieur Joubert nevét.

– Minek, ha már meghalt? Akár ott is hagyhatnánk. Elvégre az egy kripta. – Madame Frontenac kidüllesztette a mellkasát. – Tulajdonképpen örülhetne, hogy lehetősége adódik egy ilyen gyönyörű helyen nyugodni. A lánya sem érdemelte meg. Mathilde-nak nem volt címe; valójában egy senki volt.

– *Maman!* – szólalt meg újra Françoise, és óvatosan Atalantára pillantott. – Nem mondhatsz ilyeneket. Ha haláleset történt, el kell jönnie az orvosnak, hogy gondoskodjon a dolgokról. Az esküvőt később is megtarthatjuk.

Jó tanácsnak hangzott, de a szemében csillogó eltökéltség azt sugallta, hogy örül bármilyen késlekedésnek. És Louise nem azt említette a minap, hogy az esküvőt el kellene halasztani egy héttel? Miért akarja mindkét nővér olyan buzgón késleltetni az eseményeket?

– Nem, most kell megtartanunk! – jelentette ki Madame Frontenac eszelősen. – Hiszen emiatt utaztam ide. Ahogyan az összes többi vendég is. Nem hagyhatjuk, hogy valami jelentéktelen nőszemély halála tönkretegye.

– Hívni fogják az orvost – jelentette ki Atalanta. – És ma nem lesz megtartva az esküvő. Jobb lesz, ha visszatérnek a szobájukba, és pihennek egy kicsit.

Mindeközben Eugénie nem szólt egy szót sem. Kábultnak tűnt, letaglózták a hírek.

Françoise és Louise átkarolták, és elvezették.

Úgy tűnt, Madame Frontenac újra vitatkozni kezd, de amikor elkapta Atalanta pillantását, méltatlankodva felhorkant, és követte a lányait az emeletre.

TIZENNYOLCADIK FEJEZET

Atalanta a könyvtár ajtajához sietett, és bekopogott. Eltartott egy kis ideig, de az ajtó végül résnyire kinyílt. Raoul dugta ki a fejét gyászos képpel. Az arcvonásai kissé megenyhültek, amikor felismerte Atalantát.

– Ó, ön az. – Fürkészni kezdte a lány arcát, majd azt kérdezte: – Hogy van? Nem lehetett kellemes belebotlani Madame Lanier holttestébe.

– Jól vagyok. De az ellenőrzésünk alatt kell tartanunk az eseményeket. Madame Frontenac tajtékzik, amiért nem kerül sor az esküvőre. És a gróf valóban azt hiszi, hogy Yvette-nek köze lehet Madame Lanier halálához?

Raoul belenézett a szemébe.

– Mindig hatékony, tele kérdésekkel.

Atalantának lángolni kezdett az arca. A férfi megkérdezte, hogy érzi magát, és ő ahelyett, hogy megragadta volna a lehetőséget, és megosztott volna vele valami személyeset, tönkretette a pillanatot azzal, hogy megmaradt a szakszerűség talaján. De így alakult. Nem akart az érzései mélyére nézni, különben sírva fakad.

Raoul elkapta a tekintetét, és közelebb intette.

– Jöjjön be!

Gilbert egy széken ült, és a tenyerébe temette az arcát.

– Most már vége – motyogta. – Végleg vége.

Raoul felé intett, majd megrázta a fejét, mintha azt akarná mondani, a gróf nincs olyan állapotban, hogy komoly beszélgetést lehessen vele folytatni.

– Eugénie nem fogadta olyan rosszul – jegyezte meg Atalanta. Sovány vigasznak hangzott, de remélte, hogy a történtek nem riasztják vissza a grófot attól, hogy feleségül vegye a lányt.

Gilbert összerezzent, és felnézett, a szeme kipirosodott.

– Kicsoda?

– Eugénie. Úgy tűnt, nem fogja fel teljesen a helyzetet, ezért...

– De én igen. – Gilbert teljesen elkeseredettnek tűnt. – Mindennek vége. Az orvos, a rendőrség. Hogyan hozhattad egyáltalán szóba a rendőrséget? – kérdezte, és dühödten Raoulra meredt.

A barátja tehetetlenül széttárta a kezét.

– Nem tarthatjuk titokban ezt a halálesetet. Az összes vendéged szemtanúja volt a holttest felfedezésének. Úgy kell viselkednünk, mintha teljesen meg lennénk győződve arról, hogy ennek nem lesznek komoly következményei.

– Komoly... – Gilbert beletúrt a hajába. – De ez szörnyű, hát, nem érted?

Raoul ingerülten kifújta a levegőt.

– Persze egy haláleset egy esküvőn igazán szerencsétlen fordulat, és...

– Mit mondhatnánk Joubert-nek? – Gilbert hátravetette magát a széken, és a mennyezetre szegezte a szemét. – Vajon meg tudnánk győzni arról, hogy valaki beszökött a kápolnába, mert el akarta lopni az ezüstöt? Hogy Madame Lanier bizonyára rajtakapta, mire ő lelökte az asszonyt a lépcsőn? Valami ilyesmit. Bármit, hogy megvédjük... – Hirtelen kihúzta magát, és ránézett Atalantára. – Végül kihozta a kriptából a fátylat?

– Még nem.

– Pedig kénytelen lesz. Joubert tudni akarja majd, hogy került oda. Yvette neve nem merülhet fel.

– De Yvette ott járt, és... – tette hozzá lassan Raoul. – Fontos szemtanú lehet.

Gilbert megrázta a fejét.

– Őt ebből teljesen ki kell hagyni. Ó, az a fátyol! Hogyan is lehetne...

Raoul odasétált hozzá.

– Nem fogunk hazudni, és elferdíteni a tényeket. Joubert bizonyára megerősíti majd, hogy Madame Lanier megcsúszott és leesett. Láttam, hogy víz volt a lépcsőfokokon.

– Víz a lépcsőn? – kérdezett vissza Gilbert.

– Ez igaz – erősítette meg Atalanta. – Az én cipőm is megcsúszott valamin, miközben lefelé tartottam. – Szinte érezte, ahogy a szíve kihagyott egy ütemet, amikor majdnem elveszítette az egyensúlyát. – Az a lépcső túl meredek ahhoz, hogy biztonságos legyen.

– Megcsúszott, leesett, és meghalt a szerencsétlen asszony. – Raoul együttérzőnek hangzott, de nem túl érzelgősnek. Úgy tűnt, kézben tartja a helyzetet. – Az orvos megállapítja, hogy a sérülései az esés következményeként keletkeztek. És ezzel le is zárhatjuk az ügyet.

– Bárcsak ne lett volna az a fátyol! Ez azt bizonyítja, hogy Yvette ott járt, és... Ó, *non, non!* – Gilbert újra a tenyerébe temette az arcát.

Raoul Atalantára nézett, mintha segítséget kérne.

– Miért ilyen szörnyű ez, gróf úr? – kérdezte a nő lágy hangon. – Raoul mondta, hogy vizes volt a lépcső. A víztől csúszós lesz a márvány. Tökéletesen logikus, hogy...

– Igen, persze. Ha nem vesszük figyelembe, hogy... – Gilbert hirtelen elhallgatott.

Raoul újabb aggodalmas pillantást váltott Atalantával.

– Ha van valami, amit el akarnál mondani nekünk, mielőtt Joubert megérkezik, ez a megfelelő pillanat – jegyezte meg gyanakodva.

Gilbert felnézett. A tekintete eszelős volt, világított a szeme fehérje, mint egy rémült lónak.

– Elmondani nektek?

– Igen, bennünk megbízhat, segíteni fogunk. – Atalanta odaállt Raoul mellé. – Persze, nem hazudunk, de...

– Ha nem hazudnak, nem veszem semmi hasznukat – közölte Gilbert, majd elfordult tőlük. – Hagyjanak békén!

– Mondd el, mi aggaszt! Segíteni akarunk – bátorította Raoul.

– De nem segíthettek, ha nem vagytok készek hazudni Joubert-nek.

– Talán többet tudsz Madame Lanier haláláról? Talán te…

– Én? – Gilbert tátott szájjal meredt a barátjára, de aztán megváltozott az arckifejezése. – Igen, ez a megoldás. Hát persze! Vajon nekem miért nem jutott eszembe? Majd én bevallom. Már rosszul voltam, és belefáradtam a folyamatos siránkozásába Mathilde-ról, ezért lelöktem a lépcsőn. Leesett, és meghalt. Ez az. *Én* tettem.

Atalanta hitetlenkedve meredt rá. Mégis miről hadovált a gróf hirtelen?

Gilbert felpattant, és elkezdett fel-alá járkálni a szobában.

– Ezt alaposan végig kell gondolnom. Hinni fognak nekem, ha azt mondom, én löktem le. Biztosan elég erős vagyok hozzá. De a fátyol… Hogyan magyarázhatnám meg a fátylat? Megvan. Majd azt mondom, Madame Lanier vitte oda. Ellopta Eugénie szobájából, és ráadta a halott lányára. Ettől én szörnyen mérges lettem, és leloktem. Ez beválik, biztosan beválik. – A gróf összeütötte a tenyerét, szörnyen lelkesnek tűnt.

Raoul döbbenten meredt a barátjára.

– Te most azon gondolkodsz, hogy magadra vállalsz egy gyilkosságot?

Atalantának összeszorult a gyomra.

– Ezt nem gondolhatja komolyan.

– De igen. Megöltem Madame Lanier-t. És én öltem meg Marcel DuPont-t is. Azonnal el is vihetnek. – A gróf előrenyújtotta mindkét karját, mintha fel akarná kínálni a bilincsnek. – Én tettem.

Raoul arca egyetlen, hatalmas kérdőjelnek tűnt.

– Mi köze ennek az egésznek Marcel DuPont-hoz? Én ezt nem tudom követni. És ön? – kérdezte, és Atalantára pillantott.

Atalanta lassan bólintott. A fülében hallotta a zakatoló szívét. Szörnyű módon a helyükre kerültek a részletek, mint amikor egy sakkjátékos, aki biztos a stratégájában, hirtelen felismeri az ellenfele végjátékát. Megpillantja, hová vezettek a korábbi, látszólag véletlenszerű lépések.

– Azért akar bevallani két gyilkosságot, mert meg akar védeni valakit, akiről azt gondolja, hogy bűnös. Yvette-et – tette hozzá rekedten suttogva.

– Bűnös? – visszhangozta Raoul. – Abban, hogy lelökte Madame Lanier-t, és leszúrta DuPont-t? Te bizonyára megőrültél – fordult a gróf felé. – Az agyadra ment ez a sok feszültség az újranősülés miatt, és a holttest csak megadta a kegyelemdöfést. Igen, agyhártyagyulladásod van. Amint ideér az orvos, te leszel az első, akit megvizsgál. Madame Lanier-ért már nem tehet semmit, de neked felírhat valami nyugtatót.

– Nincs szükségem nyugtatóra vagy orvosra. Nincs agyhártyagyulladásom. Azért akarom bevallani a két gyilkosságot Joubert-nek, hogy elfoghasson és börtönbe zárhasson. Többet ne említsd Yvette-et! Soha nem járt a családi kriptában. Nem vitte oda a fátylat. Madame Lanier tette. Eugénie tévedett, amikor azt feltételezte, Yvette volt az.

– De amikor Eugénie megvádolta Yvette-et azzal, hogy ellopta a fátylát, Yvette bevallotta, hogy ő volt – jegyezte meg Atalanta. – Azt mondta, azért tette, mert Eugénie nem engedte, hogy Pompom ott lehessen az esküvőn. Mert egész nap a szolgálókkal kellett maradnia.

– Hallgasson! – Gilbert dühödten Atalantára meredt. – Ha ezek bármelyikét megemlíti Joubert-nek, minden elveszett.

Raoul felszisszent.

– Nem hiheted komolyan azt, hogy Yvette bűnös! Nem akarhatod feláldozni magad!

– Nem lett volna szabad hallgatnom. Csak tovább rontottam a helyzeten. Sokkal rosszabb lett. – Gilbert megdörzsölte az arcát. – Én vagyok a hibás. Én vagyok a felnőtt. Ő akkor még csak egy gyerek volt. Most is az. Egy sebezhető, lobbanékony gyerek.

– Ön tud valamit Mathilde haláláról – állapította meg Atalanta. A mellkasát szorító, hűvös érzés felerősödött, míg végül már majdnem reszketni kezdett. – Mindvégig azt gyanította, hogy Yvette volt a tettes.

Gilbert megrázta a fejét, de az igazságot kristálytisztán le lehetett olvasni a sápadt arcáról.

– Miért nem szóltál semmit? – kiáltotta Raoul. – Nem tudom elképzelni, hogy Yvette szántszándékkal bántani akarta volna Mathilde-ot. Hiszen imádta őt. Bizonyára csak valami félresikerült csíny lehetett.

– Persze hogy az volt. De Joubert nem így látná. Nagyon komolyan veszi a feladatát. Arról nem is beszélve, hogy csak úgy tesz, mintha tisztelné a nemeseket. A szíve mélyén igazi szocialista. Ha a forradalom idején élt volna, ő lett volna az első, aki a *guillotine* alá dugja az arisztokraták fejét. Joubert elvitte és bezárta volna az *én* kislányomat. Úgy szeretem, mintha a sajátom lenne. Bármit megtennék, hogy megvédjem.

– Még a hóhér kötelével is szembenézne? – kérdezte Atalanta gyengéden. – Mert ha bevall két gyilkosságot, ez vár önre. És önt fogják hibáztatni Mathilde haláláért is. Különben miért ölte volna meg DuPont-t, mert a fickó tudott valamit?

– Azóta eszembe se jutott az a nyavalyás orvvadász – nyögött fel a gróf. – Azt mondta, beszélni akar velem, de fogalmam sem volt, miről. De amikor visszajött... Biztosan látta, amikor Yvette valami akadályt fektetett az erdei ösvényre Mathilde elé. Biztosan tudta, hogy ő okozta a balesetet, és ezzel akart rávenni, hogy engedjem szabadon. Soha nem gondoltam volna, hogy...

– Leszúrják – fejezte be a mondatot Raoul. – Azt el tudom képzelni, hogy Yvette kieszelt valami csínyt, ami balul sült el, de nem látom magam előtt, ahogy hidegvérrel ledöf egy idős fickót. Észszerűen kell gondolkodnod, *mon ami.* Egy pillanatra felejtsd el a félelmeidet, és képzeld el a jelenetet! Yvette és DuPont? Nem volt már fiatal, de akkor is egy férfi. Sokkal erősebb volt, mint ő. Nem szúrhatta le egy tizenhat éves lány.

– Lehetséges, hogy egy óvatlan pillanatban támadt rá. Mert, akárcsak te, DuPont is azt hitte, hogy Yvette nem képes rá. De az öccse... Elképzelhető, hogy ez öröklődik a családban?

Atalanta nyelt egy nagyot. Renard mesélt neki a fegyverről, amit a lány öccse az egyik diáktársára fogott, ahogyan a hegedűtanárt eltaláló nyílvesszőről is. Teljesen logikus volt azt feltételezni, hogy Yvette-nek hasonló késztetései vannak, mint az öccsének, és kést ragadott, amikor úgy érezte, hogy megfenyegetik.

– Valószínűleg DuPont pénzt kért tőle, hogy tartsa a száját a kis titkával kapcsolatban. Ám Yvette pontosan tudta, hogy egy zsarolásnak soha nincs vége, és... – Gilbert vett egy nagy levegőt. – Amikor találkozott Madame Lanier-vel, aki folyton csak Mathilde-ról beszélt, nem tudta tovább elviselni, és őt is megölte.

Atalantának vadul cikáztak a gondolatai, miközben megpróbált valami hibát találni az érvelésben. De amit a gróf mondott, az kísértetiesen, vérfagyasztóan logikusnak hangzott.

Raoul összeszorította a száját.

– Én nem hiszem, hogy Yvette ilyesmit tett volna. Abban biztos vagy egyáltalán, hogy az ő csínye vezetett ahhoz, hogy Mathilde leesett a ló hátáról?

– Természetesen nem lehetek biztos benne, de nem alaptalanul gyanakszom. Yvette olyan hallgatag volt aznap. Ami egyáltalán nem volt rá jellemző máskor. Úgy tűnt, mintha meg lenne rémülve. Csak akkor lett újra a régi önmaga, miután balesetnek nyilvánították a történteket. De azóta is vannak hangulatingadozásai, olyan pillanatok, amikor látszólag nem érdekli, hogy kárt tesz-e magában vagy másokban. És én ezt annak tulajdonítottam, hogy...

– Bűntudata van – fejezte be a mondatot helyette Atalanta.

– Igen. Megvetettem magam, amiért ezt gondolom a saját unokahúgomról, a lányról, akiről gondoskodom, és akit annyira szeretek, de... képtelen voltam elhessegetni az érzést, hogy valami nincs rendben Mathilde halála körül. Lehet, hogy csak azért, mert nem tudom elfogadni, hogy valóban meghalt. Hogy soha többé nem tér vissza hozzám. – Élesen beszívta a levegőt. – Miért kellett DuPont-nak idesietnie egyenesen a börtönből? Miért nem ment máshová, ahol új életet kezdhet?

Raoul odament a barátjához, és lehajolt hozzá.

– Nem hiheted komolyan azt, hogy Yvette követte el azt a gyilkosságot. Gondolkodj józanul! Ez valóban balszerencsés fordulat az esküvőd napján, de nem vetheted oda magad a rendőrségnek. – A férfi újra Atalantára nézett. – Biztos vagyok benne, hogy Mademoiselle Atalanta és én rá fogunk jönni, mi történt. Bebizonyítjuk, hogy Yvette-nek semmi köze hozzá. És akkor megnyugodhatsz.

Gilbert a semmibe révedt.

– Amióta Mathilde meghalt, nincs egy nyugodt pillanatom, és már kezdtem azt hinni, hogy Yvette volt a hibás. Mindig is féltettem. Valahányszor valami megbízhatatlan butaságot követett el, ez a labilitása újabb bizonyítékának tűnt. A bűntudat jelének. – Elcsuklott a hangja. – Képtelen lennék elviselni, hogy őt is elveszítem – mondta, és a tenyerébe temette az arcát.

Atalantának könnybe lábadt a szeme. Ez a férfi csak próbált kapaszkodni abba, ami megmaradt a családjából. Annak ellenére, hogy tisztában volt vele, mire képes Yvette a legrosszabb pillanataiban, olyannak szerette, amilyennek a legjobb pillanataiban látta. És ez nagyon ismerős volt Atalanta számára is.

– Kiderítjük, mi történt. Mathilde-dal, Marcel DuPont-nal és Madame Lanier-vel. Te csak maradj itt, és nyugodj meg! – Raoul intett Atalantának, hogy menjen ki vele a folyosóra. – Szerencsétlen ember! Teljesen elment a józan esze.

– Tisztában van vele, hogy azt ígérte, megold három gyilkossági ügyet? – szegezte neki Atalanta a kérdést. Kapkodta a levegőt. Persze megértette, hogy segíteni akar a barátjának, de Raoulnak fogalma sem volt róla, milyen hatalmas fába vágta a fejszéjét. Hiszen nem maradt sok idejük, mielőtt Joubert odaér.

– Mit mond? – kérdezte Raoul. – Segít nekem?

– Miért kérne arra, hogy segítsek önnek?

Arra számított, hogy Raoul azt mondja, korábban egyszer már józannak nevezte, márpedig egy efféle vállalkozáshoz éppen egy józan emberre van szüksége. De jelen pillanatban Atalanta sem volt önmaga. Az agyában zűrzavar uralkodott, és a lábait mintha kocsonyával töltötték volna meg. Hiszen talán rajtuk múlott egy lány élete.

Ám Raoul válasza egészen másképp hangzott, és meglepte a lányt a szavaival:

– Mert az összes itt lévő ember közül ön az egyetlen, aki őszintén megpróbálta megkedvelni Yvette-et, és összebarátkozni vele.

Atalanta az ajkába harapott. Nem árulhatta el, hogy önmagát látta a megárvult lányban. Hiszen az ő szülei hivatalosan éltek és virultak Svájcban. *Ne feledkezz meg a szerepedről!*

– Nos, egyáltalán nem sikerült összebarátkoznom vele – jegyezte meg Atalanta, és felsóhajtott. Yvette nem avatta a bizalmába, ezért nem nyújthatott Raoul számára semmi hasznosat, amivel bizonyítani tudták volna a lány ártatlanságát. – Ráadásul, hogyan is lennék képes pártatlanul kinyomozni, hogy bűnös-e, ha olyan fontos a számomra?

Raoul belenézett a szemébe.

– Ha valóban fontos, segítenie kell, hogy kiderítsem az igazságot. Tisztázzuk a nevét, és feloldozzuk. Vagy valami mást teszünk... Kerítünk valakit, aki segíthet neki. De nem hagyjuk cserben. Arról szó sem lehet.

A szavaiból áradó szenvedély mélyen megérintette Atalantát. Azt hitte, azért jött ide, hogy segítsen Eugénie-nek, de az ügy más irányba terelte. De nem éppen erről beszélt a nagyapja? Hogy követni kell az utat, amerre viszi az embert.

Ez lenne az?

Segíteni Yvette-nek, mindenáron?

– Nem hagyjuk cserben – ismételte, és eltökélten kihúzta magát. – Hol lehet most Yvette? Meg kell találnunk, és rávennünk, hogy beszéljen velünk, mielőtt Joubert ideér. Nem tudom megítélni, hogy a felügyelő kedveli-e a nemeseket, vagy sem, de lehetséges, hogy nem bánik kesztyűs kézzel egy lánnyal, akire gyanakodni kezd.

– Jó gondolat. Gyerünk!

Raoul mutatta az utat Yvette szobájához. Ám a lány nem volt ott.

– Túl egyszerű lett volna – motyogta maga elé bosszúsan a férfi.
– Hová menekülhetett?

– Az istállóba? Imádja a lovakat.

Odasiettek, és meg is találták Yvette-et. Egy barna lovat simogatott, akinek egy fehér folt díszelgett az orrán. Kedves szavakat suttogott neki, ám az arca nem árulkodott semmiféle érzelemről, mintha mélyen a gondolataiba feledkezne.

– Madame Frontenac nem sértette meg a karodat? – kérdezte Atalanta. Csak lassan, óvatosan! Nem lett volna célravezető, ha rögtön elárasztja kérdésekkel Madame Lanier-ről.

– Nem mintha bárkit is érdekelne. – Yvette odafordult hozzá.
– Megtalálta Bellevue királynéjának a fátylát? Úgy tesz, mintha mindannyiunk fölött állna. Maguk azonnal ugranak a parancsaira, vigyorognak rá, mint az idióták. Különösen maga. Mintha valami öleb lenne, vagy mi.

Atalantának egyetlen arcizma sem rándult.

– Yvette! Tudnunk kellene valamit. Ez nagyon fontos. Amikor levitted a fátylat a kriptába, mit találtál ott?

– Mit találtam volna? Semmit. Az éjszaka közepén mentem oda. Sötét volt, és siettem. – Yvette egy pillanatra megborzongott.

– Nem azalatt tetted, amíg Eugénie reggelizett? – kérdezte Atalanta.

– Nem. Tegnap este hoztam el a fátylat, mielőtt visszament a szobájába. Magamnál tartottam, és miután mindenki elaludt, lementem a kriptába.

– Csúszott a lépcső? – kérdezte Raoul.

– A lépcső? – Yvette elgondolkodva ráncolta a homlokát. – Nem, nem volt csúszós. Miért?

– Rátetted a fátylat a sírszobor faragott fejére, és aztán visszamentél? Nem láttál vagy hallottál senkit a közelben? Aki esetleg a kápolnában rejtőzködhetett volna.

– Nem. Nem hiszem. De nem néztem körül alaposan.

– Madame Lanier nem volt ott? Hogy imádkozzon a lányáért?

– Nem. Nem láttam. Azt hiszem, már aludt. Mit keresett volna egy jéghideg kápolnában olyankor?

– Szóval éjjel tetted oda a fátylat? – Atalanta teljesen biztos akart lenni, mert az időpont döntő jelentőségű volt ebben az ügyben. – Nem addig, amíg a vendégek reggeliztek? Eugénie azt mondta...

– A fátyol egy dobozban volt a szobájában. Akkor vettem el, amikor lent volt magával úgy tíz körül. Gilbert akkor mondta el, hogy Pompomnak egész nap a szolgálókkal kell maradnia. Hogy le kell oda vinnem, amint reggel felkelek. Olyan mérges lettem, hogy boszszút akartam állni azon a nőn. Azt hittem, benéz a dobozba, mielőtt elmegy lefeküdni, és nagy felhajtást csap majd. Csak akkor adtam volna vissza a fátylat, ha megengedi, hogy Pompom is ott legyen az esküvőn. De semmi nem történt. Nem vette észre.

Yvette lehorgasztotta a fejét, mintha visszaidézte volna a csüggedtségét, amikor a terve balul sült el.

– De akkor már nálam volt a fátyol, és nem igazán tudtam, mit kezdjek vele. Tűzre vessem? Forgassam meg lócitromban? Nem voltam túl fantáziadús kedvemben. Az is eszembe jutott, hogy körbetekerem vele a kertben álló Minerva-szobrot, miután vörös festékkel, amilyen az a ronda szobája, vérkönnyeket festek az arcára. Jó móka lett volna, ha Eugénie meglátja az ablakából, ahogy ott lóg, kirohan, hogy leszedje, és frászt kap a véres könnyektől meg minden.

– Ez azért elég fantáziadús – jegyezte meg Raoul szárazon.

Yvette ügyet sem vetett a férfi megjegyzésére, és folytatta:

– De a bejárati ajtót bezárják, így nem juthattam volna ki, ezért eszembe jutott a kápolna meg a kripta, hogy ráteszem Mathilde képmására. Ez még a másik ötletnél is megdöbbentőbbnek tűnt. Mintha magának követelte volna a fátylat, mert nem akarta, hogy Eugénie elfoglalja a helyét. Szóval lementem, és odatettem.

– És ez mikor történt?

– Három körül? Nem tudom biztosan.

– Madame Lanier nem volt ott?

– Miért kérdezgetnek folyton Madame Lanier-ről?

– Mert holtan fekszik a kriptában.

Yvette azonnal felkapta a fejét, és Raoulra nézett.

– Ezt csak kitalálta – mondta rekedt hangon.

– Nem. Halott, és mivel te rátetted a fátylat a sírkőre...

– Azt hiszik, én öltem meg. – Yvette nem látszott döbbentnek vagy rémültnek, egyszerűen csak csodálkozott. – Jó vicc. Mégis miért öltem volna meg egy nőt, aki soha nem ártott nekem? Még kedvelt is.

Raoul jelentőségteljes pillantást vetett Atalantára.

– Monsieur Joubert ki akar majd kérdezni. Csak mondd el neki is azt, amit nekünk, és minden rendben lesz!

– Joubert egy ostoba fajankó. Azt hiszi, az egyenruhája különlegessé teszi. De nem fogok válaszolni egyetlen kérdésére sem, mintha valami gyanúsított lennék. Ez az otthonom. Ő pedig egy betolakodó. – Yvette újra simogatni kezdte a lovat.

– Ez nem a legmegfelelőbb pillanat egy hisztihez – figyelmeztette Raoul. – Nagyon komoly a helyzet. Ha megvádolnak, Monsieur Joubert bevihet a fogdába. Tudod, hol tartják a faluban a gyanúsítottakat?

Yvette továbbra is hitetlenkedve nézett rá, majd lassan megváltozott az arckifejezése. Odaszaladt hozzá, és a nyakába vetette magát.

– De te nem hagyod, hogy ez történjen velem. Megvédesz, ugye?

A feje fölött Raoul ránézett Atalantára. A nő még soha nem látta ilyen komolynak. Szinte szomorúnak. Rájött, hogy talán nem lesznek képesek megmenteni a lányt?

Atalantának újra könnybe lábadt a szeme, és hevesen pislogni kezdett.

Raoul Yvette vállára fektette a tenyerét, és azt mondta.

– Nem tudlak megvédeni, ha nem segítesz nekem. Mondd el Joubert-nek, amit nekünk mondtál, és minden rendben lesz. Ne színezd ki érdekes részletekkel, és ne találj ki történeteket! És a legjobb lesz, ha nem említed meg Minervát és a véres könnycseppeket. Csak annyit mondj, hogy egy kicsit élcelődni akartál a fátyollal. Egy iskolás lány csínytevése. Ilyesmit.

Yvette elhúzódott tőle, az arca vöröslött.

– Nem vagyok iskolás lány. – Úgy tűnt, nagyot csalódott, amiért Raoul ezzel a szóval illette.

Lehet, hogy egy kicsit valóban szerelmes volt a jóképű autóversenyzőbe, ahogyan Eugénie gyanította?

Ha így van, én igazán nem hibáztatom.

Yvette el akart szaladni, de Raoul megragadta a karját.

– Itt maradsz a házban! Nem hagyom, hogy magad alatt vágd a fát azzal, hogy elbújsz. A nagybátyád szörnyen aggódik miattad. Lassan fel kell nőnöd, és időnként jó lenne, ha másra is gondolnál.

Yvette szólásra nyitotta a száját, hogy visszavágjon, de aztán lesütötte a szemét, és bólintott, majd hagyta, hogy visszavezessék a házba. Miután felkísérték a szobájába, és közölték vele, hogy maradjon ott, amíg nem hívják, Raoul odafordult Atalantához:

– És most mihez kezdjünk?

Atalanta vett egy mély lélegzetet.

– Ha Yvette igazat mondott, annyit tudunk, hogy Madame Lanier csak hajnali három óra után mehetett le a kriptába, ahol elérte a végzete. Megcsúszhatott és eleshetett. De az is lehet, hogy lelökték.

– Yvette azt mondta, nem csúszott a lépcső.

– De amikor én mentem le, valóban volt valami a lépcsőn. Lehet, hogy Yvette kikerülte azt a pocsolyát, amibe Madame Lanier belelépett. Fiatal lány, gyors és éber. Másként közlekedik, mint egy Madame Lanier korú hölgy.

– Igen, persze. – Raoul a homlokát dörzsölgette.

Lódobogás hallatszott odakintről. A helyi orvos volt az, a hatalmas bőrtáskájával. Hamarosan eltűnt a kápolnában. Nem sokkal később egy autó érkezett. Két ember szállt ki belőle – Joubert és egy másik, egyenruhás rendőr.

Raoul és Atalanta nézték, ahogy ők is eltűnnek a kápolnában. Atalantának hevesen kalapált a szíve. Vajon mit fognak gondolni?

Aztán megköszörülte a torkát, és azt kérdezte:

– Gondolja, hogy Joubert magával hozott egy magasabb rangú nyomozót?

Raoul megvonta a vállát.

– Lehetséges. Egy kis falunak általában csak egy felügyelője van, lehet, hogy ő a helyi főfelügyelő. És szemben azzal, amit Gilbert állított, egyáltalán nem viseltetnek ellenszenvvel a nemességgel kapcsolatban, sokkal inkább próbálnak a kedvükre tenni. Legalábbis addig, amíg az orvos meg nem állapítja, hogy a sérülések az esésből fakadtak.

– Mindössze egy évvel Mathilde balesete után? – Atalanta megrázta a fejét. – Most alaposabban megvizsgálja a részleteket. Bár a doktor már akkor is azt mondta, hogy Mathilde-nak nem a nyaka tört el, hanem betörött a koponyája. Akár le is üthették valamivel.

– Gondolja, hogy szándékosan ölték meg? – Raoul rámeredt. – Honnan tudja egyáltalán, mit mondott az orvos?

Atalanta arra gondolt, hogy egy kis őszinteség jót tenne az együttműködésüknek, ezért azt mondta:

– Eugénie kapott egy levelet, amelyben az állt, hogy Mathilde nem balesetben halt meg. Ez a rosszindulatú vád árnyékot vetett a boldog esküvői készülődésre. Ennélfogva megkért, hogy jöjjek el vele, és mondjam el, mit gondolok.

Raoul elégedetten a tenyerébe csapott az öklével.

– Tudtam, hogy nem az, akinek kiadja magát.

Atalanta elpirult.

– Csak azért hazudtam, hogy segítsek Eugénie-nek, hogy kideríthessem, csak azért írták azt a levelet, hogy tönkretegyék a nagy napját, és nem azért, mert valóban figyelmeztetni akarták. Én... Sikerült kiderítenem, hogy Louise volt az, és úgy tűnt, ezzel minden megoldódott.

– Louise ilyen levelet írt? – Raoul füttyentett egyet. – Soha nem gondoltam volna. Igen, utálja Eugénie-t, amiért előbb megy férjhez, mint ő, de miért keverné gyanúba a férfit, aki olyan fontos a számára?

– Úgy véli, a gróf fontos a számára?

– Már jó ideje így gondolom. De meg is szerezhette volna magának, ahelyett hogy bemutatja a húgának. Nem értem a nőket.

– Louise írta a levelet. Pontosan elmondta a tartalmát, márpedig Eugénie senkinek nem mutatta meg rajtam kívül. Ez megoldódott. De Marcel DuPont valóban tudhatott valamit, különben nem ölték volna meg.

– Joubert azt feltételezi, hogy Sargant végzett vele a régi nézeteltérésük miatt.

– Igen, de mit keresett a zsebében egy kagyló a grottóból?

Raoul rászegezte a mutatóujját.

– Azért volt a grottóban, hogy megvizsgálja Marcel DuPont halálának a körülményeit?

– Úgy éreztem, tartozom ennyivel Eugénie-nek. Hiszen a bizalmába avatott, és megkért, hogy segítsek.

– Hmmm. És felfedezett valamit?

– Semmit. – Atalanta cseppet sem örült, de el kellett ismernie, hogy Raoul arca felragyogott.

– Tessék! Semmit sem lehet találni ott. Nincsenek nyomok a rendőrség számára. Nem köthetik a gyilkosságot a grottóhoz, Yvette-hez vagy bárki máshoz ebben a házban. Nem kell aggódnunk.

Raoul elkezdett fel-alá járkálni, miközben megismételte:

– Nem kell aggódnunk. Nem szabad, hogy elragadjanak bennünket az érzelmek. Az csak rossz döntésekhez vezet. Ez igaz a versenyzésre is. És az életre is.

– Egyetértek, de először is meg kell tudnunk, mit mond az orvos. – Atalanta intett a férfinak. – Lássuk, hátha kihallgathatjuk, amit mond!

A kápolnába érve megállapították, hogy az orvos lent van a kriptában. Az egyik rendőr világított neki, míg Joubert a lépcső tetején állva figyelte az eseményeket.

Atalanta és Raoul könnyedén a közelbe lopózhattak anélkül, hogy észrevették volna őket.

Az orvos hangja fojtottan hallatszott a mélyedésből.

– Súlyos fejsérülést szenvedett. Bizonyára beütötte a fejét a padlóba, amikor leesett ide. Az esés okozta sokk, a félelem akár szívrohamot is eredményezhetett. De ezt nem tudom megállapítani. Úgy... hét órája lehet halott.

Raoul rápillantott az órájára, és odasúgta Atalantának:

– Ez azt jelenti, hogy hajnali négy körül halhatott meg. Ez egybevág azzal, amit Yvette mondott.

– Van bármi jele idegenkezűségnek? – kérdezte Joubert. – Lelökték?

– Nehéz megmondani. Egy esés horzsolásokkal jár, és... Hűha! Ez érdekes. Egyetlen horzsolást sem látok rajta. Milyen különös! – Az orvos hümmögni kezdett magában. – Találnunk kellene sebesüléseket. De szinte csak a fejsérülés látszik.

Raoul megragadta Atalanta karját, és megszorította.

– Ez egyáltalán nem jó hír – suttogta.

– Ez azt jelenti, hogy valaki leütötte – kérdezte Joubert –, aztán odatette a testet a lépcső aljára, hogy úgy tűnjön, mintha leesett volna?

– Lehetséges. – Úgy tűnt, hogy az orvos felállt, mert jobban kivehető lett a hangja. – Mindenesetre ez rendkívül különös. Mathilde, a néhai grófné, szintén egy esés következtében veszítette életét, és ugyancsak fejsérülést szenvedett. Mindig azt hittem, úgy történt, hogy levetette a hátáról a ló, de ha jobban belegondolok... Lehetséges, hogy fejbe vágták, és úgy állították be, mintha leesett volna a lóról.

Joubert szitkozódni kezdett.

– Most azt akarja mondani, hogy a grófnéval történt halálos baleset valójában gyilkosság volt?

– Én nem állítok semmi hasonlót. Pusztán felvetettem ennek a lehetőségét. A nyomozás az ön dolga, nem az enyém.

– De önnek kell ellátnia bennünket az információkkal, amelyekre szükségünk van. Ha valaki tavaly megemlítette volna, hogy a grófnét fejbe vágták...

Atalanta visszafojtotta a lélegzetét. Raoul még mindig szorította a karját, miközben egymást követték a felismerések, amelyek egyre távolabb sodorták őket a szerencsés végkifejlettől.

– Egy efféle sérülésnél nehéz megmondani, hogy miként keletkezhetett – jegyezte meg az orvos kissé rosszallóan. – Nem volt okom kételkedni abban, hogy a grófné leesett a lóról. Igen vad jószág volt, még akkor is szaladt, amikor végül megfogták... Minden körülmény arra utalt, hogy...

– A körülmények még nem tények. – Joubert újra szitkozódni kezdett, de a munkatársa azt mondta:

– Nem lehetünk biztosak abban, hogy mi történt egy évvel ezelőtt. És nem kezdjük újra a nyomozást. Ez az egy gyilkosság is éppen elég lesz. Úgy gondolja, hogy a nő itt halt meg? Vagy elmozdították a holttestet?

– Nehéz biztosan megmondani – válaszolta az orvos. – Nem vérzett sokat. – A hangja egyre erősödött, míg végül felbukkant a mélyedésből. Azonnal észrevette Atalantát és Raoult. – Azt hiszem, társaságunk érkezett.

A rendőrtiszt mérgesen rájuk nézett.

– Egyelőre még nem tudjuk kikérdezni a szemtanúkat. Maradjanak a ház körül! Senki sem mehet el.

– Gondoskodunk róla, hogy ezt mindenki megértse – biztosította őket Raoul, és elvezette Atalantát. Amint hallótávolságon kívülre értek, azt mondta: – Szóval gyilkosság történt. Nem esett le a lépcsőről, meggyilkolták. Egyszerűen nem tudom elképzelni, hogy Yvette volt. És miért tett volna ilyet? Mert nem kedvelte Madame Lanier-t? Ha megölne mindenkit, akit nem kedvel, Eugénie már rég halott lenne.

Atalanta megrázta a fejét.

– Ez nem olyan téma, amivel viccelődni lehet.

– De az indíték akár a legfontosabb mozzanat is lehet egy gyilkossági ügyben. Nyomós ok kell ahhoz, hogy az emberek ilyen lépésre szánják el magukat. Nem törik be mások fejét puszta szórakozásból.

Atalanta nagyapja azt tanácsolta, hogy térjen vissza a legelejére. Ahhoz a mozzanathoz, ami minden továbbit mozgásba lendített. Az első haláleset Mathilde-é. Vajon miért kellett meghalnia?

Raoul gondterhelten ráncolta a homlokát.

– El kell mondanunk Gilbert-nek, hogy úgy tűnik, gyilkosság történt. Nem szabad, hogy felkészületlenül érje a hír.

Atalanta gyűlölte, hogy neki kell megosztania a gróffal a rossz híreket, de bólintott. Súlyos léptekkel követte Raoult a lépcsőkön. Élete első ügye borzalmas fordulatot vett. Egy jóval tapasztaltabb nyomozó talán tudná, mit tegyen.

De nekem fogalmam sincs.

Bementek a könyvtárba, ám nem találtak ott senkit.

– Megmondtam neki, hogy maradjon itt – mondta Raoul komor arccal. – Hová tűnhetett?

Hangokat hallottak, ezért a dolgozószoba ajtajához siettek, ami nyitva állt. Gilbert az íróasztala mögött ült, és dohányzott, Victor pedig előtte állt. – Hidd el nekem, hogy az a DuPont fickó volt az! – Megfordult, amikor meghallotta a lépteiket.

– Victor éppen arról a napról mesélt, amikor Louise-szal megérkeztek. DuPont megszólította Louise-t a fogadóban, ahol megálltak kávézni.

– Tisztán láttam, hogy Louise-szal beszélget. És mintha Louise adott volna neki valamit. Talán pénzt? – Victor megvonta a vállát. – Egészen mostanáig eszembe sem jutott ez az egész. De kihallgattam a rendőröket, amikor bejöttek a házba. Az egyikük azt mondta, figyelemre méltó, hogy egy újabb haláleset történt a Bellevue-birtokon. Hogy még a DuPont-ügyet sem sikerült tisztázniuk, mert ez a pénz dolog nem illik a képbe. Úgy tűnik, hogy egy bankjegy darabját találták meg a fickó összeszorított markában. Valaki pénzt adott neki, mielőtt meghalt.

– És most Victor úgy gondolja, Louise volt az – magyarázta Gilbert, miközben elgyötörten dörzsölgette a homlokát. – De én nem hiszem. Miért akart volna fizetni egy orvvadásznak? És aztán miért szúrta volna le? Ennek semmi értelme.

Victor tiltakozni akart, de Gilbert intett neki a cigarettájával. Füst kanyargott a mennyezet felé.

– Kérlek, most menj el! Már így is elég bonyolult a helyzet.

Gilbert nézte a férfi távolodó hátát.

– Mégis miért akarná Victor bajba keverni Louise-t? – tette fel a kérdést Raoul. – Azt hittem, szerelmes belé.

Gilbert felnevetett.

– Victor Eugénie-t akarta, de miután ő igent mondott nekem, maradt Louise. Szerintem ezt Louise is tudja, csak azért ment bele a játékba, hogy bosszantsa a húgát. – Aztán egy pillanattal később hozzátette: – Hiszen Eugénie számára Victor továbbra sem közömbös.

Szóval a gróf erről is tud.

– Miből gondolod ezt? – kérdezte Raoul. Karba tett kézzel állt, és a grófra szegezte a tekintetét. – Hiszen hozzád megy feleségül.

– Ezek után már biztosan nem. – Gilbert elnyomta a cigarettáját. – Itt nem lesz esküvő. Se nászút, se boldogság. Minden elszállt. Csak mert valami víz került a lépcsőre.

– Attól tartok, ennél bonyolultabb az ügy – jegyezte meg Raoul, majd elmagyarázta, mit derített ki az orvos. – Úgy gondolja, hogy Madame Lanier fejét erős ütés érte.

– Szóval mégis Yvette-et fogják gyanúsítani. – Gilbert megint elsápadt. – Elvégre Eugénie-t is megütötte azzal a fürdőkefével. Az a seb még most is látható. Nyilvánvaló bizonyíték arra, hogy Yvette erőszakos. Hogy gondolkodás nélkül rátámad az emberekre. – A gróf hevesen gesztikulált. – El kell menekülnie. Elfutni a letartóztatás elől.

Atalanta elhúzta a száját a javaslata hallatán.

– Nem. Az csak a bűnösségét bizonyítaná. És hajtóvadászat indulna utána. Még a végén… – Inkább elhallgatott, mielőtt szavakba öntötte volna a legrosszabb forgatókönyvet.

– Atalantának igaza van – vágta rá Raoul sietve. – Nem szabad elveszítenünk a fejünket, és…

– Barátom! Te egy autóval száguldozol, és sportnak hívod. Nem ismersz félelmet. De én igen. És én inkább meghalnék, mint hogy végignézzem, hogy bármi történik ezzel a lánnyal. – Gilbert lehunyta a szemét. Nagyon öregnek és fáradtnak tűnt.

– Megígértük, hogy segítünk – mondta Atalanta –, és úgy is lesz. Önnek és Yvette-nek. – Ránézett Raoulra. De csak a saját lelkében tomboló csüggedést látta visszatükröződni a férfi szemében. Mégis, csak tehettek valamit!

TIZENKILENCEDIK FEJEZET

Amikor Atalantára került a sor, hogy kihallgassa a rendőrség, nyugodtabb volt, mint ahogyan azt korábban elképzelte. Megígérte magának, hogy nem fog hazudni, ugyanakkor nem kínál tálcán olyan információkat, amelyeket nem kérnek tőle.

Joubert úgy mutatta be a munkatársát, mintha valami királyi előkelőség lenne, és kiderült, hogy ő a helyi főfelügyelő, Monsieur Chauvac.

– Szóval ön egy unokatestvér a Frontenac családból? – kérdezte Chauvac. Úgy ejtette ki a nevet, hogy hiányzott belőle a szokásos tisztelet.

Talán ő maga is gazdag családból származott, és lenézte azokat, akik a közelmúltban szerezték a vagyonukat, nem örökölt földek és értékek, hanem üzleti vállalkozások által.

– Igen, elkísértem Eugénie-t, én zongorázom az esküvőn. Zenetanár vagyok.

– Értem. És az érkezése óta itt van vele? Találkozott az elhunyt Madame Lanier-vel?

– Igen.

– És ön találta meg a holttestet?

– Belebotlottam, amikor el akartam hozni valamit a kriptából.

– És mi volt az?

– A menyasszonyi fátyol.

– És hogy került a menyasszonyi fátyol a családi kriptába?

Atalanta kísértésbe esett, hogy kitaláljon valami régi, családi hagyományt, de végül semleges hangon annyit mondott:

– Mademoiselle Yvette, a gróf unokahúga vitte oda. Gyerekes tréfának szánta. Egy csíny volt, mivel nem kedveli Eugénie-t, míg a gróf első feleségét, Mathilde-ot szerette.

– A tényeket kérdeztem, *mademoiselle*, nem a személyes véleményét.

– De tény, hogy nem kedveli Eugénie-t. Ő maga mondta, mások jelenlétében. Számtalanszor. – Atalanta úgy gondolta, nem árthat, ha ennyit elárul, hiszen Eugénie él és virul. – Egy korábbi alkalommal egy vizes söprűt rejtett az egyik vendég ágyába. Egyszerűen ilyen.

– Lement a fátyolért, és aztán?

Atalanta előadta az eseményeket.

– Amikor meghallottam, hogy Madame Lanier az, azt hittem, megcsúszott, és lesett a lépcsőn, mert korábban is járt már a kriptában, és...

Ám Chauvac felemelte a kezét, és megállította.

– Nem érdekel, hogy mit gondolt.

– De fontos, hogy már ezelőtt is járt a kriptában.

– Majd én eldöntöm, mi fontos. – A főfelügyelő végigsimított a gondosan nyírt, fekete bajuszán. – Amikor a holttestet felfedezték, hol volt a lány, Yvette?

– Nem volt a kápolnában. A többiek mérgesek voltak rá, mert elvitte a fátylat.

– És amikor tudomást szerzett a halálesetről, mit csinált?

– Elszaladt, de ő mindig elszalad, amikor mérges vagy felzaklatja valami, úgyhogy ez nem jelenti azt, hogy...

– Majd én eldöntöm, mit jelent. És ön megkereste?

– Igen.

– És hol volt?

– Az istállóban.

– Felszerelt egy lovat, hogy elmenekülhessen. – Joubert izgatottan a főfelügyelőre nézett.

Chauvac úgy tett, mintha meg sem hallotta volna, és azt kérdezte Atalantától:

– Mit mondott Mademoiselle Yvette, amikor ön rátalált?

– Megkértem, hogy jöjjön vissza a házba, és ő vissza is jött. Csak simogatott egy lovat, esze ágában sem volt felnyergelni. – Atalanta rosszalló pillantást vetett Joubert-re. De nem tűnt úgy, mintha a férfit meghatotta volna.

Chauvac megköszörülte a torkát, mintha vissza akarta volna terelni magára a lány figyelmét, és folytatta a kihallgatást.

– Amióta itt tartózkodik a birtokon, történtek más incidensek is Mademoiselle Yvette-tel? Nem adta jelét erőszakos hajlamnak?

Atalanta habozott.

– Fiatal lány. Az én tapasztalatom szerint...

– Nem kérdeztem a tapasztalatairól, sem más lányokról. Én erről a lányról kérdezem, Mademoiselle Yvette-ről, a gróf unokahúgáról. Nem adta semmi jelét annak, hogy erőszakos hajlamai lennének?

– Nem tudok válaszolni erre a kérdésre.

– Visszautasítja, hogy válaszoljon a kérdésemre – fordult a főfelügyelő Joubert-hez. – Mind próbálják mentegetni a lányt.

– Nem vagyok pszichiáter – tiltakozott Atalanta. – Nem tudom megítélni, hogy...

– Csak arról kérdeztem, amit látott és hallott. Mások gondolkodás nélkül elmondták a vallomásukat.

Biztos vagyok benne, hogy Eugénie nem sokat tétovázott. Ám ekkor felismerte a következetlenséget.

– Ha mások szabadon vallottak Yvette viselkedéséről, akkor miért mondja, hogy mindannyian próbáljuk mentegetni a lányt? – Lehet, hogy Eugénie mégis szűkszavúan nyilatkozott? Nem, ezt nem tudta elképzelni.

A főfelügyelő intett a kezével.

– Itt én teszek fel kérdéseket, ön pedig válaszol. Megütött az a lány bárkit az ön jelenlétében?

– Igen. – *Sajnálom, Yvette, de megfogadtam, hogy nem hazudok.*

– Viselkedett kiszámíthatatlanul az ön jelenlétében? Megpróbált kárt tenni önmagában?

Atalanta vett egy mély lélegzetet. Megint nagy volt a kísértés, hogy hazudjon, vagy legalább elkerülje az őszinte választ.

– Arra az incidensre gondol, ami a tónál történt, amikor piknikeztünk? Csak azért csinálta az egészet, hogy rá figyeljünk.

– Nem kértem, hogy elemezze, ami történt, vagy feltevésekbe bocsátkozzon a lány érzelmeivel kapcsolatban. Azt kérdeztem, megpróbált-e kárt tenni magában. Hogy heves és kiszámíthatatlan volt-e.

– Igen.

– Köszönöm. Látja? Nem is volt olyan nehéz.

Atalantában fortyogott a méreg, de elfojtotta.

A főfelügyelő a jegyzeteit tanulmányozta.

– Aznap érkezett, amikor megtalálták Marcel DuPont holttestét?

– Igen. Elhajtott mellette az autónk, amikor kiemelték az árokból. A sofőrünk megjegyzést tett a részeg csavargókról, és…

– Amikor ön megérkezett a házba, Mademoiselle Yvette itt volt?

– Igen. Kijött a személyzettel együtt, hogy üdvözöljön bennünket.

– Észrevett rajta bármi furcsát? Nem volt zilált az öltözete? Sáros a cipője? Borús a hangulata?

– Nem, a szokásos, makacs önmaga volt.

– Értem. És mialatt itt tartózkodott, hallotta, hogy azt emlegetik, Mademoiselle Yvette-nek szüksége lenne egy pszichiáterre?

– Hallottam, de nem vagyok benne biztos, hogy…

– Köszönöm. Csak ennyit akartam tudni.

Atalanta kihúzta magát a széken.

– Ha valaki azt mondaná egy másik embernek, hogy engem egy pszichiáter gondjaira kellene bízni, ez valóban azt jelentené, hogy labilis vagyok, vagy sokkal inkább azt, hogy a másik ezt gondolja rólam? Hiszen rosszindulatból is lehet ilyet mondani.

– Úgy fogalmazott, hogy labilis. Érdekes. – Chauvac gyanakodva fürkészte Atalanta arcát. – Amennyire ön tudja, vitatkozott Mademoiselle Yvette és a néhai Madame Lanier?

– Nem. Nem láttam és nem is hallottam őket vitatkozni, és kétlem, hogy Yvette-nek volna bármi...

A felügyelő feltartotta a kezét.

– Nem vagyok hajlandó megismételni, amit már elmondtam.

Atalanta felsóhajtott, és tehetetlenül hátradőlt a székén.

– Én megértem, hogy ön a tényekre kíváncsi, de mégis mik a tények? Ha egyikünk sem hallotta őket vitatkozni, az talán azt bizonyítja, hogy nem vitatkoztak? És ha vitatkoztak, az talán azt bizonyítja, hogy ez később végzetessé vált? Ez nem bizonyít semmit, és ezt ön is tudja.

– Átkutatjuk a lány szobáját bizonyítékok után. És ha találunk valami perdöntő dolgot... – A főfelügyelő sokatmondóan intett a kezével. – És most, van még bármi, amit szeretne velünk megosztani? De kérem, csak tények legyenek, és ne feltevések!

– Nincs.

– Köszönöm. Akkor elmehet.

Atalanta felállt, ám ebben a pillanatban kivágódott az ajtó, és beviharzott egy másik rendőr. Úgy tűnt, ő később érkezett, mint a jelenlévők, anélkül hogy Atalanta látta volna.

– Nézzék, mit találtunk a lány szobájában! – kiáltotta izgatottan. Meglengette Yvette festőkészletét, amit mindig magával vitt az erdőbe, vagy ahol éppen dolgozni szeretett volna valamelyik művén. Voltak benne ecsetek, festékestubusok és papírlapok. Az alján azonban valami megcsillant a fényben: egy apró kés. A pengéje maszatos volt, mintha berozsdásodott volna.

Ám Atalanta rájött, mi lehet az, és megborzongott. Alvadt vér. Marcel DuPont vére?

A főfelügyelő felpattant.

– Bevihetjük a városházára. Ott majd meglátjuk, rá tudjuk-e venni, hogy vallomást tegyen az orvvadászról és Madame Lanier-ről is.

– Bárki betehette azt a kést a festőkészletbe – tiltakozott Atalanta.

– Ó, persze! Egy gyilkos mindenhová egy késsel a zsebében megy, hogy aztán elrejthesse egy fiatal lány festőkészletében. Nem lenne észszerűbb, ha eldobná? Belehajítaná egy tóba? Eltemetné? Odakint számtalan lehetőség kínálkozik. Miért hozná be ide?

– Fogadok, hogy nincs rajta Yvette ujjlenyomata – jelentette ki Atalanta határozottan. Harcolnia kellett a következtetésükkel szemben, bármi áron beleültetni a fejükbe a kétkedést.

– Nem érdekelnek az efféle fogadások – vakkantotta Chauvac. – Vigyék a lányt!

A rendőr, aki megtalálta a festőkészletet, elhagyta a szobát a nyomában Joubert-rel, aki lelkesnek látszott, hogy végre történik valami.

– Nem sieti el? Összegyűjtött minden bizonyítékot? – kérdezte Atalanta.

A főfelügyelő ránézett.

– Madame Lanier tiszteletre méltó hölgy volt, akinek nem voltak ellenségei. Miért akarta volna bárki is bántani?

– Akkor mondjon egyetlen jó okot, amiért Yvette bántani akarta volna! – vágott vissza Atalanta. Eltökélte, hogy kitart. Megígérte a grófnak, Raoulnak és a saját lelkiismeretének.

A főfelügyelő felsóhajtott.

– A lány ott volt a kriptában éjnek évadján, hogy elrejtse a menyasszonyi fátylat. Találkozott Madame Lanier-vel. Vitába bocsátkoztak, vagy meglökte, amikor távozott. Nem kellett szándékosnak lennie. – A férfi forgatni kezdte a pecsétgyűrűjét. – De most, hogy megtaláltuk a kést... Ha ő ölte meg Marcel DuPont-t, bizonyára ő végzett Madame Lanier-vel is, méghozzá hidegvérrel. Komisz lány. Velejéig romlott.

Atalantának összeszorult a szíve. Eddig annyian kifejezték a kétségeiket Yvette idegállapotával kapcsolatban. Lehetséges, hogy már nem is tudja megmenteni?

A folyosóról sikoltozás és tompa puffanások zaja hallatszott. Atalanta kiszaladt a szobából, és látta, hogy Yvette rúgkapál az ismeretlen rendőr szorításában, miközben Joubert megpróbálja hátratekerni a kezét, hogy megbilincselhesse. Ahogy tusakodtak, nekiütköztek egy kisasztalnak, és egy magas, sötétvörös váza, amelyet táncoló férfiakat ábrázoló festmények díszítettek, veszélyesen imbolyogni kezdett.

Atalanta odarohant, hogy elkapja, de Joubert rákiáltott:

– Ha akadályozza a letartóztatást, magát is bevisszük!

Szabadnak kell maradnom, hogy tovább nyomozhassak, és segíthessek Yvette-nek.

Atalanta megdermedt.

A váza megbillent, és leesett a földre. A padlót beterítették a cserépdarabok.

Gilbert lerohant az emeletről.

– Az egy görög amfora – kiáltotta. – Dionüszosz követőit ábrázolja. Van fogalmuk róla, mennyit ér? – Lehajolt, hogy szemügyre vegye a törött darabokat.

Yvette abbahagyta az ellenkezést. Ránézett a nagybátyjára.

– Nem is érdekel, hogy letartóztatnak. Mindig jobban szeretted az ostoba antikvitásaidat, mint engem.

A gróf elsápadt.

– Tudod, hogy ez nem igaz. A helyedbe lépnék, ha tehetném, de... – felemelte a kezét, hogy megérintse a lány arcát, de Yvette elkapta a fejét. – Miért kell ezt csinálnod? – kérdezte Gilbert elgyötört hangon. – Miért teszed tönkre magad, engem és mindenkit, aki törődik veled?

Yvette dühödten rámeredt.

– Nem öltem meg senkit. Mind hazudnak.

A rendőrnek végül sikerült elrángatnia a lányt, Chauvac kijött a szobából, és üdvözölte Gilbert-t.

– Majd értesítjük, ha megtudtunk valamit. *Au revoir!*

Gilbert csak állt, és nézte, ahogy elviszik az unokahúgát. Rekedt hangon annyit mondott:

– Ezt nem hiszem el. Miért?

– Egy véres kést találtak a festőfelszerelésében – válaszolta halkan Atalanta. – Valószínűleg azt hiszik, ezzel a késsel ölte meg Marcel DuPont-t.

– Az öreg orvvadászt? Miért ölte volna meg? Nem értem, miért tett volna ilyet. – Úgy tűnt, megfeledkezett róla, hogy korábban ő maga is azt feltételezte, hogy a lány tette, és magára akarta vállalni a gyilkosságokat, hogy megmentse. – Ez az egész csak egy félreértés. Kerítenem kell egy ügyvédet. Méghozzá a legjobbat.

Atalanta azt motyogta, hogy sajnálja, és felment az emeletre. Remegett a lába az izgalomtól, ami átjárta, miközben meg akarta menteni a vázát.

Raoul sietett elé.

– Mi volt ez a felfordulás? – kérdezte pajkosan csillogó szemmel. – Csak nem támadt egy kis nézeteltérése a mi drága főfelügyelőnkkel?

Atalanta megrázta a fejét.

– Ez most nem jó alkalom a tréfálkozásra. Yvette-et letartóztatták.

– Máris? – Raoul inkább meglepettnek tűnt, mint lesújtottnak. – Miért? Mégis miféle bizonyítékot találtak?

Atalanta beszámolt a felfedezésről.

– Azt a kést biztosan csak odatette valaki. – Raoul hevesen gesztikulált a kezével. – Mindenki tudta, hogy megtalálták Madame Lanier holttestét. Az emberek összevissza mászkáltak egész nap. Bárki besurranhatott Yvette szobájába, hogy elrejtse a kést a festőkészletben.

Atalanta bólintott.

– Megmondtam a főfelügyelőnek, hogy szerintem nem lesz rajta a késen Yvette ujjlenyomata. De úgy tűnt, meg van győződve a bűnösségéről.

Raoul felsóhajtott.

– Vidéken a nemesek általában nagy befolyással rendelkeznek. Képesek a saját javukra fordítani a jogi csatározásokat. A bírók nekik kedveznek, ha mondjuk birtokjogi vitáról van szó. És a rendőrség előszeretettel tesz a kedvükre azzal, hogy orvvadászokat tartóztat le kétes bizonyítékok alapján. Hogy véget vessen ennek a borzalmas helyzetnek, sok újonnan kinevezett főfelügyelő fogadta meg, hogy ő nem követi ezt a példát. Meg akarják mutatni, hogy nem félnek a nemesek gyenge pontjaira tapintani. És egy gróf unokahúgának a letartóztatása tökéletes bizonyíték arra, hogy Chauvac milyen elkötelezett híve ennek az ügynek.

Szóval jól gondoltam. Nem érdeklik a nevek és a címek. Atalanta összeszorította a száját.

– Nagyra értékelem az elkötelezettségét, hogy minden gyanúsítotthoz ugyanúgy viszonyul, és nem zár ki senkit előzetesen a családi neve vagy a rangja miatt, de úgy tűnik, olyannyira elkötelezett híve ennek az ügynek, ahogyan nevezte, hogy mindent Yvette hátrányára tüntet fel.

– Ahogyan minket is elvakíthat az együttérzés, és mindent úgy értelmezünk, hogy tisztázhassuk a nevét. – Raoul belenézett a lány szemébe. – Legalábbis, én nem tagadhatom, hogy sajnálom Yvette-et. És nem azért, mert letartóztatták gyilkosságért. Nem, már sokkal ezelőtt sajnáltam amiatt, hogy olyan boldogtalan. Hiányoznak neki a szülei, és az öccsével sem találkozik gyakran. Imádja Gilbert-t, de nem képes kimutatni… Zűrös lány. És aggódom, hogy ez most sokat ronthat a helyzetén.

Atalanta bólintott.

– Megértem. Úgy hallottam, az öccse sem egyszerű eset.

Raoul halkan felnevetett.

– Arra az incidensre céloz, amikor egy nyíllal rálőtt valakire, akit nem kedvelt? Egyetértek, hogy lobbanékony és meglehetősen veszélyes húzás volt, de egy szempillantás alatt történt. Nem volt szándékos. Én csak futólag találkoztam a fiúval, de nem hiszem, hogy gonosz természetű.

– Mégis, az emberek akár egy szempillantás alatt is kárt tehetnek másokban. Elragadhatják őket az érzelmek. – Atalanta érezte, hogy az eltökéltsége meginog. Mi van, ha Yvette valóban elhamarkodottan cselekedett? Gondolkodás nélkül. Lehetséges, hogy a legmagasabb árat kell fizetnie érte? Az életével?

Raoul megérintette a lány karját. Egy pillanatra megszorította, mintha bátorságot akarna önteni belé.

– Beszélnünk kell Louise-szal a DuPont-nal való találkozásáról.

– Ó, igen! Remek ötlet. – Az, ha tehetett valamit, mindig túllendítette Atalantát a legnehezebb helyzeteken, lendületet adott neki. – Vajon hol lehet?

– Azt hiszem, a rendőrséggel folytatott beszélgetés után kiment a kertbe. Meg kell találnunk.

HUSZADIK FEJEZET

Végül a lugas mellett találtak rá Louise-ra. Egy padon ült, egy leszakított rózsával a kezében. Szórakozottan tépegette a szirmait, hagyta, hogy a földre hulljanak.

– Hogy van? – kérdezte Raoul. – Sikerült túljutnia az ijedségen?

Louise felvonta a szemöldökét.

– Úgy beszél egy gyilkosságról, mintha csak egy egér szaladt volna át a kápolnán. Azon képes lennék túltenni magam, de azon nem, hogy a húgom esküvőjén felbukkan egy holttest.

– Madame Lanier megtört asszony volt. – Raoul megvonta a vállát. – És közel járt a halálhoz.

Atalantát meglepte a szenvtelen hangnem. *Vajon ez a stratégiája, hogy válaszra sarkallja Louise-t?*

– És ezért teljesen rendben van, ha valaki lelöki a lépcsőn? – Louise felvonta az egyik szemöldökét.

– Csak azon tűnődöm, hogy önt miért érinti ez meg? – kérdezte Raoul, és egyenesen a nő szemébe nézett. – Madame Lanier amúgy is meghalt volna. Hiszen megmondták az orvosok, hogy gyenge a tüdeje.

Atalantának nehezére esett álcázni a meglepettségét. Ő maga Renard-tól hallotta ezt az információt, de vajon Raoulnak honnan volt róla értesülése? *Talán bizonyos körökben ez köztudott? A partikon keringő pletykákból?*

Louise teljesen megdöbbent.

– Ezek szerint haldoklott?

– Igen, szóval miért érdekli egyáltalán, hogy megölték? – Raoul szétvetette a lábát. – Vagy csak egy tévedés volt, Louise? Olyasvalami, amit elkerülhetett volna?

A szavai úgy hangzottak, mintha becsapódna egy ajtó. Louise csak pislogni tudott.

– Én… Mire akar célozni ezzel?

– Vagy csak egy egyszerű menekülési útvonal – folytatta Raoul szenvtelen hangon –, miután megízlelte a gyilkolás ízét, amikor végzett Marcel DuPont-nal?

– DuPont? – Louise elejtette a rózsát, és felállt. – Nem vagyok hajlandó végighallgatni…

– Csak ne olyan sietősen! – Raoul teljes testével Louise elé állt. – Ön beszélt DuPont-nal, mindössze órákkal a halála előtt, aznap, amikor megérkezett ide. Pénzt akart.

– Ez nem igaz. Még csak nem is velem akart beszélni. Eugénie-vel szeretett volna.

– Eugénie-vel? – vetette közbe Atalanta.

– Igen. – Louise hevesen bólogatott. – DuPont odajött hozzám a fogadó udvarán, ahol megálltunk kávézni. Egy újságkivágás volt nála Eugénie fényképével. Valami partin készült, és az állt alatta, hogy ez az elragadó előkelőség feleségül fog menni Surmonne grófjához.

A hangja egy pillanatra megbicsaklott, mintha alig tudna a húga szerencséjéről beszélni.

– Megmutatta az újságkivágást, és azt mondta, ha azt akarom, hogy valóban sor kerüljön az esküvőre, fizetnem kell neki. Máskülönben idejön, és mindent tönkretesz azzal, hogy szétkürtöli, amit Mathildéről tud.

– Ezt mondta önnek? – kérdezte Raoul.

– Igen, azt hitte, én vagyok Eugénie. Megmondtam neki, hogy a nővére vagyok. Összevetette az arcomat a fényképpel, és kijelentette, hogy nagyon hasonlítunk egymásra. Hnagsúlyoztam neki, hogy én tényleg a nővére vagyok, és ha beszélni akar Eugénie-vel, el kell mennie Bellevue-be, ahol jelenleg tartózkodik. Azt mondta, így lesz. Ennyi volt az egész.

– Valóban? – kérdezte Raoul cinikusan.

Atalanta közbelépett.

– Victor azt állította, hogy adtál neki valamit.

– Ezt Victor mondta nektek? – Louise hangjából sugárzott a gyűlölet. – És mégis miért tett volna ilyet?

– Az igazat megvallva, Gilbert-nek mesélte el a történetet – vetette közbe Raoul. – Csak éppen akkor mentünk be a szobába, és hallottuk a nagy részét.

– Gilbert-nek? De miért? – Louise tekintete Raoulról Atalantára, majd vissza rebbent.

Raoul megvonta a vállát.

– Ezt már önnek kell kiderítenie. De nem hinném, hogy csak azért mondta, hogy találjon valami beszédtémát.

– Az a barom! – Louise nyelt egyet.

Raoul közelebb hajolt hozzá.

– Maga pénzt adott DuPont-nak, Louise. És mi tudni szeretnénk, miért.

– Igen, így volt – ismerte be Louise, és ingerülten legyintett. – Azt mondta, nincs elég pénze, hogy Bellevue-be utazzon. A fogadó mindössze néhány kilométerre van innen, és a fickó meglehetősen öreg volt, így adtam neki néhány frankot, hátha sikerül rávennie valami földművest, hogy elhozza. Nem volt sok pénz.

– Érmék? – kérdezte Raoul. – Vagy bankjegyek?

– Csak érmék. – Louise elhúzta a száját. – Egyszerűen irtóztam attól az ocsmány, öreg embertől meg a célozgatásaitól. Hogyan is tudhatott volna bármit is Mathilde-ról?

– DuPont-t aznap tartóztatták le vadorzásért, amikor Mathilde-ot levetette a hátáról az a ló. – Raoul farkasszemet nézett Louise-szal. – Lehetséges, hogy szemtanúja volt a történteknek.

Úgy tűnt, Louise kezdi kellemetlenül érezni magát.

– Értem. – Tördelni kezdte a kezét, mintha gyűrögetne valamit. – Értem.

– DuPont halála nagy jelentőséggel bír – folytatta Raoul. – El kell mondania mindent, amit tud a fogadóban történt találkozásról.

– Most mondtam el.

– Eszedbe jut esetleg bármilyen részlet, ami segíthetne? – bátorította Atalanta. – Nem vettél észre rajta valami érdekeset?

– Mocskos volt, és bűzlött, mintha a disznóólban töltötte volna az éjszakát. A keze is mocskosnak tűnt. Összekoszolta az újságkivágást is.

– Visszatette a zsebébe, miután megmutatta neked?

– Nem, tartogatta a pénzzel együtt, mint valami kapzsi koldus. – Louise felhorkant. – Mégis mit képzelt magáról, hogy megfenyegethet engem?

– Mérges volt. Elég mérges ahhoz, hogy bosszút álljon, és leszúrja?

– Azt hiszik, kést hordok a táskámban? – Louise megvető pillantást mért Raoulra. – És mégis miért kérdezget ilyesmit tőlem? Hirtelen a rendőrség oldalára állt?

– Yvette-et letartóztatták – jelentette be Atalanta.

Louise azonnal felvidult.

– Valóban? Ez igazán nagyszerű. Néhány nap a rácsok mögött talán megleckézteti a kis szörnyeteget.

– Azt hittem, Eugénie nevezte így. Hirtelen így egyetért a húgával? – kérdezte Raoul.

Louise elkerekedett szemmel meredt rá.

– Mi mindig jó barátok voltunk Eugénie-vel. És természetes, hogy ha a kishúgommal rosszul bánnak, én gondolkodás nélkül mellé állok. Yvette-nek valami nincs rendben a fejével. Ezt elmondtam a rendőrségnek is.

Szóval Louise volt az, aki befeketítette Yvette-et. Talán végig sem gondolta, mit tesz a szerencsétlen lánnyal.

– Fogadok, hogy nem érdekelte őket – jegyezte meg Atalanta.

Raoul összerezzent, és kérdő pillantást vetett rá.

Louise lassan felé fordította a fejét.

– Miért ne érdekelte volna?

– Mert a főfelügyelő azt mondta nekem, hogy ő csak a tényekre kíváncsi, és nem a feltevésekre, elméletekre és véleményekre.

Louise halkan felnevetett.

– Ezt mondta neked? Nekem semmi ilyesmit nem mondott. Szabadon megoszthattam vele, amit hallottam Yvette-ről, és amit a saját szememmel láttam a szeszélyes viselkedéséből, és a felügyelő egyszer sem szakított félbe. – Louise csettintett a szájával. – Bizonyára nem sikerült megtalálnia vele a közös nevezőt, Mademoiselle Atalanta. – Rápillantott Raoulra. – Ennyi? Mert kezd meleg lenni, és szeretnék bemenni.

– Természetesen. Biztos vagyok benne, hogy a kishúga már szörnyen vágyik a társaságára és a támogatására. – Raoul mondanivalója meglehetősen szarkasztikusan hangzott, és Louise-ban volt annyi tisztesség, hogy legalább összerezzent. Aztán elsietett.

– Hisz neki? – kérdezte Raoul Atalantától.

– Elég valószínűnek hangzik, hogy DuPont összekeverte Eugénie-vel. Tényleg nagyon hasonlítanak. És az újságban megjelenő fényképek általában szemcsések és homályosak. Bizonyára azt hitte, a megfelelő nőre csapott le.

Raoul bólintott.

– És a többi? Hogy azt mondta neki, keresse meg Eugénie-t, és ennyi? Vajon Louise a Frontenac család makulátlan jó hírnevére hagyatkozva kihasználta az alkalmat, hogy ez a koszos öregember árnyékot vessen a boldog esküvői előkészületekre? Nem sokkal valószínűbb, mint az, hogy megkérte, később találkozzanak újra, hogy többet fizethessen neki, és akkor végzett vele. Ha megbeszélt DuPont-nal egy másik találkozót, akár kést is vihetett magával.

– Lehetséges – ismerte el Atalanta. – De engem aggaszt a kagyló, amit DuPont zsebében találtak. Ha a grottóban ölték meg, hogyan tudta Louise elvonszolni abba az árokba? Vajon elég erős ehhez? És nem látta meg senki?

– Egy ilyen tikkasztó nyári napon dél és három óra között nem sokan járkálnak odakint, de el kell ismernem, hogy Louise nem az az ember, aki átvet a vállán egy holttestet. Bizonyára valaki más volt. Talán Victor? Hiszen figyelte az öreg és Louise között lezajlott beszélgetést. Könnyedén követhette a fickót, hogy kiderítse, miben sántikál.

– Igen. – Atalanta Raoulra szegezte a mutatóujját. – Igaza van. Beszélnünk kell Victorral.

A teraszon találtak rá, egy széken ült, és egy könyvet olvasott. Raoul közelebb hajolt, hogy megnézze, milyen kötetről van szó.

– Jules Verne. Milyen remek szórakozás egy ilyen borús napon!

Victor oldalra billentette a fejét.

– Azért jöttél, hogy kritizáld az irodalmi ízlésemet?

– Nem. Többet akarok tudni a férfiról, akivel Louise találkozott a fogadóban. Pontosan mit láttál?

– Öreg, mocskos fickó volt. Louise beszélt vele, és adott neki valamit. Ez minden, amit tudok. De már elmondtam. Gilbert-nek.

– Tudjuk – szólalt meg Atalanta, és elragadóan rámosolygott a férfira. – De ön művész. Megrajzol hétköznapi jeleneteket, és kiemeli az összes részletet. Többre kellene emlékeznie annál, hogy az illető öreg volt. Látta, hogy Louise mit adott neki?

– Nem. Lehetett pénz is. Mintha fém csörrenését hallottam volna. De nem vagyok benne biztos. Éppen leparkolt egy autó, és a motor zúgása elnyomott minden hangot. – Victor a térdén nyugvó, nyitott könyvre fektette a tenyerét. – De mi ez az egész? Miért olyan fontos?

– DuPont meghalt – közölte Raoul köntörfalazás nélkül. – És tudni akarjuk, ki ölte meg.

– Louise? – Victor felnevetett. – Valóban felzaklatta, hogy beszélt azzal a férfival. Megkérdeztem, hogy van, mire ő azt felelte, hogy jól, de láttam, hogy össze van zavarodva.

– És hová mentetek ezután? Hiszen a házba csak később érkeztetek meg.

– Elváltunk egymástól. Én meg akartam látogatni az egyik barátomat, aki a közelben lakik, ezért otthagytam Louise-t a faluban, hogy vásárolgathasson.

Szóval az egyiküknek volt lehetősége találkozni DuPont-nal, és megölni, állapította meg Atalanta. Victor könnyebb helyzetben volt, mert az autóval gyorsabban mozgott, és akár a holttestet is elvihette egy másik helyre – már ha DuPont-t valóban a grottóban ölték meg.

– Ugyan már! – mondta Raoul. – Jól ismerlek, Victor. Igazi úriember vagy. Megvéded életed hölgyét. Tudtad, hogy az öreg felzaklatta Louise-t. Útban a barátod felé, vagy amikor eljöttél tőle, megpillantottad azt a férfit az út mellett. Félrehívtad és beszéltél vele. Tudni akartad, mivel bosszantotta fel Louise-t.

– Soha többé nem láttam azt az embert – jelentette ki Victor. Sietős, hamis válasznak hangzott. – Kérdezzétek meg inkább Louise-t!

– Miért mesélt Gilbert-nek a fogadóban történt incidensről? – kérdezte Atalanta. – És miért csak ma reggel tett róla említést, miután felfedeztem Madame Lanier holttestét? Hogyhogy nem előbb? És miért hozta egyáltalán szóba?

– Nem tudom. Kötelességemnek éreztem. – Victor felvette a könyvet, és lapozott egyet. – Most pedig, ha megbocsátanak, szeretnék olvasni.

– Yvette-et letartóztatták – mondta Raoul –, és te olvasol?

Victor dühödten rámeredt.

– Ő nem jelent semmit a számomra. Nyugodtan bátoríthatjátok a gyerekes lelkesedését azzal, hogy hősnek állítjátok be.

Raoulnak elvörösödött a nyaka.

– Nagy bajban van. Ez sem érdekel?

– Alig ismerem. Nem gondolnám, hogy kötelességem bármit is...

– Alig ismered – szakította félbe Raoul. – De az öccsét jól ismered. Talán nem tanítottál rajzot abban az iskolában, ahová járt?

Victor megdermedt.

– Lehetséges. Sok rajzórát tartottam.

– És mit gondoltál róla?

– Olyan sok osztályt tanítottam, hogy már nem is tudom felidézni a diákokat. Ráadásul csak egy-két napig voltam ott.

– Igen, nos... – Raoul gondterhelten ráncolta a homlokát. – Talán nem is vehetett részt az órádon. Mindig bajban volt valami csíny miatt, amit elkövetett. Lehet, hogy még fel is függesztették. Talán éppen ez adta az ötletet? Hogy Yvette-et használd bűnbaknak a gyilkossághoz?

– Ebből elég! – Victor felállt. – Úgy tűnik, mindenképpen veszekedést akartok, de én nem vagyok hajlandó belemenni. Nem követtem el semmiféle bűntényt...

– Eltekintve attól, hogy egy üzenettel a grottóba csalta Eugénie-t, úgy tett, mintha találkozni akart volna vele, aztán leöntötte sárral – mondta Atalanta. Csak blöffölt, de szerette volna látni, hogy Victor hogyan reagál rá.

A férfi rámeredt.

– Micsoda? Én nem tettem semmi ilyesmit. Nem akartam találkozni vele távol a többiektől, és semmiképpen sem utálom annyira, hogy sarat zúdítsak a nyakába, mint valami eszelős.

– De bizonyára rosszulesett, hogy visszautasítottak, miután akadt egy jobb lehetőség – vetette fel Raoul.

– Ilyesmi előfordul. És most már enyém Louise.

– Louise Gilbert-be szerelmes – mutatott rá Raoul, mintha ez valamiféle közismert tény lenne.

Victornak megvillant a szeme.

– De már nem sokáig. – Azzal becsukta a könyvét, és elsietett.

– Ezzel meg mit akart mondani? – kérdezte Atalanta. – Valamiféle kampányt folytat, hogy bebizonyítsa Louise-nak, hogy Gilbert nem méltó a figyelmére?

– Gilbert mindenképpen tiltott gyümölcsnek számít, hiszen a húgát fogja feleségül venni – felelte Raoul. – Nem értem... – Elhallgatott, és a távolba révedt. – Vajon lehetséges? Victor valóban megölte volna DuPont-t abban a reményben, hogy befeketítheti Gilbert-t? Hátha letartóztatják és elítélik? Ha eljutott hozzá, hogy DuPont azt állítja, tud valamit Mathilde haláláról...

– Lehetséges – ismerte el Atalanta –, de a gyilkosságnál használt kést nem Gilbert holmija között találták. Yvette festőkészletébe rejtették. És miért akarná Victor gyanúba keverni Yvette-et? Talán nem kedveli, de nincs oka arra, hogy gyűlölje.

– Egyetértek – sóhajtott fel Raoul. – Hasztalanul körözünk, és nem jutunk sehová.

Atalantának egyrészt jólesett a tudat, hogy Raoul sem jutott csodás eredményekre ott, ahol ő is annyit küszködött, másrészt muszáj volt elérniük valamilyen áttörést, hogy segítsenek Yvette-nek.

Szerencsére van egy forrásom, amire hagyatkozhatok. Renard azt üzente Mademoiselle Griselle-en keresztül, hogy nincs egyedül. Talán elérkezett az ideje, hogy ezt valóban el is higgye.

Nem kellett mindent egyedül csinálnia, hiszen már voltak barátai, akikhez segítségért fordulhatott.

– Igen, nos. Elsétálok a faluba – jelentette be. – Séta közben mindig jó ötleteim támadnak. Később majd beszélünk.

Azzal nekiindult, és nagyon remélte, hogy a férfi nem követi. Fel akarta hívni Renard-t a faluból, hátha akad a számára némi hasznos információja.

HUSZONEGYEDIK FEJEZET

Úgy tűnt, Renard megkönnyebbült, hogy hallja a hangját.

– Reméltem, hogy felveszi velem a kapcsolatot. Nagyon kíváncsi vagyok, hogyan alakultak a dolgok.

Atalanta érezte, hogy gombóc gyűlik a torkába most, hogy be kellett vallania, nem sikerült megoldania az ügyet.

– Úgy érzem, olyan sok szál fut egyszerre, hogy nem látom, hogyan érnek össze. – Aztán elmesélte a komornyiknak a délelőtt történteket.

– Sajnálattal hallom, hogy talált egy holttestet – közölte Renard. – Ez bizonyára hátborzongató élmény lehetett.

– Sajnálom Madame Laniert-t. Még akkor is, ha tudom, hogy már haldoklott. Tudja, hogy ki örökli a pénzét? Ez fontos tényező lehet. Úgy értem, amikor Mathilde meghalt, a hozománya visszaszállt a családjára. Lehetséges, hogy most, amikor az anyja is eltávozott az élők sorából, a pénz visszaszáll Gilbert-re?

– Kétlem, de utána tudok járni.

– Köszönöm. És szeretném tudni a megállapodás részleteit Yvette-tel kapcsolatban is. Mit örököl, és mi történik, ha meghal?

– Meghal? – kérdezett vissza Renard. – Ön szerint ő lesz a következő áldozat?

– Inkább úgy gondolom, hogy elítélik emberölés vádjával, és kivégzik. – Atalanta felsóhajtott. – Az öccse nyerhet ezzel?

Victor tagadta, hogy találkozott vele, ismerte vagy akár emlékezett volna rá. De mi van, ha ők ketten mégis megismerkedtek, megosztották egymással a helyzetüket, és Yvette öccse megkérte Victort, hogy...

Nagyon bonyolultnak tűnt, de az emberek sok mindenre képesek kellő jutalomért cserébe. És Victornak semmi pénze nem volt. Eugénie visszautasította. *Talán azt hiszi, már soha nem lesz esélye egy jó házasságra és a boldogságra, ha nem jut pénzhez?*

– Hallott bármit, ami esetleg segíthet? – kérdezte Renard-tól.

– Igen, és éppen azon gondolkodtam, hogyan léphetnék kapcsolatba önnel, mert tudtam, hogy ma van az esküvő, és odatelefonálni a házba meglehetősen... alkalmatlan lett volna. – Renard igyekezett a lehető legpontosabban fogalmazni. – Megtudtam valamit Angélique Broneur-ról.

Atalantának be kellett vallania, hogy kis híján megfeledkezett a gyönyörű énekesnőről.

– Igen? – sürgette a komornyikot.

– Anyagi nehézségei vannak. El kellett adnia a Párizs külterületén álló házát meg a két lovat, amit ott tartott.

– Lovakat?

– Igen, kiválóan lovagol, és előszeretettel adózott ennek a tevékenységnek mindennap, amit a házában töltött.

– Nekem azt mondta, nem valami ügyes.

– Pedig így van. Az egyik lovat még díjugratásra is kiképezte.

– Szóval nem fél átugratni kidőlt fákon sem? – kérdezte Atalanta lassan, mert eszébe jutott Angélique állítása, miszerint Mathilde végzetes balesetének napján visszatért a házba, és magára hagyta a barátnőjét a nehéz úton, amelyen nem akart végigmenni. *Miért nem, ha egyszer tapasztalt ugrató?*

– Úgy tűnik, felhalmozódtak az adósságai, mert le kellett mondania egy koncertturnét. Gond volt a hangjával. Egyesek azt mondják, azért, mert túl sokat iszik.

– Értem. – Atalanta elképzelte Angélique-et, ahogy a pénzügyi nehézségein tipródva iszogat a hordozható bárjából. Aztán hirtelen meggondolásból lemegy a kriptába, hogy meglátogassa a halott barátnőjét, a bűntudat vezeti oda, hiszen része volt a halálában.

Talán megjelent Madame Lanier, és mondott valamit, egy utalást, hogy soha nem hitte el, hogy Angélique nem volt a lánya mellett, vagy valami hasonló megjegyzést, ami azt sugallta, hogy mindenről tud. Atalanta elképzelte, ahogy az énekesnő lesújtott rá, vagy meglökte az asszonyt, amitől az hátratántorodott, és beütötte a fejét a kőfalba.

Olyan lehetőség volt, amit nem lehetett figyelmen kívül hagyni.

– Köszönöm, hogy elmondta. Ez nagyon fontos lehet. Ó, és még valami! Nem tudja véletlenül, hol volt Angélique, mielőtt Bellevue-be érkezett? Volt valami szerződés, ami egy messzi városba szólította, mint például Nizza vagy Monte-Carlo? – *És ezzel együtt lehetetlenné tette, hogy megölje Marcel DuPont-t?*

– Nem. Nem ígérkezett el sehová. Úgy hallottam, meglátogatta az egyik barátját Saint Piage-ban, közel Bellevue-höz, mielőtt odament önökhöz.

Szóval ott volt a környéken.

Atalantának hirtelen szöget ütött a fejébe egy igen érdekes gondolat.

– Most el kell rohannom – közölte Renard-ral. – Hamarosan újra hívom, hogy megkérdezzem az információkról, amelyeket kértem.

– Legyen óvatos, Mademoiselle Atalanta! Lehetséges, hogy a gyilkos még mindig szabadon mászkál.

Atalanta letette a kagylót, annyira foglalkoztatta az új ötlete, hogy el sem gondolkodott a komornyik szavain. Újra beszélnie kellett Louise-szal.

Louise cseppet sem örült, hogy viszontlátja. A zongora előtt ült, és szórakozottan nyomogatta a billentyűket, ködös dallamokat játszott.

– Jaj, ne! Már megint? – motyogta, amikor Atalanta mellé lépett.

– Szeretnék tudni még valamit. Arról az újságkivágásról, amit DuPont mutatott neked. – Atalanta halkan beszélt, nehogy valaki kihallgassa. – Eugénie egyedül szerepelt a képen, vagy valakivel együtt?

– Azt hiszem... – Louise elgondolkodva ráncolta a homlokát. – Igen, már emlékszem. Angélique állt mellette. A cikk említést tett a csinos előkelőségről és a tehetséges énekesnőről, akit meghívtak, hogy előadjon az esküvői mulatságon. – Úgy hangzott, mintha éppen annyira kedvelné Angélique-et, mint a kishúgát.

– És DuPont róla is említést tett?

– Nem. Összekevert Eugénie-vel. – Louise egy pillanatra elgondolkodott. – Megmondtam neki, hogy a húgom Bellevue-ben van, és ő megkérdezte, hogy a másik nő is ott van-e. Azt feleltem, hogy ő Saint Piage-ban van.

– Te tudtad, hogy Angélique ott van?

– Igen, mindannyiunknak elmondta, mielőtt elhagyta Párizst. – Louise megvonta a vállát. – De mit számít ez?

Atalantának vadul kavarogtak a fejében a gondolatok. Vajon DuPont kiderítette, hol szállt meg Angélique? Vajon felkereste? És az énekesnő megölte a férfit, nehogy elmondja Gilbert-nek, mi történt azon a végzetes napon?

Louise felnézett rá.

– Miért érdekel annyira, hogy tisztázd Yvette-et? Először a húgomnak segítettél kideríteni a rejtélyes levél titkát, és most... Úgy tűnik, buzgón igyekszel beférkőzni valakinek a kegyeibe. És nem érdekel, ki az. Eugénie, Gilbert. Amennyiben hálásak, és busásan megjutalmaznak érte.

– Van saját megélhetésem.

– Ó, valóban? A zenei karrier nem jelent biztos megélhetést, ahogy azt Angélique bizonyára megosztotta veled. Elment a hangja, és ezzel vége a karrierjének. Szerencse, hogy nincs esküvő és előadás a lakoma estéjén. Különben mindenki megtudná, milyen rémesen énekel mostanában. – Louise felállt, és lecsapta a zongora fedelét.

Atalanta feszülten pislogott. Lehetséges volna, hogy Angélique végzett Madame Lanier-vel csak azért, hogy ne kerüljön sor az esküvőre? És ne derüljön fény a fogyatkozó hangjára?

De miért fogadta el egyáltalán a felkérést? Nem tehetett volna úgy, mintha beteg lenne? Megfázás, torokgyulladás, bármi, hogy ne kelljen énekelnie.

Képes lett volna megölni valakit, hogy elkerüljön egy fellépést, amit sokkal egyszerűbb ürüggyel is kihagyhatott volna? Valószínűtlennek tűnt. Ám az, hogy összevitatkozott Madame Lanier-vel a családi kriptában, miközben félig részeg volt, tele bűntudattal, már sokkal esélyesebbnek látszott.

Atalanta az ajkába harapott. Az volt a gond, hogy annyi lehetséges forgatókönyv tárult fel előtte, hogy nem tudta, milyen irányba induljon el, melyik nyomot kövesse, és melyik csapást hagyja figyelmen kívül. Hogyan is szűkíthetné le a kört a gyilkosra?

Mit írt a nagyapja a levelében? *Mindig menj vissza az elejére!* Meglehetősen nyilvánvaló tanácsnak tűnt. De most már látta, milyen könnyű elveszni a sok információ között. Olyan buzgón igyekezett felfedezni minden új irányt, amely megnyílt előtte, hogy már el is felejtette, hol kezdte el.

Mi volt a kiindulási pont? Az első kő, ami lezuhant, és mozgásba lendítette az összes többit?

Mathilde halála. Az állítólagos baleset.

Ha a következmények fényében azt feltételezte, hogy nem baleset történt, akkor fel kellett tennie magának a legfontosabb kérdést: miért kellett Mathilde-nak meghalnia?

Felment a szobájába, és elővett egy üres lapot. Felírta az összes nevet, akik szóba jöhettek:

Gilbert; Surmonne grófja, a férj.

Yvette; az unokahúga.

Angélique Broneur; családi barát, vonzó nő.

Louise Frontenac; Mathilde barátnője, aki összehozta a gróffal.
Eugénie; a húga, a gróf jelenlegi menyasszonya, leendő második feleség.
Victor; családi barát.
Raoul; családi barát.

Az utolsó két személy esetében Atalanta nem volt benne biztos, hogy a közelben tartózkodtak-e, amikor a baleset történt. Az előttük szereplő nevekre összpontosított, és megpróbálta felismerni a lehetséges indítékokat.

Nyilvánvalónak tűnt, hogy ha egy nő ölte meg Mathilde-ot, az lehetett a célja, hogy megszerezze magának a grófot. Eugénie. Louise. Angélique. De vállalt volna bármelyikük is ekkora kockázatot pusztán azért, hogy megkaparintsa magának a férfit? Eugénie-t összehozta a gróffal a nővére. Louise nem is vállalkozott arra, hogy az új grófné legyen. És Angélique... Minden jel arra utalt, hogy ő boldog a karrierjével.

Talán az ő vakmerő viselkedése vezetett a balesethez, és félt bevallani? Esetleg DuPont tudta ezt? És megkörnyékezte a barátja házánál Saint Piage-ban? Talán elhívta, és az énekesnő el is jött Bellevue-be? Megmutatta, hogy hol állt és mit látott? Aztán Angélique megölte a vadorzót, és azt remélte, hogy úgy fest majd, mintha elmérgesedett volna egy régi viszály?

Nem, Atalanta már megint túlságosan előreszaladt. Most Mathilde tragédiája volt a központi kérdés, nem DuPont-é. Mathilde halálakor az orvvadász még életben volt. És szemtanú volt.

Erre Atalanta mérget tudott volna venni. Ha a fickó csak azután hozakodott volna elő azzal, hogy látott valamit, miután kiengedték a börtönből, Atalanta talán arra a következtetésre jut, hogy a férfi pusztán kitalált egy történetet, hogy pénzt szerezzen. De rögtön a letartóztatása után, a baleset napján azt kérte a gróftól, hogy keresse fel.

Miért éppen a gróf?

Talán jutalmat akart az információért? Vagy azért, mert Gilbert-nek is köze volt a történtekhez?

Lehetséges, hogy DuPont azt akarta mondani neki, hogy tud a bűnösségéről? Minden kockázat nélkül megtehette, hiszen börtönbe ment, és ott Gilbert nem tehetett benne semmi kárt.

Mégis nagyon kockázatosnak tűnt, hogy egy orvvadász ilyen módon megszólít egy grófot.

Gilbert... Atalanta tolla megállt a név fölött. A kérdés a következő volt: ha valóban benne volt a keze a felesége halálában, vagy úgy, hogy valamilyen módon előidézte az esést, vagy úgy, hogy közvetlenül fejbe vágta, majd úgy állította be a dolgot, mintha a ló levetette volna a hátáról, mégis miért tette? Hiszen semmiféle anyagi haszna nem származott a halálából. A hozomány visszaszállt Mathilde családjára.

Talán rájött, hogy Mathilde hűtlen volt hozzá? Féltékeny lett, és mérges?

Vagy a ház körüli újításai lehettek a dologban? Az, hogy Mathilde meg akart változtatni olyan dolgokat, amelyek nemzedékeken át ugyanolyanok maradtak? A kerttel kapcsolatos tervei? Az a szó, hogy „Krőzus"?

A grottónál szereplő „x"?

Ezeket a nyomokat a halott nő maga hagyta hátra. A hangja kihallatszott a sírból, amelyben feküdt. Atalanta arra gondolt, a nagyapja biztosan különleges jelentőséget tulajdonítana mindennek. De ő maga arról sem volt meggyőződve, hogy ezek jelentenek valamit egyáltalán. Bármit azonkívül, hogy egy városi nő vidékre költözik, és szeretné a saját képére formálni az új otthonát.

Lehetséges, hogy a grottóban valamilyen kincs rejtőzött? Mathilde megtalálta, és a férje megölte, hogy titokban tartsa?

Madame Lanier is említette azt a szót, hogy „kincs". Azt mondta, a lánya megírta neki, hogy a férjében valódi kincsre lelt. Első hallásra úgy tűnt, ezzel magára, Gilbert-re utalt, a férfi személyére. De mi van, ha valami sokkal kézzelfoghatóbb dologról volt szó? Lehetséges lett volna, hogy Gilbert végzett Madame Lanier-vel, nehogy az asszony bárkinek is beszélhessen erről a bizonyos kincsről?

De Gilbert-t úgy lesújtotta szegény nő halála, és annyira felzaklatta, hogy Yvette-et vádolhatják! Még ha a lány sejtette is, hogy a gróf elég könyörtelen ahhoz, hogy megöljön valakit, Gilbert valóban olyan messzire merészkedett volna, hogy az imádott unokahúgára terelje a gyanút? Yvette-re, akit mindenáron igyekezett megvédeni? Hiszen nem törődött mások véleményével, a javaslataikkal, hogy meg kellene szabadulnia a bajkeverő lánytól.

Megállapította, hogy ebben soha nem talál majd logikát.

Nem, tovább kellett lépnie, a többiekre.

Atalanta régóta dolgozott már az indítékokat felsorakoztató listáján. Nehéznek bizonyult, hiszen nem ismerte Mathilde-ot, ezért nem tudta felmérni, hogy olyan személyiség volt-e, aki heves érzelmeket vált ki másokból. Vajon más nők képesek voltak annyira gyűlölni, hogy kioltsák az életét?

Yvette biztosan nem gyűlölte. Éppen ellenkezőleg: ők ketten a legjobb barátnők voltak, együtt járták a birtokot kincsekre vadászva.

Talán Mathilde bevonta a kutatásba Yvette-et, hogy megtalálják azt, amiről azt hitte, a kertben vagy a grottóban rejtőzik? Vagy az egész csak valami ártalmatlan játék volt, hogy lefoglalja a lányt?

Krőzus. Ez valamiért fontosnak tűnt. Vagyon, pénz, birtoklás. Gilbert-nek gyönyörű otthona volt itt, tele műtárgyakkal, amelyeket az utazásairól hozott haza. Kiváló alkotásokkal, egyik kívánatosabb, mint a másik. És a legjobbakat a saját szobájában tartotta, ahová senki nem mehetett be. A szobalány azt mondta, még porolnia sem szabad abban a helyiségben.

Lehetséges, hogy a gróf valamiféle kincset rejtegetett odabent? Egy nagyon értékes műtárgyat? De vajon miért nem osztotta meg másokkal, amikor a többi szépségben bárki gyönyörködhetett? Mi lehetett benne olyan különleges, hogy teljes titoktartást igényelt? És lehetséges, hogy olyan fontos volt, hogy akár ölni is képes lett volna érte?

Nem, ez valószínűtlennek tűnt. Atalanta valahogy úgy érezte, közel jár az igazsághoz, de nem volt benne biztos, hogy látja a teljes képet. Gilbert utazásai, a felfedezései, az eladások…

Oldalra billentette a fejét. Úgy érezte, hiányzik néhány nélkülözhetetlen darab. Talán Renard újonnan megszerzett információi Madame Lanier, valamint Yvette örökségéről majd megadják a hiányzó válaszokat.

HUSZONKETTEDIK FEJEZET

A vacsora nagyon csendesen telt Yvette nélkül, aki általában hangosan nevetett, és folyton valami illetlen megjegyzést tett. Mindenki a saját gondolataiba merült. Gilbert szinte hozzá sem nyúlt az ételhez, csak ült, és az asztalt bámulta, míg a többiek ettek, igyekeztek közben a lehető legkevesebb zajt csapni.

– Úgy érzem magam, mint egy sírboltban – szólalt meg végül Angélique. A piruló arca arról árulkodott, hogy a vacsora előtt már megivott egy-két koktélt.

– Ez igen szerencsétlen szóhasználat – állapította meg Raoul, de nem volt rosszallás a hangjában.

– Nos, azért nem kell hetekig lógatnunk az orrunkat egy olyan nő halála miatt, akinek valójában már lejárt a maga ideje.

Gilbert felkapta a fejét.

– Ne beszélj így a néhai anyósomról!

Ám mielőtt Angélique tiltakozhatott volna, még hozzátette:

– És személy szerint engem nem annyira egy olyan asszony halála aggaszt, aki talán már valóban a sír szélén egyensúlyozott, sokkal inkább egy olyan lánynak a jövője, aki előtt még ott áll az egész élet.

– Yvette-nek lételeme a dráma – jegyezte meg Eugénie. – Csak idő kérdése volt, hogy valami komolyabb bajba keveredjen. – Rápillantott Gilbert-re. – Nem tudtuk volna megakadályozni.

– Talán mégis, ha te kedvesebb lettél volna hozzá – csattant fel Gilbert. – Megpróbáltad tönkretenni a Mathilde-ról készült fényképeket, és sikerült úgy megbántanod az érzéseit, hogy bosszút akart állni, így elvette a fátyladat, és odatette... – Elcsuklott a hangja.

– Eszem ágában sem volt tönkretenni Mathilde fényképeit. Csak azért akartam kárt tenni abban a nyavalyás albumban, mert az a lány vérig sértett. Pusztán, hogy visszavágjak.

Madame Frontenac csettintett a szájával.

– Már nem vagy tizenhat éves, Eugénie. Felül kellett volna emelkedned ezen.

Eugénie elhúzta a száját, és visszafordult a tányérjához.

– Mit mondott az ügyvéd, akivel beszéltél, Gilbert? – kérdezte Louise.

Atalantát meglepte, hogy a lány kíváncsi erre. Talán nem volt benne biztos, hogy Yvette-et le lehet-e tartóztatni? Aggódott, hogy ha kiengedik a lányt, a nyomozás más, lehetséges gyanúsítottakra összpontosít?

– Idejön, hogy találkozzon Yvette-tel. Azt mondta... – Gilbert várt egy pillanatot, a szalvétájával babrált. – Ha a védelem átmeneti elmezavarra hivatkozik, az talán megmentheti. Természetesen, ez azt jelenti, hogy kezelés alá kell vonni.

– Úgy érted, elmegyógyintézetbe zárni – tisztázta Eugénie alig leplezett élvezettel.

Az anyja rosszalló pillantást vetett rá.

– Ez igazán rémes! – Közelebb hajolt Gilbert-hez. – És fontolóra veszed?

– Nem igazán van más választásom. Biztosan nem fogom hagyni, hogy meghaljon egy olyan bűncselekmény miatt, amit nem szándékosan követett el.

– Vagy egyáltalán nem követett el – jegyezte meg Raoul.

Ám Gilbert mintha meg se hallotta volna.

– Nem fogom hagyni, hogy meghaljon – ismételte meg lassan –, ezért a kezelés a legjobb lehetséges megoldás. Megértem, hogy rontja a jó hírnevünket, ha van a családban egy „beteg", de...

– Jobb, mint egy elítélt gyilkos – vetette fel Victor.

Gilbert lesújtó pillantást vetett rá.

– Nem vagyok kíváncsi a megjegyzéseidre, nyugodtan el is mehetsz. Az igazat megvallva... – Végignézett az asztalnál ülőkön. – Miért nem mentek el mindannyian? Hiszen úgysem lesz esküvő.

– De azért még el akarod venni Eugénie-t, nem igaz? – kérdezte Madame Frontenac. – Ha a rendőrség beleegyezik, hogy elengedik Yvette-et, és ha egy szakértő orvos gondjaira lesz bízva, aki gondoskodik róla, hogy megfelelő kezelésben részesüljön egy biztonságos helyen, ahol senkiben nem tehet kárt, az esküvőt megtarthatjuk, ahogyan terveztük. Tudom, hogy neked semmi közöd szegény lány téveszméihez, ezért továbbra is nagyon szívesen hozzád adom a gyermekemet.

Eugénie mintha mondani akart volna valamit – Atalanta azon tűnődött, talán kifejezni a kétségeit –, de az anyja egyetlen kézmozdulattal leintette. Aztán rámosolygott Gilbert-re.

– Tisztességes férfi vagy. És látva, ahogy ezt az egész förtelmes helyzetet kezeled, csak még inkább csodállak.

– Mindezek után nem kívánok megnősülni – jelentette be Gilbert. – Lehetséges, hogy Eugénie teljesen ártatlan a helyzet... elmérgesedésében, de az én fejemben igenis nagy szerepe van abban, hogy romlott Yvette állapota. Lehetséges, hogy észszerűtlen, de azok után, amiken keresztülmentem, nem vagyok olyan hangulatban, hogy az eszemre hallgassak. Azt akarom, hogy mindenki elmenjen.

– De a rendőrség azt akarja majd, hogy maradjunk, amíg megbizonyosodnak arról, hogy az ügy megoldódott – jegyezte meg Raoul.

– Nem valami jelentéktelen nyomozás miatt maradunk – helyesbített Madame Frontenac –, hanem azért, mert egy esküvőre jöttünk. Feleségül fogod venni a lányomat. – A hangjából acélos eltökéltség sugárzott.

Gilbert felállt, és az asztalra dobta a szalvétáját.

– Egy szót sem akarok erről hallani – közölte, majd elhagyta a helyiséget.

– Milyen rémes viselkedés! – jegyezte meg Madame Frontenac.

– Ugyan már! – csitítgatta Victor. – Szerencsétlen fickó nincs abban a hangulatban, hogy egy újabb időpontot egyeztessen az esküvőhöz.

– Nem tudom, miért mondod ezt, hogy miért vagy ilyen megértő. Soha nem kedvelted Yvette-et. Mondjuk, nem csoda, azok után, amit az öccse művelt veled – sziszegte Louise.

– Az öccse? – kapta fel a fejét Atalanta, mire Raoul hozzáfűzte:

– Ezek szerint mégis tanítottál művészetet az iskolájában.

– Igen, azt mondta, Yvette öccse tönkretette az órát azzal, hogy valami szörnyen illetlen dolgot rajzolt – tájékoztatta őket Louise.

Victor arca bíborszínű árnyalatot öltött.

– Soha nem kellett volna elmesélnem neked!

– Mit rajzolt, Louise? – kérdezte Madame Frontenac.

Louise Eugénie-re pillantott, és azt mondta:

– Jobb, ha nem fejtem ki, *maman,* mert nagyon felháborító.

– Nem értem, hogyan és miért hibáztatná Victor Yvette-et egy olyan tréfa miatt, amit az öccse követett el – vetette fel Raoul.

– Ha ön mondja – nyugtázta Louise, és belekortyolt a borába.

Raoul Madame Frontenachoz fordult.

– Meglep, hogy továbbra is azt szeretné, ha ez a házasság létrejönne. Yvette labilis személyiség, ahogyan az öccse is, abból ítélve, amit az iskolában elkövetett tetteiről hallottam. Mi van, ha ez öröklődik a családban? Tényleg teljes nyugalommal hagyná, hogy a lánya hozzámenjen egy ilyen férfihoz, és örököst szüljön neki?

– A számból vette ki a szót – vetette közbe Eugénie.

Madame Frontenac sietve azt mondta:

– A gróf fivére rangján alul nősült. Biztos vagyok benne, hogy az említett labilitás a felesége családjából származik. *Színésznő* volt.

Sikerült egy egész világ megvetését belesűrítenie ebbe az egyetlen szóba.

– Ha Eugénie-nek ezek után kellemetlen érzései vannak a házassággal kapcsolatban, fontolóra vehetné, hogy felbontsa az eljegyzést – jegyezte meg Atalanta.

Madame Frontenac arca lángolni kezdett.

– És gondolja, hogy akkor talál egy másik férfit, aki hozzáérne? Nem hinném. Most már hozzá kell mennie. Nincs más út. – Azzal felállt, és kivonult az étkezőből.

Eugénie sírva fakadt.

– Nem akarok hozzámenni egy férfihoz, akinek gyilkos rokonai vannak.

– Még azt sem tudjuk, hogy Yvette bűnös-e – jegyezte meg Raoul.

– Nem érdekel! – jajgatott Eugénie. – Már a puszta gondolat is elég. És ha az jut az eszembe, hogy Yvette-et elmegyógyintézetbe viszik... Ahogy rám néznek majd az emberek... Én képtelen vagyok így élni. Képtelen!

– Akkor szökjünk meg! – kiáltotta Victor. – Még mindig szeretlek.

– Victor! – kiáltotta Eugénie és Louise egyszerre; az előbbi az örömtől, az utóbbi a haragtól való meghökkentségében.

– Komolyan mondod?! – kérdezte Eugénie.

– Nincs egy vasa sem – fröcsögte Louise. – Nem tud olyan életet nyújtani neked, amihez hozzászoktál.

– Utazgathatunk, és ő rajzolhat. Milyen kalandos lenne!

Atalanta ez egyszer együttérzett Eugénie-vel, még akkor is, ha a terve elhamarkodott volt, és talán mindkettejük számára katasztrófával fenyegetett. A kaland komoly vonzerőnek számított.

– Miért nem szökünk meg most azonnal? – javasolta Eugénie. Rajongó pillantást vetett Victorra. – Gyorsan összepakolom a holmimat.

– Még vissza kell adnod azt – közölte Louise a húga ujján csillogó gyűrűre mutatva. Eugénie lehúzta, és az asztalra hajította. A gyűrű gurulni kezdett, majd nekicsapódott egy boroskancsónak. – Tessék, vedd el, ha akarod! Úgyis mindig magadnak akartad Gilbert-t. Most a tiéd lehet, szüld csak meg az őrült gyerekeit! – Azzal Eugénie kirohant a szobából.

Raoul odafordult Victorhoz.

– Ezt nem gondolhatod komolyan!

Victor lassan, ravaszul elmosolyodott.

– Miért nem? Eugénie mindig odavolt értem. Elviszem néhány helyre, amíg bele nem fárad, vagy amíg én meg nem unom. A szüleihez bármikor visszamehet. Lehet, hogy Madame Frontenac most szigorúnak tűnik, de soha nem fordítana hátat a kis szeme fényének.

Louise felháborodottan nézett rá, de az, hogy nem tiltakozott, azt súgta, hogy valóban Eugénie az anyjuk kedvence, ezért bármit megtehet.

– Elmondom a mamának, most azonnal! – Louise felpattant az asztaltól. – Majd ő megállítja. Megakadályozza ezt a katasztrófát.

– Ne, Louise! – tiltakozott Victor. – Ne légy már ilyen ünneprontó! – Azzal utánarohant.

Raoul felállt, hogy felvegye a gyűrűt az asztalról.

– Nem teheted zsebre – jegyezte meg Angélique.

Raoul felhorkant.

– Nem vagyok tolvaj. – Odavitte a gyűrűt az ablakhoz, és a fény felé tartva tanulmányozni kezdte. – Szakértő sem vagyok, de kétlem, hogy ez a kő valódi lenne.

Atalantának eszébe jutott, hogy Frontenacék párizsi szakácsnője is ugyanezt mondta. Vagy legalábbis sugallta.

– Hamis? – kérdezte Angélique. – Mindig meglep, hogy Gilbert milyen zsugori. Előbb fekteti az értékes pénzét műalkotásokba, mint hogy ajándékot vegyen a menyasszonyának. Azon tűnődöm, miért akar egyáltalán újra megnősülni? Úgy tűnik, semmi sem érdekli igazán a felfedezésein kívül. – Kiürítette a borospoharát, majd odanyújtotta Raoulnak. – Légy olyan drága, és töltsd meg nekem!

– Már eleget ittál, *drága* – felelte Raoul gúnyosan hangsúlyozva a szót. – Jobb, ha most elmész lefeküdni.

– Eszem ágában sincs. Ki nem hagynám a drámát, ami hamarosan kibontakozik a szemünk előtt. Halljátok? – Angélique felemelte az egyik kezét. Az emeletről ajtócsapódás zaja hallatszott. – Madame Frontenac nem fogja hagyni, hogy a lánya elmenjen ezzel a senkiházival. És lehet, hogy Gilbert szükségét érzi majd, hogy megvédje a becsületét, ezért kihívja egy pisztolypárbajra. Fogadok, hogy úgy... – Rápillantott az elegáns órájára. – Tíz percen belül vér fog folyni.

– Már így is éppen elég vér folyt – jelentette ki Raoul feszülten. – Vigyázzon erre! – közölte, majd odadobta a gyűrűt Atalantának, aki két kézzel elkapta. Raoul rákacsintott. – És most bocsásson meg, de megyek, és megakadályozok egy újabb gyilkosságot. – Azzal kisietett a szobából.

Atalanta megragadta a lehetőséget, hogy kettesben maradt Angélique-kel.

– Találkozott Marcel DuPont-nal? – szegezte neki a kérdést.

Az énekesnő bágyadtan lehunyta a szemét.

– Kivel?

– Marcel DuPont-nal, az orvvadásszal, aki szemtanúja volt Mathilde halálának. Megkereste önt, amikor egy barátjánál volt látogatóban Saint Piage-ban.

Angélique szeme azonnal elkerekedett. A könnyed magabiztosság elpárolgott az arcáról.

– Tudom, hogy igen, úgyhogy akár azt is elmondhatja, mi történt ezután.

– Semmi. Felhívott telefonon. Azt mondta, tud valamit Mathilde haláláról. Azt kérdezte, mennyit ér nekem az információ. Én pedig azt feleltem, semennyit. Soha nem találkoztam vele.

Az énekesnő hadarva beszélt, mintha betanulta volna, és Atalantát nem sikerült meggyőznie.

– Nem találkozott vele? Egy kicsit sem volt kíváncsi arra, hogy mit tud?

– Nem. Mathilde meghalt. Egyszer és mindenkorra elment. Mit lehetne még erről mondani? – Angélique elővett egy cigarettát, beledugta a szipkájába, és meggyújtotta. – És mégis miért kémkedik utánam?

– Én nem kémkedek. Csak segíteni akarok Yvette-en. Nem ő ölte meg Marcel DuPont-t. Azt a kést beletették a festőkészletébe.

– És azt hiszi, én voltam? – Angélique egy füstfelhőn keresztül figyelte Atalantát. – Azt hiszi, én tettem oda, hogy gyanúba keverjem.

– Azt hiszem, hogy ön elég okos ehhez.

– Az biztos. – Angélique könnyed hangnemben beszélt, mintha csak koktélozás közben trécselnének, de a szeme hűvösen méregette Atalantát. – Nincs mit rejtegetnem. Nem én öltem meg DuPont-t. Vagy Madame Lanier-t, ha ez lenne a következő kérdése.

– Vagy Mathilde-ot? – kérdezte Atalanta.

Angélique szeme még egy hajszálnyit elkerekedett.

– Mathilde-ot? Úgy halt meg, hogy leesett a lóról. Baleset történt.

– Legalábbis mindenki ezt állítja, de az orvos azt mondta, a sérülése egy fejre mért ütésből is származhat. Talán összevesztek? Leütötte, és aztán úgy állította be, mintha levetette volna a hátáról a ló?

– Nem. Soha nem veszekedtünk. Mindig jól éreztük magunkat együtt. A legjobb barátnőm volt. – Angélique forgatta a cigarettát az ujjai között. – Nem volt semmi okom arra, hogy kárt tegyek benne.

– Szerelmes volt Gilbert-be.

Angélique felnevetett.

– Mindannyian nem lehetünk szerelmesek Gilbert-be. Én inkább szegény Louise-ra hagyom az epekedést. És ön, Mademoiselle Atalanta? Ön is vonzónak találja a grófot? Ó, nem, ön Raoulba szerelmes. Ami annál is érdekesebb, mert meglehetősen zárkózott fickó. Mert veszélyes dolgokat csinál.

Atalanta érezte, hogy elpirul zavarában.

– Én nem... – hebegte.

Ám Angélique feltartotta a kezét, hogy félbeszakítsa.

– Én nem hibáztatom. Sok szerencsét kívánok! Legyen az öné örökre! Nem fog kitartani ön mellett, de remek társaság, amíg tart a dolog. Én már csak tudom.

Atalantának összeszorult a szíve a gondolattól, hogy Raoul kicsit játszadozik vele, aztán otthagyja. Ám ez a forgatókönyv csak Angélique fejében játszódott le. Ő és Raoul egyesítették az erőiket, hogy segítsenek Yvette-nek. Semmi több.

– Igazán ravaszul igyekszik elterelni a figyelmemet a beszélgetésünk eredeti témájáról.

– Ez az ön beszélgetése. Ön kezdte, és be is fejezheti a kínai porceláncsészék társaságában. Én most elmegyek. – Angélique felállt, és meglepően biztos léptekkel elindult az ajtó felé.

– Azért mindenkit nem tud becsapni a „kit érdekel" hozzáállásával. Nagyon is érdekli. Érdekli Gilbert, és az is, hogy elveszíti a hangját. Hogy el kellett adnia a lovait, különösen a díjugratót, akiért annyira rajongott.

Angélique elsápadt.

– Ön tudja minden titkomat.

– Csak próbálok segíteni.

– Segíteni? Akkor menjen el, és hagyjon minket békén! Nincs már itt semmi dolga. Nem lesz esküvő és előadás sem.

Odafent valami – vagy valaki – a padlóra zuhant.

Atalanta felnézett, a szíve hevesen kalapált. Raoul úgy gondolta, megakadályozhat egy gyilkosságot, de mi van, ha csapdába esett a buzgó szerető és a haragos vőlegény között?

– Mondtam. – Angélique ránézett az órájára. – Vér, tíz percen belül.

HUSZONHARMADIK FEJEZET

Atalanta felrohant az emeletre. Victor a padlón hevert, a folyosón, és az állkapcsát dörzsölgette. Gilbert fölötte állt, és azt mondta:

– Nem szökteted meg! Nincs semmid, amiből eltarthatnád. Csak tönkretennéd egy tisztességes lány jó hírnevét. Soha többé nem lenne esélye egy jó házasságra. Lehet, hogy én már nem akarom elvenni, de nem fogom hagyni, hogy ezt tedd vele!

Raoul ott ácsorgott mellettük, és azt mondta Atalantának:

– Victor megérdemelte ezt az ütést.

Atalanta a fejét csóválta.

– Hol van Eugénie?

– Bezártam a szobájába – közölte Madame Frontenac, miközben odasietett hozzájuk. Aztán Victor felé fordult, és fröcsögve azt mondta: – Ha megpróbálja megszöktetni, megkerestetem a rendőrséggel, és elítéltetem emberrablásért.

– A lánya már elég idős ahhoz, hogy képes legyen önállóan dönteni. Már nem pelenkás, akinek gardedámra volna szüksége.

– Továbbra is mi kezeljük minden pénzét – jegyezte meg Madame Frontenac –, és ezt ő is tudja. Sajnálom, hogy tönkre kell tennem a bájos kis képet, amit festett róla, drága fiam, de Eugénie-t jobban érdeklik a ruhái, a kalapjai és a fülbevalói, mint maga valaha is fogja.

Azzal a saját szobájához vonult, és halkan becsukta az ajtót.

Victor kábultan ült, és Raoulból kirobbant a nevetés.

– Elkapott, drága fiam. – Madame Frontenac gúnyos becézése hallatán Victornak elvörösödött a füle.

Úgy tűnt, végül Gilbert is észhez tér. Felegyenesedett, és a kezét dörzsölgette.

– Szükségem van egy italra – motyogta, majd elment.

Raoul aggódva nézett utána.

– Jobb lesz, ha nem hagyom egyedül.

Victor feltápászkodott.

– Azt hiszem, az lesz a legokosabb, ha most elmegyek, mielőtt még nagyobb bajt csinálok. – Elnézett a folyosón, és észrevette, hogy Louise közeledik. – Jaj, ne! – Azzal elrohant az ellenkező irányba.

– Nem mehetsz el! – rikoltotta Louise. – Te is lehetsz a gyilkos. A rendőrség beszélni akar veled. Meséltem nekik Yvette öccséről. Gyűlölted azt a fiút, és a nővérét is. Te tetted azt a kést a festőkészletbe. Le kell venniük az ujjlenyomataidat. Hé!

Atalanta elé lépett, és megakadályozta, hogy Victor után eredjen.

– Kérem, Louise! Ön messze a legjózanabb és legintelligensebb ember ebben a házban. Ne hagyja magát belerángatni az érzelmek zűrzavarába! Ne veszítse el a méltóságát!

Úgy tűnt, Louise tiltakozni akar, de aztán vett egy mély lélegzetet, és azt mondta:

– Persze, igaza van. Én vagyok a legjózanabb és legintelligensebb. Mindig is így volt. Nem adom át magam a hisztériának. Nem lett volna szabad hagynom, hogy ez a haszontalan álművész bolonddá tegyen. Soha nem szerettem Victort. Csak színleltem, mert feldühítette Eugénie-t.

– Gilbert-t szereti? – kérdezte Atalanta gyengéden.

Louise belenézett a szemébe.

– Régen szerettem őt. De hamarosan rájöttem, milyen valójában. Nem érdeklik az emberek. Csak a tárgyak. – Azzal megfordult, és felszegett fejjel elvonult.

Atalanta bólintott magában. Igen. Ezt már sokan mondták, bár különféleképpen megfogalmazva, mégis ugyanaz volt a lényeg. Gilbert,

Surmonne grófja a művészetért, a pénzért és a vagyontárgyakért rajongott, mindenekfelett. Ez határozta meg őt mint emberi lényt.

Mégis az összes féltékeny nő tévedett egyvalamiben. A gróf talán nem esett szerelembe, de nagyra értékelte a családot, a rokoni kötelékeket. Yvette-et szerette. Meg akarta védeni. Bármit megtett volna érte. Még...

– *Mademoiselle!* Telefon – szólalt meg egy szobalány.

Atalanta lesietett a földszintre.

– Igen?

– Renard vagyok. Sietősen utánanéztem annak, amire kíváncsi volt. Vannak kapcsolataim, akik tartoznak nekem egy-két szívességgel, és most valóban hasznosnak bizonyultak. – Renard nagyon elégedettnek hangzott. – Madame Lanier vagyona a rokonaira száll, a gróf egy frankot sem kap. Yvette vagyona pedig, amit akkor kötöttek le a számára, amikor meghalt az anyja, csak addig áll a gróf kezelésében, amíg a lány be nem tölti a tizennyolcat. Ha korábban meghal, a gróf semmilyen módon nem férhet hozzá, mert visszaszáll az öccsére.

Szóval nem állt a gróf érdekében, hogy ártson Yvette-nek. Most sem áll. Hiszen a lány még csak tizenhat volt. Gilbert pedig még két évig kezelhette a pénzét. Így semmiképpen nem akarhatta, hogy Yvette-et megvádolják, elítéljék és felakasszák.

Hacsak...

Atalanta erősen megszorította a kagylót. Aztán óvatosan körülnézett, és halkan azt kérdezte:

– És mi történik akkor, ha megállapítást nyer, hogy Yvette nem képes kezelni a saját vagyonát? – A szíve hevesen kalapált.

– Akkor továbbra is a gróf kezelésében marad. Az öccsének van saját pénze, és az anyjuk azt akarta, hogy Yvette-nek is legyen valamije, ami csak az övé.

– *Merci.* Ez nagyon érdekes. – Atalanta a feje fölött lógó festményre meredt, amely egy csodás párizsi látképet tárt elé. Megfordult, és megszámolta a műtárgyakat, amelyek a hallban sorakoztak. Olyan sok minden volt ott, amit Gilbert megtartott, és soha nem akart megválni tőle.

Soha nem adta volna el a nyereségért.

A pénz.

Minden gonoszság gyökere. Talán ezúttal is ez jelenti a választ?

A megoldás kezdett kikristályosodni előtte, mint a köd, amely felszáll a kora reggeli tájról, határozott körvonalakat adva a homályos formáknak. Igen, most már látta. Minden összeállt. Az összes apróság, aminek eddig nem volt értelme.

De hogyan bizonyíthatná be?

Renard beszélt hozzá a távolból.

– Tessék? Mit mond?

– A nagyapjának volt egy mottója, *mademoiselle*. Ha rókára vadászol, egy róka ravaszságával kell bírnod. Ha farkasra vadászol, egy farkas erejével kell bírnod. Ha egy gyilkosra vadászol, éppen olyan kegyetlennek kell lenned, mint ő. És eltökéltnek, hogy befejezed, amit elkezdtél. Mindenáron.

Aztán egy percnyi hallgatás után hozzátette:

– Ez az első ügye. Azért az eltökéltséget vegyítse némi óvatossággal is! Nem egy tolvajjal vagy egy csalóval van dolga, hanem olyasvalakivel, aki habozás nélkül folyamodott erőszakhoz. Méghozzá nem is egyszer.

– Tudom – mondta Atalanta. Nehéz volt a szíve, ám ezzel együtt nem maradt benne semmi bizonytalanság, hiszen éppen ebből az okból meg kellett állítania ezt a gyilkost. Kockára kellett tennie mindent, még az életét is, hogy megoldja ezt az ügyet. Tartozott ezzel annak a lánynak, aki egyszer megkérdezte tőle, miért érdekli egyáltalán.

Azért, mert a legrémesebb dolog az életben nem az, ha valakinek problémái vannak, vagy harcolnia kell a megélhetéséért. A legrosszabb, ha úgy érezzük, senki nem lát bennünket valójában, és senkit nem érdeklünk.

Talán egykor ő is így érzett. De ma már nem. Azt mondta Renard-nak:

– Ne aggódjon értem! Van egy titkos szövetségesem. Nem vagyok egyedül.

HUSZONNEGYEDIK FEJEZET

Raoul kifejezte a véleményét, miszerint a terv meglehetősen eszement, és nem fog működni. Ám Atalanta ragaszkodott hozzá, hogy ez az egyetlen járható út.

– Segít, vagy sem?

Raoul felsóhajtott, de beleegyezett, majd eligazította az istállófiút, akit behívtak, hogy segítsen. Elvégre nem akarták, hogy bárminek baja essen.

Atalanta szíve hevesen kalapált a mellkasában. Olyan veszélyes volt, mégis olyan felemelő.

Aztán gomolyogni kezdett a füst az emeleten. Atalanta végigment a folyosón, bedörömbölt az ajtókon, és azt kiáltozta:

– Tűz van! Ég a ház!

Az emberek sikoltozni kezdtek, hamarosan minden ajtó kivágódott, és félig felöltözött alakok rohantak a földszintre. Atalanta megbújt egy falmélyedésben, és a gróf szobájának ajtajára szegezte a szemét. Gilbert fel is bukkant egy szaténköntösben, és egyenesen a… nem a lépcső felé futott, hanem a dolgozószobája felé. A szobába, ahol a legértékesebb dolgait tartotta.

Ahová senki sem mehetett be.

Atalanta óvatosan követte. Gilbert berohant. Atalanta kint várt. A füst máris oszlani kezdett. Raoul nem volt hajlandó kockáztatni, és megkérte az istállófiút, hogy locsolja le a szalmát.

A dolgozószobából fémes kattanás hallatszott, amire Atalanta már számított.

Belökte az ajtót. A gróf egy asztalon állt, amit a falhoz tolt. Levette az olajfestményt, ami ott díszelgett, és kinyitotta a mögötte rejlő széfet. Marokszámra tömte a papírokat egy hatalmas bőrtáskába.

– Biztos vagyok benne, Yvette nagyra értékeli majd, hogy megmenti a tűztől az örökségét – jegyezte meg Atalanta szárazon.

A gróf elejtette a táskát. Papírok szállingóztak a levegőben, majd terültek el a padlón. Kötvények voltak.

– Vagy fogalmazzak inkább úgy, hogy ami megmaradt belőle? – Atalanta farkasszemet nézett Gilbert-rel. – Hiszen egy jelentékeny részét műtárgyakra költötte. Olyan műtárgyakra, amelyekre vágyott, és amelyekről azt állította, hogy eladta őket különböző galériáknak, de leggyakrabban annyira örült nekik, hogy inkább megtartotta őket. Ezért még több pénzre volt szüksége, hogy újakat vásárolhasson. Yvette úgysem tudja meg, amíg be nem tölti a tizennyolcat. És az még két év. És... ha beszámíthatatlannak találják, aki nem tudja kezelni a pénzét, továbbra is ön felel érte. A lánynak pedig soha nem kell megtudnia, hogy elköltötte.

A gróf szikrázó szemmel figyelte.

– Ám elkövetett egy hibát – folytatta Atalanta. – Megnősült. A feleségének, Mathilde-nak komoly tervei voltak a házzal. Szerette volna lecserélni a bútorokat és átalakítani a kertet. Ez sok pénzbe került volna, amit ön nem volt hajlandó erre költeni. Ráadásul kérdezgette az eladásokkal kapcsolatban – vagy inkább a nem létező eladásokkal kapcsolatban. Túl közel került önhöz. Soha nem lett volna szabad beengednie az otthonába. Ezért egy nap, amikor Angélique visszatért egy korai lovaglásról, és rájött, hogy a felesége magára maradt egy veszélyes útvonalon, odament. Megrémisztette a lovat, és Mathilde leesett. A ló elszaladt, és maga fejbe vágta a feleségét. Meghalt, de ön nem maradt észrevétlen. Marcel DuPont látta önt, és aztán letartóztatták orvvadászatért az ön birtokán. Találkozni akart magával, hogy elmondja, amit tud. De ön nem ment el; máson járt az esze, vagy nem is sejtette, hogy Mathilde haláláról van szó. Ám aztán DuPont kiszabadult, és problémát jelentett. Eljött Bellevue-be, hogy megkeresse Eugénie-t, de ő még nem érkezett meg. Magához csalogatta, pénzt ígért neki, és amíg számolgatta, megölte, majd kivette a pénzt a kezéből, de egy kis darab ott maradt a tenyerében. Átkutatta a zsebeit, és talált egy újságcikket az esküvőjükről. Talán fontolóra vette, hogy otthagyja, hiszen gyanúba keverhette Eugénie-t vagy Angélique-et, de végül nem merte megkockáztatni, és elvette. Egy kagylót tett a helyére, azt sugallva, hogy a gyilkosságnak van valami köze a grottóhoz, amelyről azt suttogták, hogy valamilyen kincs rejtekhelye. Tudta, hogy Mathilde kincset keres a kertben és a grottóban, mert tudni akarta, hogy az ő Krőzusa, a gazdag férje miből szerzi a jövedelmét. Nem engedhette, hogy a felesége felfedezze, hogy Yvette örökségéből vesz el, ezért megölte Mathilde-ot. A grottó iránti érdeklődése éppen kapóra jött. Hadd nézzen csak ott körül a rendőrség! Úgysem találnak semmit. Én is bedőltem ennek az elképzelésnek, nyomogattam és tologattam a kagylókat, hátha találok valamiféle fogantyút, amely kinyit egy titkos rekeszt. Csak később értettem meg, hogy a kincs itt van, a dolgozószobájában, ahová senki nem léphet be. Még Mathilde-ot is távol tartotta azzal, hogy dohányzott, amit ő utált.

A gróf egy szót sem szólt. Csak a szeme látszott élőnek a márványszoborszerű, rezzenéstelen arcán.

Atalanta folytatta:

– Megtartotta a kést, amivel megölte Marcel DuPont-t. Talán félt megszabadulni tőle, vagy már akkor eltervezte, hogy később még felhasználja. Hogy elrejti valakinél, és gyanúba keveri az illetőt. Elég ember volt itt az esküvő miatt. Ám ekkor megjelent Madame Lanier, és megemlítette, hogy Mathilde írt neki arról, hogy valódi kincsre lelt önben. Aggódott, hogy a felesége elárulta az anyjának, milyen keveset ad el, és mégis van elég pénze, hogy újabb műtárgyakat vegyen. Talán a hölgynek volt ideje ezen töprengeni, és megértette, mit jelent ez valójában? Mi másért jött volna ide az esküvőjére? Aggódott emiatt, és látta, ahogy feljön a kriptából, amikor megmutatta nekem a kápolnát. Azt feltételezte, helyesen, hogy újra ellátogat oda, és akkor fejbe vágta, mert azt hitte, úgy fest majd, mintha az asszony leesett volna a lépcsőn. De Yvette azt mondta, amikor odatette a fátylat a sírkőre, nem voltak csúszós foltok, se víz. Ön öntötte ki oda, a vázákból, amelyekbe a díszítésnek használt rózsákat tették, hogy alátámasszák a szerencsétlen esés feltételezését. Ám sajnálatos módon, az orvost nem sikerült meggyőznie, és a rendőrség nagy felhajtást csapott. De akkorra már sikerült arra irányítania a figyelmet, amire szerette volna. Eljátszotta, mennyire felzaklatja az elképzelés, hogy Yvette volt a tettes, és ezért mindannyian rá gyanakodtunk. Úgy tett, mintha nem akarná, hogy így gondoljuk, de bogarat ültetett a fülünkbe. Tökéletes volt. Mindenki, aki fenyegetést jelentett, eltűnt az útból, és ha Yvette-et beszámíthatatlannak nyilvánítják, és bezárják, a pénze örökre az ön kezében marad.

– Ez valóban lenyűgöző mese – jegyezte meg a gróf –, de sajnos nem fog működni. Soha nem fogja bebizonyítani, hogy ezek a kötvények Yvette örökségét képezik.

– Nem, de kérhetem, hogy bepillantást nyerhessek abba a széfbe a párizsi bankban, ahol tartania kellene őket, és így kiderülhet, hogy nincsenek ott. Ön az egyetlen, aki hozzáférhet. Ahogy valaki el is magyarázta nekem, a bank nem ellenőrzi a páncéltermek és az értékmegőrzők tartalmát, így senki nem tudja, mi van bennük.

A gróf halkan felnevetett.

– Milyen okos! Felteszem, valójában nincs is tűz. Ez csak egy csapda volt. Gratulálok, Mademoiselle Frontenac! Vagy talán nem is így hívják? Kicsoda ön valójában?

– A nevem Atalanta Ashford, és a menyasszonya bérelt fel, hogy kiderítsem, ön ölte-e meg az első feleségét.

A gróf meglepetten pislogott.

– Eugénie úgy gondolta, hogy én öltem meg Mathilde-ot? És mégis miért?

– Mert egy levél, amit Louise küldött neki, megbántotta, és boldogtalanná tette az esküvő előtt. Louise-nak esze ágában sem volt befeketíteni önt, csak tönkre akarta tenni a húga boldogságát.

A gróf megcsóválta a fejét.

– Milyen szánalmas!

– A sóvárgás vezérelte. Az ő sóvárgása az ön szerelme után, vagy az ön sóvárgása a műtárgyak után, mégis mi a különbség?

– A művészet minden egyéb dolognál nemesebb. Hiszen érzéseket fejez ki; magát az életet.

– És ezért ölhet is miatta?

– Biztosíthatom, hogy szerencsétlen Madame Lanier már haldoklott. És DuPont egy nyomorult fickó volt, akinek egy fabatkát sem ért az élete. Csak lopott, és túl sokat vedelt.

Atalantának forrni kezdett a vére, miközben hallgatta, hogy a gróf milyen lekezelően nyilvánítja értéktelennek mások életét.

– És Yvette? Ő egy energikus, fiatal lány, előtte áll az egész élet, és hamarosan elmegyógyintézetbe zárják. Erre mi a mentsége?

Gilbert egy pillanatra megdermedt.

– Arra soha nem került volna sor. Találtam volna egy mesterművet, és eladtam volna, hogy odaadjam neki a pénzt, ami megilleti. Így lett volna.

– Lehetséges, hogy ezzel a hazugsággal áltatja magát, de a lelke mélyén ön is tudja, hogy soha nem lenne képes megválni egy valódi mesterműtől, ha egyszer rátalálna egyre.

A gróf elkezdte felszedegetni a padlóról a kötvényeket, és visszatette őket a táskába.

– Kettesben vagyunk itt, Mademoiselle Ashford. A többiek elmenekültek az állítólagos tűz miatt. Nem áll szándékomban hagyni, hogy megfélemlítsen egy gyenge nő. Egy felbérelt alkalmazott. – Becsukta a táskát, és visszaugrott az asztalra, hogy bezárja a széfet, majd visszatette a festményt a helyére.

A magabiztos mozdulatok elbizonytalanították Atalantát, és nem tudta, mi legyen a következő lépés. Olyan büszke volt magára, hogy mindezt levezette a grófnak, ő pedig semmit sem tagadott.

– Ebben a táskában egy egész vagyon lapul – folytatta Gilbert. – Ön is kaphat belőle, ha beleegyezik, hogy tartja a száját, és nem beszél senkinek erről a fantasztikus meséről, amit kieszelt. Ehhez mit szól?

Ez komoly? Ez a fickó tényleg azt hitte, hogy elfogad pénzt a hallgatásáért?

– Nem hagyom, hogy Yvette szenvedjen a mohóságáért.

– Ez igazán nagy kár. – Gilbert visszatolta az asztalt a helyére, mert egy kicsit elmozdult a súlyától. Aztán egy hirtelen mozdulattal kirántott egy fiókot, és előkapott egy pisztolyt.

Ki is emlegetett pisztolypárbajt? Emlékeznem kellett volna rá. Végzetes hiba.

A gróf egyenesen rászegezte a fegyvert.

– Idebent voltam, hogy megmentsek néhány különleges műtárgyat a tűztől, amikor ön bejött. Lopni akart tőlem. Lelőttem. Kénytelen voltam. Elrejtek egy-két dolgot a szobájában, hogy bizonyítsam, mindvégig lopott tőlem, amíg itt volt, és úgy tett, mintha a vendégem lenne. A rendőrség hinni fog nekem. Soha nem fogják bevenni, hogy Eugénie fogadta fel. És ezt ő sem fogja bevallani. Szégyelli majd, hogy ilyesmit feltételezett rólam. Különösen most, hogy Yvette-et letartóztatták a bűntények miatt. Gyűlöli Yvette-et, és alig várja, hogy elítéljék.

Atalantának el kellett ismernie, hogy ebben van némi igazság. A szíve hevesen vert, és minden egyes izomszála megfeszült. Fogalma sem volt, hogy milyen jól céloz a gróf. Talán jobb lenne, ha a padlóra vetné magát? Oldalra gördülne, és aztán…

– Igazán örülök, hogy megismerhettem, Mademoiselle Atalanta. Nagyszerű ellenfél volt.

A veszélyes helyzet ellenére meleg érzés öntötte el Atalanta mellkasát. Megoldotta az ügyet, a nagyapja büszke lenne rá.

– A te helyedben én nem húznám meg azt a ravaszt – szólalt meg egy hang.

Atalanta számított rá, most mégis megijedt. A grófnak földbe gyökerezett a lába, döbbenten meredt Raoulra, aki megjelent az ajtóban. Egy pisztolyt szegezett a barátjára.

Ne! Raoul nem árulta el Atalantának, hogy pisztolya is van.

Mi van, ha egymásra lőnek, és mindketten megsérülnek, vagy meghalnak?

– Az, hogy lopsz, mert ki akarod fizetni a műtárgyat, amit mindennél jobban akarsz, csak egy dolog, Gilbert. De hagyni, hogy egy ártatlan, fiatal lányt elmebetegek közé zárjanak csak azért, hogy tovább lophass tőle, ezt egyszerűen nem tudom elhinni. Legszívesebben itt helyben lelőnélek. Vagy talán csak megütnélek azon a ponton, ahol a legjobban fáj.

– Kérem, Raoul! – szólt Atalanta. A férfi dühe szinte lüktetett a levegőben és a lány mellkasában, ahol ő maga is olyan éktelenül mérges volt erre a kőszívű, mohó grófra. De Raoulnak nem volt szabad visszavonhatatlan lépést tennie. – Ne lőjön, Raoul! Akkor önt is letartóztatják.

A gróf kihasználta a pillanatot, amikor egyikük sem figyelt, és oldalra vetődött. A táskával a kezében sikerült az íróasztal mögé gördülnie, majd újra felállt, ezúttal már az ablak közelében. Kidobta a táskát, majd kimászott az erkélyre.

– Azonnal gyere vissza! – kiáltotta Raoul, majd leengedte a pisztolyt, és az ablakhoz rohant. Atalanta egy szempillantásnyival előbb ért oda. Mindketten kinéztek. A gróf fürgén mászott lefelé, egyik erkélyről a másikra. – Az egyikhez egy rácsot rögzítettek – kiáltotta Raoul. – Azt hiszi, így lemászhat.

Kiszaladtak a szobából, végig a folyosón, majd le a lépcsőn, és ki a bejárati ajtón. A többi vendég odakint ácsorgott, a házat figyelték, mintha arra vártak volna, hogy feltörjenek a lángok az ablakokon és a tetőn. Amikor megpillantották Atalantát és Raoult, ahogy kirohannak, és eltűnnek a ház háta mögött, tátott szájjal álltak.

A ház mögé érve Raoul előremutatott.

– Az a nyavalyás már leért a fűre. Úgy fut, mint egy vadászkopó.

– Az életéért fut – jegyezte meg Atalanta szárazon.

Gilbert után eredtek a keskeny ösvényeken át, lelógó indák elől hajoltak el, szobrokat kerültek meg és sövényeket ugrottak át. A gróf jól ismerte a kertjét, és egy akadálypályává alakította a követői számára.

Atalanta odakiáltotta Raoulnak:

– Itt balra! Így levághatjuk.

A férfi gondolkodás nélkül megfogadta a tanácsát, és végigrohantak egy keskeny közön.

– Ott van! – mutatott előre Atalanta, mire Raoul előrevetette magát. A kezében lévő pisztollyal sikerült rácsapnia a gróf lábára. A férfi felkiáltott fájdalmában, és elejtette a bőrtáskát. Utánakapott, de Atalanta megragadta a másik felét, és húzni kezdte.

– Adja fel, Gilbert! Vége.

– Busásan megjutalmazlak benneteket, ha hagytok elmenni.

– A pénz nekem semmit sem jelent – mondta Atalanta –, de az igazság annál inkább. – Azzal elrántotta tőle a táskát.

A gróf üres kézzel állt, az ép lábára nehezedett. Nem menekült tovább.

Raoul rászegezte a pisztolyát, és azt mondta:

– Atalanta! Kösse hátra a kezét! Használja a köntös övét.

– Erre magamtól is rájöttem volna – jegyezte meg Atalanta. Óvatosan megközelítette a grófot, de úgy tűnt, a férfi végül feladta. Elvette az övet, és megkötözte a férfi kezét. Miközben megbizonyosodott róla, hogy a kötés elég szoros, azt kérdezte:

– Áruljon el egy dolgot, gróf úr! Megérte? A három gyilkosság, és egy lány, akit borzalmas jövőre kárhoztatott volna.

– Soha nem ez volt a terv – mondta Gilbert bánatosan. Felemelte a fejét, és a távolban magasodó házára nézett. Arra a pompás, fehér épületre, amelyről Eugénie egyszer azt mondta, maga a megtestesült tökély. Úgy tűnt, kezdi sejteni, hogy soha többé nem élhet ott, soha nem élvezheti a hosszú sétákat és lovaglásokat a levendulamezők között; hogy ez az utolsó alkalom, amikor felnézhet a csendes dicsőségére, és úgy állhat itt, mint Gilbert, Surmonne grófja. Hiszen hamarosan csak egy botrányos ügy lesz az újságokban, szenzáció, amin az újságírók csámcsoghatnak.

Többé nem lesz emberi lény, csak egy hír.

Gyanúsított, majd az ítélet után kivégzett ember.

– Soha nem ez volt a terv – ismételte meg. – De ha az ember egyszer belekezd, muszáj folytatnia. Nincs visszaút.

Raoul a derékszíjába tűzte a pisztolyát, és megfogta a gróf karját.

– Visszamegyünk a házba, és hívom a rendőrséget – közölte, aztán Atalantához fordult. – És el kell árulnunk szegény, tanácstalan vendégeknek, hogy soha nem is volt tűz.

– Eugénie éktelenül dühös lesz, hogy a semmiért kellett ácsorognia a hidegben – jegyezte meg Atalanta. A sok feszültség végül feloldódott benne, és legszívesebben hangosan felnevetett volna ezen az egész, képtelen helyzeten. – És Madame Frontenac soha nem fogja elhinni, hogy az ő hőn áhított vőjelöltje egy gyilkos.

– Én magam is alig hiszem el. De ön semmi kétséget nem hagyott az igazság felől… Mademoiselle Frontenac? – A kérdőjel inkább játékosan hangzott, mint komolyan, Raoul valószínűleg kihallgatta a gróffal folytatott beszélgetését, ahol a lány felfedte a valódi személyazonosságát. – Raoul mégis megállt, és a szabad kezét felé nyújtotta. – Raoul Lemont.

Atalanta megrázta.

– Atalanta Ashford.

Pompás érzés volt kimondani a valódi nevét, ami egyben a nagyapja neve is volt. A férfiét, aki felismerte, hogy tehetséges a nyomozásban, és ezzel örökre megváltoztatta az életét.

HUSZONÖTÖDIK FEJEZET

Hamarosan megérkezett a rendőrség a meglehetősen kétkedő Chauvac főfelügyelővel az élen, de miután ellenőrizte a gróf táskáját, és meghallgatta Raoul magyarázatát arról, amire Atalanta rájött, kezdte komolyabban venni az ügyet. Felhívta Párizst, hogy ügyvédek nézzenek utána, mik Yvette Montagne örökségének pontos részletei. Parancsot adott a párizsi rendőrségnek, hogy menjenek ki a bankba, és nézzenek bele a széfbe, ahol a kötvényeknek lenniük kell, és utánakérdezett a művészeti ügyleteknek, hogy megtudja, a gróf valóban eladott-e annyi műtárgyat, ami megmagyarázza a vagyonát.

Ki akart kérdezni minden vendéget arról, hogy mi történt, miután Yvette-et letartóztatták. Senki nem volt elragadtatva tőle, hogy ébren kell maradnia, és válaszolnia a kérdésekre, eltekintve Louise-tól, aki puszta rosszindulatból tájékoztatta a főfelügyelőt, mit tett Yvette öccse Victorral.

Miután Atalanta és Raoul elmondták a vallomásukat, leültek a könyvtárban egy pohár sherryvel, amit a férfi töltött az őrizetbe helyezett gróf bárjából.

– Azon tűnődöm – mondta, miközben végignézett a könyveken –, vajon kié lesz ez az egész most, hogy Gilbert-t felakasztják. Nincsenek gyerekei, a szülei meghaltak. A fivére sem él már, és…

– Azt hiszem, Yvette és az öccse örökli majd a birtokot – válaszolta Atalanta. – Micsoda költői igazságtétel, hogy a műtárgyak, amelyeket az örökségéből vásároltak, most mind az övéi lesznek.

– Kétlem, hogy Yvette értékelné az iróniát. A maga módján szerette Gilbert-t, és nagyon felzaklatja majd, ha megtudja, mit tett vele.

– Ám ezzel együtt meg is fog könnyebbülni, hogy Mathilde halála semmiképpen sem az ő hibája. A kiskutyája folyton rohangál, és talán úgy gondolta, hogy megijesztette a lovat.

Raoul bólintott.

– Szegény lány. Soha nem volt igazi otthona. Most mihez kezd majd a botrányos tárgyalás alatt?

– Utazgatnia kell! – jelentette ki Atalanta teljes meggyőződéssel. – A utazástól minden jobb lesz. Más helyeket láthatunk, mást csinálhatunk, más emberekkel találkozhatunk. Szüksége van egy józanul gondolkodó kísérőre, és minden rendben lesz vele. Legalábbis jobb lesz, mint volt.

Raoul felemelte a poharát.

– Erre igyunk! – Aztán fürkészni kezdte Atalanta arcát. – Atalanta Ashford. Egészen véletlenül nem rokona Clarence Ashfordnak?

– A nagyapám volt.

– Rögtön tudnom kellett volna. Egyszer megoldott egy kisebb ügyet egy versenyen, ahol részt vettem. Nagyon okos és tapintatos férfi. De miért mondta, hogy „volt"? Talán elhunyt?

– Igen. Én pedig örököltem ezt a megbízást. Eugénie tulajdonképpen a nagyapámat akarta felkérni, de be kellett érnie velem.

Raoul végigmérte.

– Milyen érdekes! És tényleg koncertzongorista?

– Zenét és franciát tanítok egy svájci bentlakásos iskolában, legalábbis, egészen eddig így volt, mert már nem kell dolgoznom.

Raoul azonnal megértette az utalást, de nem kérdezett többet. Atalanta arra gondolt, bizonyára udvariatlanságnak tartja.

– És mihez kezd ezután?

– Fogalmam sincs. Azt hiszem, ellátogatok néhány csodálatos nagyvárosba. – Atalanta örült volna, ha a férfi meghívja Rómába vagy Toszkánába, hogy megmutassa az országot, amely félig az öröksége, és Atalanta az ő szemén át láthassa a szépségeit, de nem akarta ráerőltetni magát.

– Mit szólna Moszkvához? – kérdezte Raoul, és csillogott a szeme. – A titkosírásból ítélve a nyelvet már úgyis ismeri.

– Ön járt a szobámban, hogy átkutassa a holmimat? – Atalanta döbbenten meredt rá. Az elmúlt néhány óra zűrzavarában teljesen megfeledkezett erről. – És miért zárt ki az erkélyre?

– Csak gondoskodni akartam arról, hogy nem zavar meg. Ki akartam nyitni az ajtót, mielőtt elmegyek, de a jegyzetei teljesen összezavartak, és aztán meghallottam Angélique hangját a folyosón, amikor a szobalány megmutatta neki a szobáját, amely az ön szomszédságában volt. Beszélni akartam vele, ezért sietősen távoztam. Csak később jöttem rá, hogy nem nyitottam ki azt az ajtót. Azt hiszem, ideje bocsánatot kérnem.

Atalanta nem tudta, hogy mérges legyen, amiért a férfinak volt képe a személyes dolgai között matatni, vagy nevessen a merész beismerésén. És ezek szerint nem tudta megfejteni a titkosírását. Atalanta büszke volt magára.

Kopogtak az ajtón, és belépett Eugénie.

– Ó, elnézést, de... Beszélhetnék veled egy percet?

Atalanta felállt, és kisétált hozzá.

– Valóban megoldotta az ügyet, amellyel megbíztam, és bár egészen másként alakult, mint ahogyan képzeltem, hálás vagyok, hogy kiderítette az igazságot. Most már nem kell hozzámennem ehhez a... szörnyeteghez. Ezt még *maman* is belátja. De sajnos egy frankot sem tudok fizetni a szolgálataiért, mert a mama elvette minden pénzemet és az ékszereimet, nehogy megszökhessek Victorral.

– Nincs szükségem pénzre. Nekem is van elég. – Atalanta rámosolygott. – Örülök, hogy meg van elégedve a szolgálataimmal.

– El akarom felejteni ezt az egész szerencsétlen esetet. Megkérem mamát, hogy vigyen el Bécsbe, vagy valahová, ahol nem hallunk róla. És Françoise meg Louise nem jöhetnek. Nekik másik időtöltést kell találniuk – közölte, majd köszönés nélkül távozott. Atalanta szinte látta maga előtt Eugénie-t meg az anyját Bécsben, ahogy azon vitatkoznak, mit nézzenek meg és mit csináljanak, kivel találkozzanak és kit kerüljenek el.

Atalanta visszament a könyvtárba, ahol Raoul az egyik könyvespolc előtt állt, és egy hatalmas kötetet lapozgatott.

– *Középkori gyilkosság* – olvasta el a címét. – A legbotrányosabb gyilkosságok története. Gondolja, hogy a mi grófunk is ebből meríthetett ihletet?

– Kétlem. Egyszerűen megragadta a kínálkozó alkalmat. Mathilde ki akart lovagolni egy kezelhetetlen lóval. Korábban is levetette már a hátáról, ezért ez a legkevésbé sem volt gyanús. A gróf még azt is megvárta, hogy legyen egy vendégük, csak akkor vitte véghez a tervét. A legjobb alibi, egyben figyelemelterelés, ha bárki gyanút fogna.

– Azt továbbra sem értem – mondta Raoul –, hogy Angélique miért nem kísérte el Mathilde-ot. Hiszen remek lovas.

– Pontosan ezért. Szívesen vállal kockázatot, de azt soha nem veszélyeztetné, hogy a lova megsérüljön. Különösen, ha a ló nem az övé.

Raoul bólintott.

– Ebben van logika. – Rámosolygott Atalantára, és ismét felemelte a poharát. – A jövőre, Mademoiselle Ashford! Egy olyan jövőre, amelyben annyit utazhat, amennyit csak szeretne.

És amelyben minden tőlem telhetőt megteszek, hogy segítsek az embereknek, tette hozzá magában Atalanta.

Elvégre, ennek az ügynek a kapcsán rájött, hogy a képességei jobbak, mint ahogyan remélte. Képes volt a nagyapja nyomdokába lépni, és egyre jobban megismerni őt a rejtvények iránti szenvedélyen keresztül, amelyben mindketten osztoztak.

A szenvedélyen, hogy megvédjék az ártatlanokat, és igazságot szolgáltassanak a bűnösöknek.

Felüdítő játék volt ez, ahol előre gondolkodni éppen olyan fontos volt, mint hallgatni a megérzéseire, hogy megtalálja a helyes irányt.

Raoul közel állt hozzá, amikor koccintottak. Belenézett a szemébe.

– Még soha nem hallottam nőt ilyen szenvedéllyel beszélni egy gyilkosságról, Mademoiselle Ashford.

Valóban ezt mondta?

Vagy Atalanta csak képzelődött? A régi ábrándok visszhangja lett volna?

Többé nem kellett ábrándoznia, hiszen az élete tele volt a rejtélyek és kalandok ígéretével.

Alig várta, hogy megtudja, mit tartogat a jövő.

KÖSZÖNETNYILVÁNÍTÁS

Mint mindig, ezúttal is hálás vagyok minden ügynöknek, szerkesztőnek és szerzőnek, aki online részt vett az írás és a kiadás folyamatában. Külön köszönet az én mesés szerkesztőmnek, Charlotte Ledgernek, aki azonnal megértette, hová akarok eljutni ezzel a sorozattal, és akinek a kiváló meglátásai segítettek még inkább életre kelteni Miss Ashford alakját. Szintén köszönöm a teljes One More Chapter csapatnak, hogy dolgoztak a sorozaton, valamint Lucy Bennettnek és Gary Redfordnak a csodás borítóért, amely ragyogóan megragadja a sorozat lényegét.

A sorozat gondolata évekkel ezelőtt fogant meg a fejemben egy svájci nyaralás alatt, amikor egy sétán elhaladtam egy tábla előtt. A mögötte magasodó, gyönyörű épületről tájékoztatott, amely egykor egy nemzetközi, bentlakásos iskolának adott otthont. Mivel az író sosem alszik, akárhová is téved, arra gondoltam, csodás lenne, ha egyszer írnék valamit egy bentlakásos iskola helyszínén, a pompás svájci hegyek között. Így amikor Miss Atalanta Ashford alakja először körvonalazódott bennem, kétség sem fért hozzá, hogy egy nemzetközi, bentlakásos iskolában dolgozik majd, és innen indulnak a csodás kalandjai.

Bellevue egy kitalált birtok, de az egyes gyönyörű elemeit a valóság ihlette, például a kagylóval kirakott grottót, amely a mitológiai mintáival megtalálható sok nemesi kúriánál, sőt, még a királyi palotákban is. Ha lehetőségük adódik felkeresni egyet, ne habozzanak: megéri!

Borító nyomdai előkészítése KISS GERGELY
Belív nyomdai előkészítése KENYÓ ILDIKÓ
Nyomta és kötötte GENERÁL NYOMDA Kft., 2024
Felelős vezető Hunya Ágnes ügyvezető igazgató